报纸上的中国

——中文报纸阅读教程(上)

Reading China through Newspaper

Contextual Comprehension & Pedagogical Practice

王海龙　著

Hailong Wang

北京大学出版社

北　京

图书在版编目(CIP)数据

报纸上的中国 /王海龙著. —北京：北京大学出版社,2004.5
ISBN 978-7-301-06893-9

Ⅰ.报…　Ⅱ.王…　Ⅲ.汉语-阅读教学-对外汉语教学-教材　Ⅳ.H195.4

中国版本图书馆 CIP 数据核字(2004)第 000284 号

FLOTSAM(?)

书　　　名：**报纸上的中国**
著作责任者：王海龙　著
责 任 编 辑：张弘泓
标 准 书 号：ISBN 978-7-301-06893-9/H·0970
出 版 发 行：北京大学出版社
地　　　址：北京市海淀区成府路 205 号　　100871
网　　　址：http://www.pup.cn
电　　　话：邮购部 62752015　发行部 62750672　编辑部 62753334　出版部 62754962
电 子 邮 箱：zpup@pup.pku.edu.cn
印　　刷　者：北京大学印刷厂
经　销　者：新华书店
　　　　　　787毫米×1092毫米　16 开本　18.75 印张　512 千字
　　　　　　2004 年 5 月第 1 版　2009 年 12 月第 4 次印刷
定　　　价：50.00 元

目 录

第五章 报纸上的新闻(一)

第六章 报纸上的新闻(二)

第七章 中文报纸新闻概论(二)

第八章　报纸上的新闻（三）

精读篇

泛读篇

速读篇

第九章　报纸上的新闻（四）

精读篇

泛读篇

速读篇

第十章　报纸上的新闻（五）

精读篇

泛读篇

导　　言

读中文报纸一直被外国学生视为畏途。中文报纸难读,在对外汉语教学界几乎是通识。但为什么难读,却没有足够的解释与研究。

在国内教外国留学生,报纸阅读是一门专门设置的课程,从初级到高级,全日制的学生要学几个年头,再加上他们在中国有语境,用铁杵磨针的功夫总能最后学成正果;可海外的学生就没有这种幸运了。在国外,我们往往可以看到有很多汉语不错的学生甚至是博士生,学习汉语经年,能读懂中国的小说、戏剧、散文甚至古典诗歌,但在读中文报纸的时候往往就捉襟见肘、一头雾水了。

为什么会这样呢?因为中文报纸的写作是一种独特的表述系统,有其专门的表达习惯和格式化形式。它们往往文白夹缠、俗雅交映,更不必说还有官方行话、新闻导语、地方方言、外来语、专业术语、新词语甚至生造词语交错其间(且不说中文报纸还喜欢用一些古汉语表达方式来凝练化表达,更不必说其对仗、押韵、拈连、戏拟、双关、谐音等具体手法在文章标题等方面的应用了);不了解一些相关的解码知识,要想读懂中文报纸,对外国人来说殊非易事。

可是,为什么中国人读报不需要专门开设读报课呢?首先中国人有他们生长其间的便利的语言环境,汉语为母语的中国读书人一般都有相应的古汉语词汇和简单的知识,同时,语境也会帮助他们对新知识从猜意到熟知;此外,报纸上的文章往往和时事相关,报上报道的事情大都是他们耳闻目睹的事,他们不只从报上而且从广播、电视等媒体上了解新闻,一回生二回熟,很快就听懂了。“五讲四美三热爱”、“三个代表”、“扫黄打非”、“非典”要到很多年以后才能被收入字典(而且还要被实践证明确有生命力才能有被收入字典的幸运);而如果不去专门探究,这些连中国的贩夫走卒都耳熟能详的词语却足以难倒学富五车的海外著名汉学家。

有没有可能给海外非全日制汉语专业的学生或其他类学生编写一本速成的、简便易学的读报教材呢?让外国人尽快读懂中文报,我们有没有捷径可走呢?这几年我一直在思考这个问题。特别是在北京大学出版社出版了我的两本高级汉语教材中,我选择了一些报纸文章教学并获得了初步的成功之后,更坚定了我进一步探讨的想法。

我并非搞新闻出身,也不富有编撰中文报纸的经验,但我是一个受过比较完整的方法学和语文认知、习得训练的人文学者。特别重要的是,我本人曾经是一个外语习得者。我有学外语的经验,我知道作为一个外国学生在学习一种外语时想知道些什么,需要哪些知识,哪些方法最有效。我在写作这本教材时首先把自己作为一个学生,从学外语读报者的需要出发,自己先设身处地,学生想知道什么我就找什么材料,学生关心什么我就据此写什么,力图使这本教材做到亲切、有效、实用。所幸,我现在从事的教学工作使我有机会免于空想和虚拟,我随时可以把自己的教材应用于实践的检验和审核。除了设身处地地设想解决问题以外,我还得在教学中不断验证和更新自己的理念,使它们更加实用、有效和便于操作。

在这部教材的写作中,我力图为外国学生读懂中文报纸寻找出路和捷径。找捷径,但不能讨巧,这是我的工作的难度所在。我写这部书,刚来美国时阅读英文报纸的经验给过我不少启发。虽然中文和英文有很大区别,但在阅读报纸获得信息和通过报纸关注社会人生的目的上,在阅读报纸的基本方法上,在关于报纸的基本理念和一些人文表述、理性常识上差别不大。写作这类教材者应该意识到,熟悉报纸知识和功能这一点是学读中文报的外国学生的有待开发的优势所在。

这部教材除了汲取了一般汉语读报教材的特点以外,有几个特色可以在这儿略作简单介绍:

首先,我们的这部教材不仅仅如坊间的中文读报教材那样把读报教材编成"报纸文选",而是深入浅出地全面介绍了中文报纸版面设置、栏目编排、写作风格、文章特色乃至词汇知识等方面的内容和中文报纸的相关知识。纲举目张,知道了编码系统才便于解码。实践证明,这些相关知识介绍极大便利了学生,成了他们尽快掌握和解读中文报纸必备技巧和捷径。

其次,这部教材有比较宏观的世界视野。不同于坊间出版的中文读报教材选文仅关注地域性和囿于题材和体裁的局限,这部教材视野比较开阔,选文范围包括中国内地、香港、台湾以及海外中文报纸。它几乎囊括了世界各地中文报纸的基本特点,并对不同的政治社会背景、文体风格和表达方式进行了分析和比较,是在这方面比较全面和权威的教材,它能使读者得以了解和熟悉全世界中文报纸的基本风貌,以利其实践和更进一步的研习。在这个意义上,这是第一本这类的入门书。

第三,这部教材借鉴和汲取了欧美比较新的一些外语习得教学法和新的阅读理论。作者在研究和分析大量其他语种的报纸阅读和高级阅读教材的基础上,勉力借鉴了其中一些行之有效的新方法。充分利用各种积极的手段促进知识的习得和对内容的理解。作者综合采用了比较新颖的理性阅读、认知阅读和浏览阅读、模糊阅读、潜意识阅读的理论,在这部教材中开辟了精读、泛读和速读的栏目,扩大语法、语序、词汇和语用的循环频率和实践力度,举一反三,力图达到事半功倍的效果。

第四,结合传统的高级程度文学阅读教学的有效经验,本教材采用了详细背景知识介绍和分析、评点的方法。本教材对所选的精读和泛读作品进行了内容、风格的分析和阐发,同时,评点出课文特色,便利教与学双方尽快理解和把握文章内容,从而有的放矢地进行教学活动。此外,本教材还提供了"报刊惯用语和表述模式分析"、"小词典"、相关的背景知识介绍和富有针对性的练习,除了便利课堂教学外,还方便自学者。由于条理比较清晰、练习设计比较充分,相信对大部分的自学者,它将是一本非常 friendly 的指导性教材和读物。

这些年我一直在想如何把读报教材真正写成富有指导和启迪意义的读报教材而不是形形色色、一般各类的报刊文选。如果一本汇集各类报刊文章,带有一般性词汇、解释和习题之类的教材也能称作读报教材,那么读报教材的特殊性就真的无异于任何一种普通的文选了。这部教材体现了我近年来在这方面的一些尝试,我还一直在探索。当然,凭一己之力,我知道前面的路尚遥远。

不过,我知道,学习中文的外国人大多都有一种学以致用的明确目的性。而中文报纸是外国人了解中国最迅捷的一个窗口,它不应该是一个畏途。我们这部教材的根本目的就是给他们一种方法、一种迅捷的读懂和破译中文报纸表达方式的手段,让外国学生尽快通过原文直接读懂和欣赏中文报纸,分享读中文报的乐趣。

王海龙

2003 年秋,纽约

Introduction

In the last two decades, China has developed very rapidly. In order to have a better understanding of modern China, students need to read and analyze news from China. The Chinese newspaper is a major resource in this goal. In my advanced classes, I have found an unusual phenomenon: many advanced level students who have very good language abilities cannot understand a simple news article or daily report in a Chinese newspaper.

One reason for this is that reading a Chinese newspaper is not a simple task. This requires comprehensive knowledge of a cultural context, classical Chinese, folk knowledge, Chinese jargon, technical language, newly-created words, specific expressions, linguistic alertness of prefix/suffix, and even knowledge of Chinese idioms and poems. Chinese newspapers are targeted toward native Chinese readers who live in a specific cultural context and environment. No matter how strong of a language background a foreign student has, he/she needs to learn special techniques to use when approaching newspapers. My book is designed to help foreign students decode a Chinese newspaper from its language and cultural-literary context.

Students who take Chinese as a foreign language need a proper Chinese newspaper comprehension textbook. Currently, there are few such books on the market in the West, and although there are a few books on this topic in China, they are designed for students who study in China and use a different approach and pedagogy. Moreover, students who live in China and foreign students who live in the West face different problems when they read Chinese newspapers. My book focuses on the students who may not have the opportunity to live in Chinese society but still need to read Chinese newspapers to fulfill their professional or academic demands. I believe publishing this text will help meet these needs of foreign students and the market in the world.

Chinese Newspaper Comprehension

More and more people learning Chinese as a foreign language tend to receive an academic foundation but lack the practical means of everyday reading and writing. Why is a student able to read Chinese literature but has difficulty reading a Chinese newspaper? These are all skills that are easily learned, but Chinese newspaper comprehension is a special field, so students need to be trained to approach this subject competently. Chinese newspaper writing embodies different writing techniques, such as a highly stylized way of expression that correlates to a standardized format or custom, and formatted expressions. Some social contextual issues and social-linguistic issues expressed are beyond the language skills needed to understand the concepts, but we still can decode the meaning through our training.

Why is it important for students to be able to comprehend Chinese newspapers? Because of China is recent changes in its economic, political, and social agendas and its role in the WTO, increased communication with the rest of the world will only make reading a Chinese newspaper more important in understanding Chinese issues. Chinese is the second most widely spoken language after English. In tomorrow's workplace, it will be extremely important for those participating in China's market to be able to read news from a Chinese point-of-view.

Fundamental Way of Understanding a Chinese Newspaper

Unlike the other readers or Chinese newspaper collection books, my textbook will introduce the history of Chinese newspapers as well as its general content, characteristics and genres. I will interpret and analyze important aspects, such as how to read headlines, decode meaning, and compare studies in different area fields. In order to display different elements of Chinese newspapers, I have selected articles and samples with various styles from Mainland China, Hong Kong, Taiwan, and overseas Chinese communities. I have tried to choose the themes that are up-to-date, meaningful, inspiring, sophisticated and varied in tone. In Book One, I have concentrated on the topics of formatting and on the content of a Chinese newspaper, the typical Chinese media expressions, categories of Chinese journalism, with news articles, and have given my students access to the real Chinese news world.

In the six themes of the book, I have covered different political and economic fields and almost all the aspects of the modern Chinese life, including the Communist Party polices reformation, recent Chinese women's issues, the reformation of Chinese prisons, Chinese-foreign trade wars, health care and childcare, the social problems China faces today, Chinese educational and medical issues, and how does Chinese approach the international news, etc. I have searched data and materials from the newspapers internationally and put them into a new scope and frame, in order to represent the "real" Chinese newspaper expressions and compare the different styles in the different Chinese social-cultural environments. I believe that this is the first textbook of the field that has applied this kind of wide angle and covered so many stimulating and controversial topics.

Practical Design and Pedagogical Points

◇ **Warming up to the Topic:** In each text, we have warming up pre-reading activities to give students a general idea or context for the reading. Typically, students can approach the meaning of the article through headlines decoding, visual images, or key word scanning.

◇ **Genre and Style Analysis:** In order to help students become familiar with a Chinese journalist way of writing and understand the basic concept of the style, I designed this section. I usually introduce and analyze writing method of the article, and enlarge the scope of the article, linking related topics the students learn to their learned knowledge.

◇ **Intensive Reading:** In our book, we designed three kinds of readings. The purpose of the intensive reading is to train students to read with understanding and enjoyment by practicing the skills of headlines decoding and prediction; comprehension of the general ideas; catching the details and specific information, and inference.

◇ **Extensive Reading:** This section teaches students to learn how to grasp and interpret the general meaning and how to get used to tolerating reading, and learning how to read without knowing every single word. Through the skills of "reading for main ideas," "reading for details" and "reading between the lines," student will extend their vocabulary, learn grammatical knowledge and work with words and expressions selected to help them with comprehension.

◇ **Speedy Reading:** Speed reading is designed for practical reasons. We read newspapers in order to gain knowledge or to search for information, but we do not need to read carefully and thoroughly, line-by-line. We sometimes need to scan and skim a newspaper to get general information. We have selected some interesting articles and teaching materials, and created some specific exercise to fulfill this task.

◇ **Chinese Newspaper Expression Patterns and Grammatical Explanations:** Unlike other Chinese writing styles, Chinese newspaper writing has some specific expression patterns and formatted usage. Learning this kind of technology is very helpful for foreign students who want a magic tool and to be able to jump into a high level. We have a very concise and easy-to-understand interpretation in this section.

◇ **A Brief Dictionary and Idiomatic Expressions:** News is generally made up of truly new issues, so some definitions or terminology in newspaper cannot be found in any tool books or reference books. That may disappoint students who read Chinese newspapers. For them, I have provided a brief dictionary and a section or idiomatic expressions. I have also disclose the way Chinese native speakers might deal with the situation in order to give them a "key" to solve this kind of problem in the future.

◇ **Discussion, Re-organizing Information and Rewriting:** In each section, I have designed a discussion section. In these exercises, students can explore, review, and practice the language from their readings. Using a thematic context, students can focus on language: pronunciation, word forms, prefixes and suffixes, word domains, idiomatic expressions, and analogies. Besides discussion, I have also designed writing exercises, such as reorganizing information to re-pattern the news writing and learn the skill of writing and re-writing news in Chinese. To learn how to read at the advanced level, readers ought to know how to write, because after all, reading and writing are the two sides of a same coin.

Hailong Wang, December, 2003
Columbia University, New York

第一章　中文报纸的构成

第一节　中文报纸一览

报头。一般采用名人题字或醒目的字体。

日期和天气情况。这是报纸服务功能的表现。

报眼。一般报道重要新闻和最新消息。

一些重要的新闻往往有摄影图片，也叫做图片新闻。因为它图文并茂，有较强的视觉效果，所以很受人欢迎。

报纸的头版一般报道国家领导人的讲话和国家的政策、新的方针等内容。

第一版也往往有一些短信息和短新闻，报道各地情况。

中国大报第一版的主要版面往往报道国家大事和政治类新闻。

中国报纸的第一版往往有社论等内容，起到指导民众、引导舆论的效果。这是现代中文报纸的一个比较显著的特点。

除了社论以外，有时候报纸上还会有一些短评。它的内容短小精悍，文字也简单、很适合一般读者阅读，可以起到宣传和教育作用。

第一版上往往有标题新闻和一些简短的文字导读。

第二节　报纸的刊头

报纸的刊头是一个报纸的名称。它是一份报纸的非常重要的部分。报纸的刊头通常都一目了然地把自己要传达的消息告诉读者。一般报纸的刊头会标明一份报纸的性质(如《人民日报》、《中国青年报》)、报纸出版发行的地点(如《北京日报》、《成都日报》、《羊城晚报》)、业务范围(如《健康报》、《中国法制报》、《中国少年报》)等等。有的报纸还专门描写出自己的特色,引起相关范围读者的留心(如《足球》、《中国电脑报》、《美华工商报》);还有的报纸刊头是一些表意性的内容,比如《大公报》、《文汇报》、《联合报》、《光明日报》、《团结报》、《新华日报》等等,但这些报纸仅看刊头往往还是不能知道它的内容,需要具体阅读报纸才能了解内容。总的来说,报纸的刊头是一个报纸的最醒目的地方,也是这张报纸的招牌。所有的报纸都非常珍惜和重视自己的刊头和名目。报纸的刊头一般都用最大号的字印刷或请名人题字,报纸刊头一般都要求庄重大方。中国大陆出版的横排的报纸,刊头通常在报纸第一版的左上方,有的在报纸第一版上方的中间位置。海外出版的横排的中文报纸,刊头位置也大都与此相似。台湾、香港、海外出版的竖排的中文报纸的刊头则大部分是在报纸第一版的右上方。

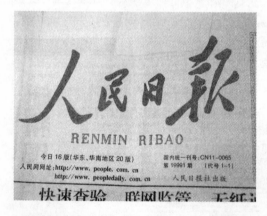

第三节   报眼

　　"报眼"是指报纸刊头旁边的一小块版面。这个地方虽然小,但是非常醒目,所以,有经验的报纸编辑会非常充分地利用这块版面。一般的报纸会用这个部分介绍一些重要的新闻、消息,或刊登一些标题新闻作为报纸的导读部分。政府办的报纸则常常利用这个部分来刊登一些重要的图片、重大事件、领导人的发言,他们的行踪报道、最新发布的政策、法律等等。而海外发行的中文报纸则往往利用这块版面突出报纸的特色,刊发广告以及一些招徕读者的文字等等。

报眼一般突出介绍一些比较新的消息和比较重要的内容。

第四节　报纸的栏目

报纸的栏目就是报纸所表达内容的编排和表现形式。报纸栏目的安排会展示出报纸的风格、重点、编辑方针以及装潢理念、视觉效果等等。

一般报纸的栏目安排取决于报纸的内容和性质以及读者的要求等等。同时，各种报纸虽然大同小异，但一份出色的报纸总要追求自己的特色。所以，一份杰出的报纸虽然要满足一般读者的不同需要，但报纸编辑者还要注意同中求异，力图把报纸办得新颖而有特色。那么，办报者就要在报纸的栏目设计上下功夫，以便吸引更多的读者。

报纸栏目的安排首先取决于报纸的性质、内容需要。报纸的性质除了决定它的栏目安排以外，还决定了它对新闻意义的取舍。比如说，一份普通的日报和一份体育专业报在对待一个国际足球赛的报道上一定会有不同；同样，我们也不能期待一份综合性的报纸能够把一个发生在国外的金融事件像专业的财经类或工商报那样仔细介绍和分析。

专业性的报纸栏目都有很强的针对性。它们的读者也因为它的专业性而相对固定，这样的报纸的好处是它的业务性强，但它的坏处是读者面窄，使它发行规模受到限制。因此，除了有确切销路的有名的大报（如美国《华尔街日报》等）外，为了追求发行量，一般报纸都力图办成既具有综合性而又有自己栏目特色的日报。

生　词 (1.1)
Vocabulary

1. 刊头 刊頭	kāntóu	（名）	标出报纸和刊物的名称、日期等的地方 masthead of newspaper/magazine
2. 一目了然 一目瞭然	yí mù liǎo rán	（成）	一眼就看得明白 be clear at a glance
3. 标明 標明	biāomíng	（动）	指示出来 mark; indicate
4. 发行 發行	fāxíng	（动/名）	发出新印刷的书刊、电影或钱币等等 issue; publish; distribute; put on sale
5. 表意性 表意性	biǎoyìxìng	（名）	具有表达意义内容的 manifestation

6.	醒目 醒目	xǐngmù	（形）	（文字、图画等）形象鲜明，容易看清 (of written words or pictures) catch the eye; attract attention; be striking
7.	珍惜 珍惜	zhēnxī	（动/形）	珍重爱惜 treasure; value; cherish
8.	题字 题字	tí zì	（动）	为留纪念而写上的字 inscription; autograph
9.	庄重 莊重	zhuāngzhòng	（形）	（言语、行为等）不随便，不轻浮 serious; grave; solemn
10.	充分 充分	chōngfèn	（形）	足够；尽量 full; ample; abundant
11.	刊登 刊登	kāndēng	（动/名）	在刊物和书上发表 publish in newspaper or magazine; carry
12.	导读 導讀	dǎodú	（名）	指导阅读；文字介绍 instruct or direct reading
13.	行踪 行蹤	xíngzōng	（名）	行动的踪迹 trace
14.	发布 發佈	fābù	（动/名）	发表和宣布 publish; announce
15.	招徕 招徠	zhāolái	（动）	招揽；吸引人 attract attention
16.	栏目 欄目	lánmù	（名）	报纸、杂志等版面上按内容 性质分成的标有名称的部分 column
17.	编排 編排	biānpái	（动）	按照一定次序编辑排列 arrange; lay out
18.	方针 方針	fāngzhēn	（名）	指导事业、工作、学习等的根本的 方向和目标 policy; guide principle
19.	装潢 裝潢	zhuānghuáng	（名/动）	装饰物品使美观 mount; decorate; dress; decoration
20.	视觉 視覺	shìjué	（名）	物体的影像被眼睛看到的感觉 visual sense; vision; sense of light
21.	取决于 取決於	qǔjuéyú	（动）	由某方面或某种情况决定 be decided by; depend on; hinge on
22.	大同小异 大同小異	dà tóng xiǎo yì	（成）	大的方面相同，小的方面有点不一样 largely identical but with minor differences; alike except for slight differences; very much the same

23. 同中求异	tóng zhōng	(习语)	在差不多一样的地方追求不一样来表现自己
同中求異	qiú yì		exploring differences from similarities
24. 取舍	qǔshě	(动/名)	决定要或不要
取捨			accept or reject
25. 期待	qīdài	(动)	期望和等待
期待			anticipate; expect
26. 金融	jīnróng	(名)	指货币(钱)的发行、流通,发放贷款等经济活动
金融			finance; banking
27. 财经	cáijīng	(名)	财政、经济的合称
財經			finance and economics
28. 针对性	zhēnduìxìng	(名)	指对准一些特殊目标的功能
針對性			being aimed at; directing
29. 相对	xiāngduì	(副)	比较的
相對			relatively; comparatively
30. 确切	quèqiè	(副/形)	准确、恰当、确实
確切			accurate; proper
31. 力图	lìtú	(动)	极力谋求、打算
力圖			try hard to; strive to
32. 特色	tèsè	(名)	事物表现出来的特殊的色彩、风格等
特色			characteristic; distinguishing feature

练习题

一 选择题

1. 报纸的刊头是一份报纸非常重要的部分,因为它:

    a. 庄重大方   b. 强调实用   c. 一目了然地告诉读者自己的内容

2. 报纸的刊头一般都放在报纸的:

    a. 招牌上   b. 最中间部分   c. 左上方或右上方

3. 报眼是报纸非常醒目的部分,它一般在报纸的:

    a. 上边   b. 下边   c. 刊头旁边

4. 一般报纸栏目的安排要取决于:

    a. 大同小异   b. 报纸内容和读者要求   c. 形式化的要求

二　填充题

1. 一般报纸的刊头会标明一份报纸的_____，报纸出版发行的_____，_____等等。

2. 总的来说，报纸的刊头是一个报纸_____的地方，也是这张报纸的_____。所有的报纸都非常_____和_____自己的刊头和名目。

3. "报眼"是指报纸_____。这个地方_____，但是_____，所以，有经验的报纸编辑会_____。

4. 一般报纸的栏目安排取决于_____以及_____等等。同时，各种报纸虽然_____，但一份出色的报纸总要_____。

5. 专业性的报纸栏目都有_____。它们的读者也因为它的专业性而_____，这样的报纸的好处是它的_____，但它的坏处是_____，使它发行规模_____。

三　思考题

1. 从一份报纸的刊头，我们能够得到什么样的信息？
2. 什么是表意性的刊头？通过表意性的刊头能够了解报纸的内容吗？
3. 报纸的刊头为什么那样重要？请你举例说明。
4. 报眼是什么？它有哪些作用？
5. 报纸是根据什么来决定它的栏目的？报纸的栏目会体现出什么？
6. 怎样才是一份好的报纸？一份杰出的报纸应该具有哪些特点？
7. 普通报纸和专业报纸有什么不同？
8. 专业报纸有哪些好处？又有哪些不利的地方？

第五节　报纸的主体内容

报纸的主体内容一般都与报纸的业务性和所要突出的主题有关。如财经类的报纸多着重报道经济类的新闻，体育类的报纸关心体育比赛和体坛明星的消息，影视娱乐类的报纸着重报道文艺明星和演艺娱乐方面的新闻，医药科技类报纸则多报道有关医疗、健康和新的科技产品类的新闻，等等。但不管强调什么具体方面业务性的报纸，都有一个共同的重要的特点，那就是它的新闻性和时间性。

1. 时事新闻：时事新闻一般及时报道最近发生的人们关心的事件。一般时事新闻报道的深度和广度依报纸的篇幅和规模而定。它们有按照地域性划分的如"国际新闻""国内新闻""地方新闻"等等；也有按照内容划分的如"政治新闻""社会新闻""经济新闻""文化新闻""科技新闻""经贸新闻""娱乐新闻"等等。此外，还有一些短新闻、标题新闻和图片新闻等也属于新闻的范畴。

2. 通讯报道:通讯报道一般是对新闻事件的追踪和较深层的介绍。它比新闻更加富有广度和深度,也能提供更多的相关信息。

3. 新闻故事:新闻故事是对新闻内容更进一步的扩写和深度报道。它一般除了具有新闻性以外,还富有描写性和故事性,使人在阅读新闻的同时得到一些阅读的愉悦并有身临其境的感觉。

江苏省姜堰市俞垛镇把河蚌育珠生产作为农民致富的主要方向,计划今年发展鱼蚌混养五千亩。图为何野村农民顾网中家人正在鱼塘里忙碌。王志瑜摄

4. 人物采访:人物采访一般是指对新闻人物、重要社会人物或一时人们感兴趣的其他各类人物,进行较为深入细致的访谈,并描写报道出读者希望知道的消息、故事、观点和内容。在人物采访中,报道者应该把自己放在读者的位置,尽量问出读者想知道的信息;同时,访问者要充分做到礼貌、得体,尊重记者的职业道德。

5. 访问纪:访问纪一般是指报纸编者对人们感兴趣的一些事件、人物、新政策的社会反响等的深入报道,有时候也体现在对一些大型的会议的综合追踪报道等等。访问纪一般包括的内容比较广泛,它有时候是一种介于人物采访和事件通讯之间的一种文体和内容。

6. 事件通讯:事件通讯一般是对一个突发事件作出的即时的、专门性的报道。这些事件一般是社会或读者关注的热点话题,所以好的事件通讯报道是一份报纸赢得读者的重要的部分。

7. 评论:评论是反映一个报纸的立场和政治主张的重要栏目。一般的报纸都有评论/论坛栏目或社论栏目来发表自己的见解。这是报纸阐明自己的观点、引导读者的新闻导向性的一个非常重要的组成部分。

8. 专题杂志:一份报纸要涉及很多的时政新闻和各种各样的题目,而有些题目以上所介绍的一般的栏目不能概括。或有时有一些临时的热点、突发性的热门话题虽然很受关注,但它又不足以开辟一个固定的栏目。这样,有的报刊就以"专题杂志"这样较为笼统的题目来概括一些人们眼前关心的话题,以博得读者的青睐。

9. 副刊:副刊是一些报纸的软性内容,它一般刊登文学作品、征文、读者来信、连载或转载一些流行的读物,有的副刊还有书评、影视评论和音乐评论等读者喜闻乐见的内容。中文报纸的副刊一直是报纸赢得读者的一个重要的版面。它的意义往往不仅仅是文学艺术、娱乐消闲的,中文报纸的副刊有着一种激扬文字、关心世情的传统,中国近现代史上很多著名的作家都是在副刊上发表作品而受到世人重视的。副刊是鼓舞民众、引导人民的一个非常积极有效的版面。

第六节 广告

广告也是一份报纸不可忽略的重要组成部分。现代报纸的生存取决于报纸读者对它的热爱和支持程度。一份报纸办得越好,它的读者就越多。读者越多,它的发行量就越大。发行量越大,它的影响就越大;客户就更愿意在上面做广告,它的社会效益和经济效益就会更好。这两个方面的效益越好,报纸就会越有可能投入更多的人力、物力和财力来把报纸办得更好。而财力是办好一份报纸必不可少的重要因素。怎样扩大自己的财力呢?对一份报纸而言,扩大自己的知名度,以自己优秀的服务和高质量的信誉来确立读者对自己的信任甚至依赖是一个重要的方面。

或者,我们用更简单的话来说,在今天,报纸作为媒体影响着当代人的生活已经是个不必争论的事实。那么,在现在的商品社会,精明的商家利用报纸做广告来促销是一种非常常见的手段。

选用什么样的报纸来为自己的产品做广告呢?如果你是个商家,做广告时你当然首先要考虑这个问题。为了让更多人知道你的产品或对你的产品感兴趣,你当然愿意在最有影响、发行量最大、读者最多的报纸上做广告。当然,在这样的报纸上做广告的价格也会比一般的报纸贵。有的报纸虽然价格便宜,但因为影响力小,你不愿意采用。

这样,发行量大、影响力广的报纸总是得到最多的广告客户,虽然它们总是价格最高,但能赢得最大的经济利益。由于这样的报纸经济实力强大,它们就可以投入更多的钱来把广告做得更好,更富影响力;广告做得好,做得有效,这样的报纸也就赢得了更多的广告客户。这其实是一个良性的循环。

一份优秀的报纸总是重视报纸广告的重要作用,用做好广告来保证报纸的财源,扩大其发行量和知名度;同时促进报纸其他各个方面的发展。

什么样的广告是好广告呢?

好的广告首先要健康、新颖。报纸是一种无处不在的信息媒介物,它有极强的影响力和作用。所以报纸在做广告时要考虑到正反面的效果,不应惟利是图,更不应该刊登不健康或违反社会道德、传统的广告。好的广告要提倡好的精神和物质产品、好的道德风貌。

其次,好的广告要有号召力,要真实,有诚信度。广告的灵魂在于招徕,但招徕的目的在于推销。如果仅着眼于招徕而传播了不真实或虚假的内容,广告就失去了生命力,同时也就失去了它存在的意义。一则不真实的广告欺骗了读者,做广告的商家当然负主要责任,但刊登广告的报纸也不光彩,因为广大消费者正是从它那里得到有关信息的。如果总是刊登这样的广告,这份报纸就会失去读者的信任。所以负责任的报纸往往在刊登广告的时候要求商家提供相关的产品证明、证书、获奖记录以及有关的文件等等。这是对商家,更是对广大读者的一个负责任的态度。

第三,好的广告要有好的视觉效果。广告是为了宣传产品服务的,它的目的是吸引人。一般人买报纸是为了获得信息,主要是想了解新闻时事,报纸上的广告有时候无足轻重,有时候如果安排得不好,会让人感到厌烦。如果报纸仅仅为了赚钱而大肆刊登广告,可能会引起读者的反感而影响发行量。发行量下降了,则会直接影响到报纸的形象,因而商家也许会不再选择它刊登广告,从而也会影响它的广告收入。这是一个恶性的循环。所以,好的广告要注重广告的设计,要使广告有好的视觉效果,使人喜闻乐见。优秀的广告甚至因其有极佳的美学效果而为大众喜爱,除了有促销产品的效益,同时也给人们带来愉悦。

第四,好的广告要资料全面。广告的目的是提供信息,因此广告除了要具备上面说的技术性优点外,还要有较为全面的信息资料,以便读者或消费者能够及时同商家和有关部门联系。

第五,好的广告要有社会公德。虽然广告和报纸的经济利益息息相关,但优秀的报纸总是把社会责任放在第一位。总而言之,一般报纸刊登广告时除了经济利益外,首先要考虑它的社会意义。如果有的广告有负面的效应或有不良、不雅的效果(如烟、酒或赌场之类的广告),即使不违法或没有明显的道德问题,报纸仍然会抵制或拒绝接受发表。这样做虽然会影响某些收入,但可能会赢得更广大的读者。另外,有些报纸除了刊登广告获利以外,还拿出部分版面刊登一些公益性的广告。这对改良社会风气和塑造自己的形象都有很多积极的正面意义。

生 词 (1.2)
Vocabulary

1. 主体 主體	zhǔtǐ	(名)	主要的部分 main body; main part
2. 业务性 業務性	yèwùxìng	(名)	指专业性比较强的内容 professional work; business
3. 突出 突出	tūchū	(形)	鼓出来的;超过一般地显露出来的 protruding; projecting; sticking out; outstanding; striking
4. 娱乐 娛樂	yúlè	(名)	快乐而有趣的活动 entertainment
5. 休闲 休閑	xiūxián	(名)	休息和消闲 relaxation and leisure

6.	深度 深度	shēndù	（名）	触及事物本质的程度；程度比较深的 depth; profundity
7.	广度 廣度	guǎngdù	（名）	事物广狭的程度 scope; range
8.	划分 劃分	huàfēn	（动）	区分；把整体分成几个部分 delimit; differentiate
9.	经贸 經貿	jīngmào	（名）	经济和贸易 economics and business
10.	范畴 範疇	fànchóu	（名）	类型、范围 category; range
11.	追踪 追蹤	zhuīzōng	（动）	按踪迹或线索追寻 trace; follow the track of
12.	愉悦 愉悦	yúyuè	（形）	愉快和欢乐 happy; joyful; delighted
13.	身临其境 身臨其境	shēn lín qí jìng	（习语）	亲身参与一件事的感觉 be personally on the scene
14.	得体 得體	détǐ	（形）	（言语、行动等的）得当；恰当；恰如其分 appropriate; suited to the occasion
15.	反响 反響	fǎnxiǎng	（名）	回响；反应 response; repercussion
16.	介于 介於	jièyú	（介短）	在……中间 be situated between; interpose
17.	突发 突發	tūfā	（形）	突然发生的 happening suddenly
18.	即时 即時	jíshí	（形）	马上；立刻 immediately
19.	阐发 闡發	chǎnfā	（动）	解释并且发挥 elucidate; explain and develop
20.	笼统 籠統	lǒngtǒng	（形）	缺乏具体分析，不明确；含混 in general; not specific
21.	激扬 激揚	jīyáng	（动）	抨击坏人坏事，奖励好人好事；激动昂扬 emotional; passionate; enthusiastic
22.	发行量 發行量	fāxíngliàng	（名）	报刊或货币等的数量 circulation
23.	知名度 知名度	zhīmíngdù	（名）	被公众知道或了解的程度 capacity or degree of being known
24.	依赖 依賴	yīlài	（动）	依靠和信赖 rely on; be dependent on
25.	促销 促銷	cùxiāo	（动/名）	帮助和促进销售 promotion

26.	循环 循環	xúnhuán	(动/名)	事物的从头到尾的发展变化和这种变化的重复 circulate; cycle
27.	财源 財源	cáiyuán	(名)	财产的来源 financial resources; source of revenue
28.	新颖 新穎	xīnyǐng	(形)	新而且别致 new and original; novel
29.	媒介物 媒介物	méijièwù	(名)	使(人或事)双方发生关系的事物 medium; intermediary
30.	惟利是图 惟利是圖	wéi lì shì tú	(成)	只要有利益就想尽一切办法去得到 seeking profits by all means
31.	着眼于 着眼於	zhuóyǎnyú	(动短)	观察,考虑 have one's eyes on; see from the angle of
32.	举足轻重 舉足輕重	jǔ zú qīng zhòng	(成)	所处的地位重要,一举一动都关系到大局 prove decisive; play a decisive role
33.	大肆 大肆	dàsì	(副)	没有顾忌地(多指做坏事) without restraint
34.	不雅 不雅	bùyǎ	(形)	不文明;不文雅 offensive; rude
35.	抵制 抵制	dǐzhì	(动)	阻止某些事情,使不能发生作用 resist; boycott
36.	公益性 公益性	gōngyìxìng	(名)	和公共利益有关的特性 public benefits; public welfare

练习题

一 选择题

1. 报纸主体的一个最重要的特点是:
   　　a. 新闻性和时间性　　　　b. 业务性突出　　　　c. 休闲娱乐

2. 时事新闻一般可以按照_____来划分:
   　　a. 深度和广度　　　　b. 地域性和内容　　　　c. 文章的长短

3. 人物采访的对象一般是一些
   　　a. 新闻人物、重要人物　　b. 作者喜欢的人　　　　c. 有故事性的人

4. 专题杂志一般包括:
   　　a. 固定栏目　　　　b. 临时的热点或话题　　　　c. 比较深刻的题目

5. 副刊是一份报纸的软性的内容,它一般包括:
   　　a. 文学作品　　　　b. 重大新闻　　　　c. 社会评论

二   填充题

1. 一份报纸＿＿＿＿＿＿＿＿，它的读者＿＿＿＿＿＿＿＿。读者＿＿＿＿＿＿＿＿，它的发行量＿＿＿＿＿＿＿＿。发行量＿＿＿＿＿＿＿＿，它的影响就＿＿＿＿＿＿＿＿；客户就＿＿＿＿＿＿＿＿，它的社会效益和经济效益就会更好。

2. 发行量大、影响力广的报纸总是＿＿＿＿＿＿＿＿，虽然它们总是价格最高，但能赢得最大的经济利益。由于这样的报纸＿＿＿＿＿＿＿＿，它们就可以＿＿＿＿＿＿＿＿，来把广告做得更好，做到更富影响力。

3. 好的广告＿＿＿＿＿＿＿＿，要＿＿＿＿＿＿＿＿，有＿＿＿＿＿＿＿＿。广告的灵魂在于＿＿＿＿＿＿＿＿，但＿＿＿＿＿＿＿＿目的在于推销。

4. 好的广告要有＿＿＿＿＿＿＿＿。广告是为了宣传产品服务的，它的目的是＿＿＿＿＿＿＿＿。一般人买报纸是为了＿＿＿＿＿＿＿＿，主要是想了解新闻时事，报纸上的广告有时候无足轻重，有时候如果安排得不好＿＿＿＿＿＿＿＿。

三   思考题

1. 报纸的主体内容与什么有关系？它们报道新闻时有什么样不同的重点？
2. 新闻故事除了新闻性以外，还有什么方面的要求？
3. 在进行人物采访时，访问者对自己要有什么样的要求？
4. 事件通讯在报纸上为什么重要？
5. 报纸的评论起着什么样的作用？
6. 报纸为什么要有专题杂志？专题杂志的意义在哪儿？

第二章   如何读中文报纸

第一节   速读标题   眉目传情

报纸上的文章,每篇都有题目。"题目",也叫"标题"。顾名思义,"题"本义是指一个人的额头,"目"是眼睛。看到了一个人的额头和眼睛,我们马上就认识了这个人,了解了他的心态和表情。"标"的意思是指示,报纸的标题正是指示我们文章的主要内容的。读懂了标题,我们对报纸文章的意思就理解了一半。

标题放在文章的前面或最醒目的地方,就是引人注意或起提醒作用,同时也方便人们查找。一张报纸有"报眼",在报纸最醒目的右上角;书籍上部醒目的地方我们往往叫"书眉",眉和目都是最显眼的地方,看文章我们首先要看题目。

读标题是读报的第一步。我们是通过读标题来选取随后阅读我们感兴趣的部分的。标题一般会告诉我们文章的主要内容。

外国学生们反映,中文报纸的标题往往不太容易读懂。有些学习汉语多年,中文基础不错的外国学人,读起中文报纸来也往往皱眉头。连标题都读不懂,这常常会使他们感到非常沮丧,打消了读报的勇气和兴趣。

其实,读不懂中文报纸的标题,对学中文的外国学生来说不算奇怪,即使是土生土长的中国人,读不懂中文报纸的某些标题也不能算是奇怪。读懂中文报纸的标题是一门学问,这个问题我们在下面要专门讨论。

第二节   走马观花说浏览

我们知道,读报纸不同于读书,也不同于读一般文章和文学作品。报纸是文化快餐,我们读报的目的是了解信息,要想真正对一些感兴趣的内容深入了解,我们必须进行专门的资料搜集和研究工作。因此,我们读报的基本方式是浏览,我们对报纸的内容不求都吸收,都记住。

怎样浏览一份报纸呢?在拿到一份报纸以后,除非有特定的目的或专门查找某些文章,一般而言,我们首先看它的大栏目和版面,然后开始浏览报纸的标题。读完了标题,我们大致找出了我们感兴趣的题目,把这些相关的版面和题目抽出来放在一边。一部分作为消闲阅读材料,一部分细读,寻找有用的资料。

这样,初步分类以后,读者就对报纸进行第二次浏览。第一次是浏览标题,第二次是浏览相关的文章。我们这次说的浏览是指一般的速读,也就是走马观花地看文章大意或轻松地阅读一些休闲性、趣味性的文章。这样的浏览基本上是读懂文章的大意,主要是了解内容,找出一些关键词和自己感兴趣的信息。如果是读文艺性的内容或副刊等等,这样的速读或浏览只是一种积极性的休息,读者无需一字一句地啃懂全部的意思或拘泥于对每个细节的了解。

如果在这种浏览过程中读者发现了更进一步的材料或产生了兴趣,那么就有必要细读它们。细读要求读懂字词句章,要求弄懂全部内容。这是读报的另一个主要目的所在。细读应该注意的问题我们在下面还要专门谈。

第三节 上下文分类浏览

初步浏览以后,我们就可以有目的地进行分类浏览了。分类浏览是在初步浏览了题目以后复读的过程。分类浏览一般和上下文的信息组合相关。分类浏览的好处是它的信息量密集,同时因为初步组合后的阅读资料内容相关,这样便于集中记忆。比如,读者可以把要找的资料集中分类成经济类、时事类、文艺类或广告类等集中阅读。

现在的报纸除了文字以外,还着力加强了现代媒体的信息功能,它们尽可能地利用视觉效果来加强表达能力。比如说,很多报纸善用版面,同时采用一些图片、图表来简单明了地传递信息。这些视觉辅助材料在读者阅读报纸时是一种有力的提示,同时它们也可以起到帮助读者理解文字内容的目的。我们一定不要忽略它们在这方面的积极意义。

有人说,现代读者阅读习惯的一个明显的转变就是现在进入了"读图时代"。也就是说,读者更喜欢通过直观的视觉画面来接受新的信息。图片往往能表达比文字更明确和引人的信息。比如有的学者认为"一张图片胜过万语千言"(a single picture is worth ten thousand words),而有的读者认为文字比图片更富表现力 (a single word can be worth ten thousand pictures)。虽然论者所持见解不同,但现代读者已经几乎没有人否定图片在新闻媒介中所起的作用了。因此,在阅读报纸时,我们应该充分利用图画带给我们的阅读方便来帮助我们理解文字的内容。

在浏览性地泛读报纸时,有时候报纸上的图片是帮助我们理解正文内容的一个有利的工具。有时候新闻

福建上海女排晋级甲A联赛

3月23日,福建队主场以3:1战胜上海东方女排,保持了7连胜,从而获得全国女排甲A联赛资格赛冠军,上海队获得亚军。福建队和上海队一起获得全国女排甲A联赛的最后两个席位。图为福建厦门喜梦宝女排队长林汉英和一个小球迷在厦门市体育中心庆祝胜利。

的图片可以一目了然甚至先入为主地给读者关于这则新闻的第一印象，有心的读者不应该忽略它的功能。除了读图以外，读者还要养成泛读或者"模糊阅读"能力和习惯。首先不要怕生词，别被生词打倒。读报纸，不必要求像读专业书或重要文件，只要读者能够抓住它的主要内容，了解它的大致意思就达到了阅读的基本目的。这样就要求读者有泛读和猜测的能力，做到读完第一遍大致上知道文章的内容。

在理解了文章大体意义而且对它感兴趣或跟自己业务有关时，读者开始进行有选择的第二次阅读。在二读时一般要注重一些具体的内容和相关的信息，这就要求注重细节。我们建议在二读时，首先明白文章的类别，熟悉一些跟题材有关的词组。比如政治类、经济类、时事类或艺术、医药、体育等类的术语和一般表达方式。报纸语言的特点是它有很强的程式性。如果读者从一开始就把相关的词语弄懂并记住了，对以后的阅读和理解将会有极大的帮助。这些在我们以后的选文中和练习里会大量出现，我们会有目的的给予专门的练习。

第三，在选文阅读的练习部分，我们会根据选文的特色进行一些写作风格的分析，并介绍相应的新闻写作方面的知识。我们的重点当然不是写作新闻，但是了解新闻写作的特点及其一般性结构等，对于我们更进一步地读懂报纸文章内容会有很大的帮助。

生　词 (2.1)
Vocabulary

1. 顾名思义 顧名思義	gù míng sī yì	（成）	看到名字就想起意思来 seeing the name of a thing one thinks of its function; just as its name implies; as the term suggests.
2. 额头 額頭	étóu	（名）	头的前部 forehead
3. 沮丧 沮喪	jǔsàng	（形）	心情不好，失望 depressed; dejected
4. 浏览 瀏覽	liúlǎn	（动）	大略地看 browse; glance over
5. 吸收 吸收	xīshōu	（动）	吸取、得到 absorb; suck up

6.	走马观花 走馬觀花	zǒu mǎ guān huā	（成）	随便浏览,不仔细看 look at flowers while riding on horseback; gain a superficial understanding through cursory observation
7.	啃 啃	kěn	（动）	用上牙咬 gnaw; nibble; bite
8.	拘泥 拘泥	jūnì	（动短）	死板,不灵活 be a stickler for(form, etc.); rigidly adhere to (formalities, etc.)
9.	组合 組合	zǔhé	（动）	放到一起,结合 make up; compose; constitute
10.	密集 密集	mìjí	（形）	数量很多地聚集在一起 concentrated; crowded together
11.	辅助 輔助	fǔzhù	（动）	帮助 assist; supplementary; auxiliary; subsidiary
12.	忽略 忽略	hūlüè	（动）	不注意、不重视 ignore; neglect; overlook; lose sight of

练习题

一 选择题

1. 报纸的标题很重要,因为它是:
   a. 顾名思义　　　　　b. 头上的眼睛　　　　　c. 指示文章内容的

2. 我们读报和读书的目的不同。读报的基本目的是:
   a. 了解信息　　　　　b. 娱乐休闲　　　　　c. 吸收知识

3. 在初步浏览之后,我们就可以有目的地进行
   a. 走马观花　　　　　b. 信息量密集　　　　　c. 分类浏览

4. 报纸上的图片一般是帮助读者_____的。
   a. 理解正文　　　　　b. 读图时代　　　　　c. 模糊阅读

5. 在进行二次阅读时,最好
   a. 有很强的程式性　　　b. 泛读和猜测　　　　c. 熟悉信息和词语

二 填充题

1. 标题放在文章的前面或_____，就是引人注意或_____，同时也_____。

2. 我们知道，读报纸不同于_____，也不同于读_____和_____。报纸是文化快餐，我们读报的目的是_____。

3. 分类浏览是在初步浏览了题目以后_____。分类浏览一般和上下文的_____相关。分类浏览的好处是_____，同时因为 初步组合后的阅读资料内容相关，这样便于_____。

4. 现在的报纸除了_____，还着力加强了_____，它们尽可能地利用_____来加强表达能力。很多报纸善用 版面，同时采用一些_____来简单明了地传递信息。

三 思考题

1. 报纸的标题为什么那么重要？
2. 读报纸和读书有什么不同？我们应该怎样浏览一份报纸？
3. 上下文分类浏览的好处在哪儿？为什么？
4. 现代的很多报纸为什么采用图片来传达信息？
5. 什么是"模糊阅读"？为什么要养成泛读的习惯？
6. 如何做好一读、二读或泛读性的浏览？

第四节　一读与再读

初学读中文报纸的读者在读报时往往因为读不懂而感到压力，有人竟因此而放弃了以后的尝试，其实完全不必这样。报纸因为信息量大，内容包罗万象，而且语言词汇比较新，特别是因为它属于一种快餐型的文化消费品，求快求新求信息量而不求优美，所以它有时表述语言不够标准、规范，这也影响了外国读者对它们的理解。一般来说，把汉语作为外语来学习的外国人，过去学习的汉语都是比较标准规范和优雅的表达，一旦遇到这种"快餐型"的日常书写文体，他们就感到束手无策了。

报纸上的汉语表达虽然有俗文化和文化快餐的一面，但它又有紧贴汉语书写习惯中传统表达的一面，那就是它

有很多接近文言文和传统书面用语的专门表达形式，如果读者不熟悉这类的套话、规范性的表述和开头、结尾的技巧，也容易感到一筹莫展。

报纸常常接触一些新事物、新学科、新科技或是一些外来的新词等等。这些行业语言和新词往往一时间很少有人能读透读懂。如果这类词有生命力而且存活下来了，自然会在报纸上经常出现，读者今后接触多了也就接受了，读懂了。如果这类词没有生命力如昙花一现，以后不出现了，那么我们读不懂或记不住也没有必要感到遗憾。其实，有好多新词不只是外国人读不懂，中国的读者也读不懂。你不必感到压力和不好意思。

报纸的主要任务是通报和传递消息，有时候读报了解大意就可以了。本书中有一些泛读练习，就是为了培养我们通过读报了解中文报纸主要内容而设计的。

其实，中国人自己读报也是不求甚解，不求全解的；外国人用母语读他们自己的报纸也是一样。我们读报的主要目的是获取信息。我们读报刚开始时不要怕读不懂，要一读、再读，甚至读三遍，最终会把需要理解的文章读懂。

我们后面的选文和练习一般都要求一读时能找出文章的主要观点(Main Ideas)，在二读时侧重于对细节(Detail)的捕捉和理解。配合这种训练，我们在本教材的精读、泛读和速读训练方面都系统地设计了大量的练习，以利于帮助读者迅速掌握阅读中文报纸的技巧。

第五节　缩写扩写和还原法

在学会读报的一些基本步骤以后，了解一些报纸文章的写作特点对更进一步掌握读报技巧有很大帮助。比如，看到一篇篇幅较长的新闻通讯或报道，我们能不能根据基本内容为它写出提纲？另外，能不能用简单的话概括出一篇文章中每一段的意思？最后，能不能用一两句话总结出文章的基本思想？

这样做，刚开始也许会有一些困难，但是经过一段时间的训练就不难做到了。如果能够做到这一点，那么，把事情倒过来，我们能不能根据我们所接触到的或熟悉的近来发生过的大事的内容、事实和情况，根据我们通过读报学到的知识写成一篇报道或新闻稿？当然，我们读报的目的并不在于写作，但懂得了新闻写作的技巧对我们读懂报纸帮助极大。

上面说的就是一种缩写练习和模仿练习。此外，我们还可以进行扩写和改写的练习。比如，每天发生的新闻，广播、电视、互联网和其他媒体都会有一些简短的消息报道，然后再随着事态的发展不断增加信息量和补充细节，但这类的新闻当天的报纸都不能及时报道和刊出，因为当天的日报已经出版。报纸一般在头半夜截稿，报纸上的消息一般都是头一天的消息。那么，我们的学生可以根据当天从广播、电视上得到的消息或新闻通讯，根据自己学会的报纸文章写作格式和读报经验练习写出自己的中文报道，第二天可以和中文报纸的文章对照，看看自己的文章和报纸上的文章的不同。同时我们还可以根据校园里发生的事情练习写新闻、消息等。此外，我们可以模拟记者采访、了解情况，体会怎样报道一个事件，或者一个班的同学自己试办一份报纸，这样很容易提高自己的阅读和写作技巧，同时也会很快提高自己的理解能力。

　　除了自己写这类文章外，如果有了充分的知识准备和背景材料，根据报纸上文章来进一步进行改写、扩写、缩写等，也是一种非常有益的训练。这样，报纸的读者就不再是被动地读，而是积极地参与，能给报纸上的文章写出提纲，同时也能还原；能缩写，也能扩写或改写；能全面理解，也能根据需要强调和突出对具体事件和细节描述。有了这种读和写的技巧，我们对中文报纸的阅读和理解能力会大大前进一步。

　　这样的方法除了用于报纸的阅读和学习外，还可以用来训练写一般文章的摘要，写一本书的内容介绍、写电影评论和书评等等。

生　词 (2.2)
Vocabulary

1. 竟 竟	jìng	(副)	表示没想到 go so far as to; unexpectedly; actually
2. 放弃 放棄	fàngqì	(动)	扔掉 abandon; give up
3. 信息量 信息量	xìnxīliàng	(名)	包含消息的密度 information capacity
4. 包罗万象 包羅萬象	bāoluó wànxiàng	(成)	什么都有 all-embracing; all-inclusive
5. 快餐型 快餐型	kuàicānxíng	(名)	简单方便的 in form of fast-food
6. 消费品 消費品	xiāofèipǐn	(名)	商品 consumer goods
7. 优美 優美	yōuměi	(形)	好看、漂亮的 graceful and beautiful

8. 规范 規範	guīfàn	（名）	标准的 standard; norm
9. 优雅 優雅	yōuyǎ	（形）	优美和高雅的 graceful; elegant
10. 束手无策 束手無策	shù shǒu wú cè	（成）	指没有办法 be at a loss what to do; feel quite helpless; be at one's wit's end
11. 套话 套话	tàohuà	（名）	套用现成的格式而没有实际内容的话 polite, conventional verbal exchanges
12. 一筹莫展 一籌莫展	yì chóu mò zhǎn	（成）	着急，没有办法 can find no way out
13. 存活 存活	cúnhuó	（动）	生活、生存 alive; living
14. 昙花一现 曇花一現	tánhuā yí xiàn	（成）	很短的生命或偶尔见到的 flower briefly as the broad leaved epiphyllum; last briefly
15. 遗憾 遺憾	yíhàn	（动/名）	后悔 regret; pity
16. 通报 通報	tōngbào	（动/名）	通知和报告 circulate a notice
17. 泛读 泛讀	fàndú	（动/名）	随便读，读懂大意 extensive reading
18. 不求甚解 不求甚解	bù qiú shèn jiě	（习语）	不要了解全部，只要懂个大概 not seek to understand things thoroughly; be content with superficial understanding
19. 还原 還原	huányuán	（动短）	变回原来的样子 return to the original condition or shape; restore
20. 步骤 步驟	bùzhòu	（名）	顺序 step; procedure
21. 提纲 提綱	tígāng	（名）	内容的要点 outline
22. 概括 概括	gàikuò	（动/名）	把重要的内容放在一起 summarize
23. 倒过来 倒過來	dào guòlái	（短）	把顺序放反 upside down; reverse

24.	缩写 縮寫	suōxiě	(动/名)	把长文章改短 abbreviation; abridge
25.	模仿 模仿	mófǎng	(动/名)	按照现成的样子做 imitate
26.	扩写 擴寫	kuòxiě	(动/名)	把短文章加长 expand the original writing
27.	改写 改寫	gǎixiě	(动/名)	把一篇文章写成别的样子 adapt; rewrite
28.	互联网 互联網	hùliánwǎng	(名)	电脑网络 Internet
29.	媒体 媒體	méitǐ	(名)	广播、电视、报纸等 media
30.	事态 事態	shìtài	(名)	局势,情况(多指坏的) state of affairs; situation
31.	截稿 截稿	jiégǎo	(动短)	停止接受新闻的时间 deadline for sending last news copy to composition room
32.	格式 格式	géshì	(名)	形式,规范 form; pattern
33.	对照 對照	duìzhào	(动/名)	比较、对比 contrast; compare
34.	有益 有益	yǒuyì	(形)	有好处 beneficial; profitable; useful
35.	被动 被動	bèidòng	(形)	不主动 passive
36.	参与 参與	cānyù	(动/名)	参加 participate in

练 习 题

一 选择题

1. 初学读中文报时往往压力很大,因为:
   a. 信息和词汇量大　　　b. 快餐型文化消费　　　c. 束手无策

2. 中文报纸不容易读懂,还因为它有很多
   a. 昙花一现　　　b. 文言文和外来语　　　c. 一筹莫展

3. 有时报纸报道新闻不够及时,因为它们都是
   a. 简单概括　　　b. 半夜截稿　　　c. 分类浏览

二 **填充题**

1. 一般来说,把汉语作为外语来学习的外国人过去学习的汉语都是比较标准规范和_____表达, 一遇到这种_____的日常书写文体, 他们就感到_____了。

2. 报纸因为_____,内容_____,而且语言词汇比较新,特别是因为它属于一种_____,所以它有时表述语言_____,这也影响了外国读者对它们的理解。

3. 其实,中国人读报也是_____, _____;外国人用母语读他们自己的报纸也是一样。我们读报的主要目的是_____。

4. 报纸的汉语表达虽然有俗文化和_____的一面,但它又有紧贴汉语书写习惯中_____的一面,那就是它有很多接近_____和传统书面用语的专门表达形式。

三 **思考题**

1. 为什么外国读者更怕读中文报纸?

2. 根据课文提供的方法,怎样才能有效地读懂中文报纸?

3. 为什么要了解报纸文章写作的特点? 它对读懂报纸有什么好处?

4. 为什么要练习缩写和扩写新闻的训练?

第三章 报纸的标题

第一节 报纸文章标题的优势地位

前面我们讨论过,标题是一篇文章最重要和突出的部分。标题的内容高度概括了新闻或文章的基本内容,而且它要吸引读者、影响读者、帮助读者,同时还要方便读者阅读和理解新闻。因此,标题也常常被称为"报纸的眼睛"。

为什么标题在报纸上的地位那么重要呢? 首先,标题有它形式上的优势。它的字体要比报纸文章的字体大很多,它特别抢眼,给人以先入为主的印象。其次,标题的在版面上的位置总是比较优越。它在文章的前面,起到提纲挈领的作用。读报时你必须先读它,它起到了潜移默化的提前引导作用。第三,标题内容集中概括,有倾向性。报道同一个新闻事件的文章在不同的报纸上往往可以有不同的标题,虽然它们的内容相似,但从文章的标题上我们可以看出报纸编者的倾向性和主观好恶,这些是我们读报时不能忽略的。

第二节 报纸文章标题的作用

报纸标题的作用首先在于提示新闻的内容。它往往选取最能够反映新闻内容的本质的东西来突出表现出它的特点。它要抓住新闻事件的本质,使读者一目了然地尽快了解新闻事件的本质。标题要突出事实,反映时间性。

报纸新闻标题的第二个作用表现在它可以参与评介新闻的内容。比如报道一条物价上涨的新闻时,记者可以采访不同人员对事件的看法,同时刊登自己愿意报道给读者的意见,还可以把某些话题当作标题或借题发挥。其目的是引起读者的兴趣或表达某种引导读者的情绪。

报纸标题的第三个作用是它能够起到组织新闻内容的作用。有时候,为了全面地报道一个新闻事件,往往要综合处理一些不同的稿件和报道角度。这样,报纸的标题就起到了一种整合和组织新闻文稿内容的作用, 使报纸报道的新闻内容集中、更富有力量。

报纸新闻标题的第四个作用是它有着分类、美化版面的作用。同时它也能为阅读报纸起到索引的作用。读者决定阅读或忽略一则新闻或其他文章往往是从看它的标题开始的。如果标题分类明确、有魅力,它当然会吸引读者对它的兴趣;否则一篇好的新闻稿也可能因为其标题索然寡味而被读者忽略掉。

第三节 报纸文章标题的形式和种类

报纸标题的意义重要,在长期的工作实践中,新闻工作者创造和发现了很多的经验。学习和研究这些经验,熟悉报纸标题的编写制作过程会帮助读者进一步理解、读懂它们。总而言之,报纸标题的基本内涵有下列几类:

一、**大标题或通栏标题**。这样的标题一般用于大的新闻事件或非常重要的消息。它的形式如横幅,有时候也放在刊头下面,它的形式如标语口号。其特点是字大、醒目。用这样标题的例子比如在中共十六大召开时或中国北京赢得奥运会申办权时几乎全中国报纸都采用过。这种大标题或通栏标题有时候还用红色来印刷,叫做"套红通栏标题",用来表示庆贺。但并不是所有大标题都用红色,有重大突发事件时报纸也使用通栏标题。如:

通栏标题

为全面建设小康社会建言献策
——全国政协十届二次会议在京开幕
(北京青年报,2004.3.4)

保障女童教育权利 关注女童生存环境
(北京青年报,2004.3.8)

总理报告就一个字:实
(北京青年报,2004.3.6)

热烈欢呼北京赢得 2008 奥运会主办权
(人民日报,2002.7.13)

二、**提要题或标题新闻**。提要题又叫做提示题、纲要题,它的基本特色是突出内容介绍。它比一般的标题内容详细,字体也比正常标题略小。这样的提要标题常常发展为标题新闻,就是把一些新闻事件用简短的句子提要性地报道出来,以引起读者的注意。因为它的形式是标题性质的,所以比一般文章要突出。这类标题新闻往往能起到引起读者重视的目的。但它的缺点是太简短,往往报道细节不够,无法满足读者更进一步了解内容的愿望。现在的报纸汲取了标题新闻的经

验,开始在报纸的头版上较多地刊登标题新闻作为导读,然后在其他的栏目和版面上详细报道,起到了非常好的互动效果。如:

提要、标题新闻

国足出线的三大理由

· 职业化从根本上提高了中国足球,并给中国足球开拓了继续上升的空间
· 米卢极其成功的执教,为中国足球最终找到通向世界杯之路起了重要的作用
· 抽签避开了强敌,为中国足球第一次晋级世界杯决赛圈创造了良好的条件

(文汇报,2001.10.8)

北京代表团继续审议政府工作报告

求真务实 与时俱进 统筹发展

刘淇、何鲁丽、傅铁山参加审议

(北京青年报,2004.3.8)

三、**主题**。主题是主要的题目,它反映新闻报道或文章的主要内容和精华。报纸有时候会有多行标题,而主题是标题中字最大的标题。它常常用来概括新闻中最主要的事实和思想。主题一般要求应该是一个独立的句子,它应该能够表达一个完整的概念和意思。如果主题涉及的内容较为复杂,还可以有双行主题甚至三行主题。

四、**引题**。引题又叫做肩题、眉题。它的位置一般是在主题的上面或前面。引题的主要功能是交代背景,烘托气氛,提出问题,提前揭示内容意义,说明原因,等等。引题一般喜欢用短句子,它的字体大于副标题,内容也比副标题短。

五、**副标题**。副标题的位置在主题的后面或下面,它又叫子题或辅题。副标题的主要功能是进一步地表现内容,解释或补充主题的信息。报纸的主题有时为了醒目或吸引读者,往往会突出最能引起人们注意的地方,但这种标题有时候虽然引人留心,却信息量不够。副标题的作用就是具体地介绍相关的信息,帮助读者尽快掌握情况。此外,有时候报纸的编者为了吸引读者或突出艺术性的效果,文章的主题会采用一些诗词、典故或象征性的表达手法,这样,副标题就起到了解释性的实题的作用。例如:

主题、引题、副标题

将本校优质教育资源与国外教育融合优势互补(引题)
上海高校竞相到海外合作办学(主题)
上海交大、中医药大学、上海电大、水产大学等
开展各种形式的对外教育活动取得成效(副标题)

以党风廉政建设带动队伍建设(引题)
上海警方优良作风让人民满意(主题)
在全国十大城市暗访和问卷调查中，
七项群众满意的评议指标有六项位列第一；
三年来市民对警方满意度提高二十个百分点(副标题)

进城 25 里山路不通车，乡亲们卖粮只能肩扛、毛驴驮(引题)
咱村人就想有条路(主题)
一位在京打工多年的甘肃农民希望跟代表委员说说心里话(副标题)

六、**分题**。分题又叫做插题，它是在一则长新闻报道中插入的小标题。一般插入在文章的段落中间，起到总结、提示和美化的作用。有了分题，读者从章节的开头就明白了本节的重点，有利于他们的阅读，同时分题也起到了归纳章节、段落主题思想的效果。

生　词 (3.1)
Vocabulary

1. 优势 優勢	yōushì	(名)	能压倒对方的有利形势 superiority; preponderance; dominant position
2. 抢眼 搶眼	qiǎngyǎn	(动短/名)	引起注意，显眼 obvious; striking the eyes
3. 提纲挈领 提綱挈領	tí gāng qiè lǐng	(成)	把问题明白地提出来 take a net by the head rope or a coat by the collar; concentrate on the main points; bring out the essentials

4. 潜移默化 潜移默化	qián yí mò huà	（成）	慢慢的不明显的变化 exert a subtle influence on sb's character, thinking etc.; imperceptibly influence
5. 倾向性 傾向性	qīngxiàngxìng	（名）	喜欢或反对的态度 tendency
6. 借题发挥 藉題發揮	jiè tí fāhuī	（成）	用一件事来强调另一件事 make use of the subject under discussion to put over one's own ideas; seize on an incident toexaggerate matters; make use of a subject as a pretext for one's flown talk
7. 整合 整合	zhěnghé	（动）	通过整顿、协调重新组合 conformity; concordancy; integration
8. 美化 美化	měihuà	（动）	使更好看、美丽 beautify; embellish
9. 索引 索引	suǒyǐn	（动/名）	查找的目录 index
10. 有魅力 有魅力	yǒu mèilì	（动短）	吸引人的力量 charming; enchanting
11. 索然寡味 索然寡味	suǒ rán guǎ wèi	（习语）	没有意思 dull and insipid
12. 内涵 内涵	nèihán	（名）	内容 content; connotation
13. 互动 互動	hùdòng	（动）	互相关联、互相影响 interact; interaction
14. 精华 精華	jīnghuá	（名）	最好的部分 essence; masterpiece
15. 烘托 烘托	hōngtuō	（动/名）	写作或画画儿时用一些方法使 内容突出 add shading around an object to make it stand out; set off by contrast
16. 揭示 揭示	jiēshì	（动/名）	揭露和表示 announce; proclaim; reveal
17. 典故 典故	diǎngù	（名）	古书或诗词上的故事等 allusion; literary quotation

练习题

一 选择题

1. 报纸文章标题的作用在于它能够抓住新闻事件的本质,使读者：

   a. 反映时间性　　　　　b. 一目了然　　　　　c. 特别抢眼

2. 报纸文章的标题有时候可以起到组织新闻的作用,它可以

   a. 整合新闻内容　　　　b. 比较优越　　　　　c. 改变新闻事件

3. 报纸文章标题有时候可以帮助报纸分类和美化版面,它能起到_____作用。

   a. 有魅力　　　　　　　b. 索然寡味　　　　　c. 索引

4. 大标题或通栏标题一般用于

   a. 读者喜欢的新闻中　　b. 重大新闻事件中　　c. 长期工作实践中

二 填充题

1. 报纸文章标题的字体要比报纸文章的字体大很多,它_____,给人以先入为主的印象。其次,标题的在版面上的位置_____。它在文章的前面,起到_____。第三,标题内容集中概括,_____。

2. 提要题又叫做_____、_____,它的基本特色是_____。它比一般的标题_____,字体也比正常标题略小。

3. 主题是主要的题目,它反映新闻报道或文章的_____。报纸有时候会有_____,而主题是标题中字_____。它常常用来_____。

4. 副标题的位置在_____,它又叫_____。副标题的主要功能是进一步地表现内容,_____。

三 思考题

1. 报纸文章的标题为什么重要？它有哪些优势？
2. 谈谈报纸标题的作用和它们的功能意义。
3. 报纸标题有哪些种类？
4. 什么是大标题和通栏标题？它们在什么情况下使用？
5. 提要题和标题新闻的意义是什么？它们在什么情况下使用？
6. 报纸上的文章有了主题,为什么有时还要副标题？

第四节　报纸和新闻上标题的特点

标题是一篇新闻或文章的灵魂,因此,它要起到强化阅读效果的作用。如何给文章起一个好的标题非常重要。那么,在给文章起标题时要注意哪些方面的内容呢?

首先,新闻或文章的标题应该真实具体。贴近事实、用新闻事实说话是一篇好的新闻报道的起码要求。这样,报纸编辑在给新闻报道定标题时应该考虑到标题的信息量即尽量报道更多的新闻内容。比如说,要尽可能地透露出新闻事件的人物、事件、时间、地点、话题、原因、目的和结果等内容。如:

基金热卖能否分流 11 万亿银行储蓄
五十铃承认两款车存安全隐患
DV 价格跌破 3000 元
第七次,姚明终于斗牛成功

其次,好的标题应该准确。准确是报纸标题的生命。它要尽可能地概括事实、体现出编者的评价、观点。准确的另一个方面还要求写作者有较高的用词造句的能力、技巧和准确性。如:

WTO: 改变你的生活
北京赢了　中国赢了

第三,新闻或文章的标题要鲜明。鲜明除了要求内容明确外,还要求有明确的态度即倾向性。对一则新闻内容是褒是贬,是赞成还是批判,有经验的作者和编者会让读者在接触到标题时就看出他们的倾向性和态度。在这儿我们要注意的是,倾向性并不意味着可以利用自己的舆论优势地位来引导群众、有选择地刊登新闻或篡改新闻。在更多的时候,倾向性代表着一种伦理道德和舆论的力量。如对好人好事的褒赞,对坏人坏事的批评,对邪恶行为的控诉和谴责,等等。报纸是有倾向性和舆论监督作用的。我们提倡客观、公正、真实地报道事实,但并不是说没有立场,不辨美丑。没有感情、没有倾向性地报道一些负面的消息有时无异于宣扬丑恶。这个问题,在讨论新闻报道写作时我们还会谈起。如:

共同促进世界的和平与发展
当好东道主　热情迎嘉宾

　　新闻标题的第四个特点是它的形式要生动。生动性就是要通俗易懂,要活泼有力。报纸和新闻的标题往往为了适合读者的口味或易于传播的需要而有意地借用文学表达和修辞的手法如借用诗词、采用押韵、对仗的手法编句子,应用成语典故,运用民间俗语、双关语等等来加强它的表达效果。如:

小心减肥、减肥　　越减越肥
九运枪挑金牌　六朝元老落泪
杨威扬威
一马当先　退强敌
大学毕业生抢饭碗　"薪"事难成
大陆校园向"钱"看　代考歪风到处吹
中关村奔腾"中国芯"

　　报纸和新闻标题的第五个特点是内容要简练。虽然我们要求报纸新闻的标题有丰富的表现力,但是标题受版面的限制,不能详细说明情况,更不能啰嗦。所以报纸文章的标题除了醒目以外,还要求简练,以便于记忆和传播。如:

第三态在向你招手
吃花美容无科学根据
认识新穷人

第五节　报纸和新闻标题的类别

除了上面提到的一些特点外,报纸的标题一般还有实题和虚题之分。实题一般是指摆出事实来的标题。它主要应用在一般的新闻或单行标题中。实题的特点在于重点突出,开门见山。虚题一般是发议论的题,也就是中国人常说的"借题发挥"。这类虚题一般是从新闻事实中摘引出的原话或从新闻事实中概括提炼出来的。虚题的好处是生动、直观或有感染力,它们往往能体现出导读的效果。

总起来讲,报纸标题的时事部分根据内容分主要有两大类,一是新闻,二是通讯。新闻类标题的类别主要有:

1. 评述性的。即在报道新闻时重点突出评介 和发议论方 面的内容。

2. 特写性的。这样的标题重点在突出描绘新闻富特色的部分,以便引起读者的兴趣。

3. 典型性的。这类标题在于抓住事物本质作典型化的表现,给读者以深刻的印象。

4. 公告性的。公告性的标题一般是报道一些需要引发人们注意的社会性内容的消息,这类新闻的题目一般都比较严肃。

通讯类的标题往往比较活泼生动和富有描写性。通讯一般都是描述和深层报道一些人物事件的发展,故事性较强,所以它们有时候比较生动活泼,富有形象性。通讯报道通常用两行题,采用虚实结合的手法。在这类新闻题材中,时常是主题突出内容重点,副题描绘事件特色。这类题目的主要类别特色有:

1. 小故事性的标题。这类标题富有故事性和悬念,读来亲切有趣味。

2. 人物通讯性的标题。这类题材 往往选取报道人物的性格特点或突出部分来设题和报道。

3. 人物访问记的标题。这类通讯报道一般是采访名人或新闻人物,它们的题目往往要突出新闻性和大 家关心的内容,把握住读者关心的热点。

4. 事件通讯性的标题。这类的标题一般突出事件的新闻性,交代清楚来龙去脉,力图扩大新闻内容的影响,传递出准确、及时、纵深的信息。

5. 风貌性通讯的标 题。这类标题一般着眼于较为广泛阔大的场面特征及其变化的内容,比较富有概括性。

6. 工作通讯类的标题。这类通讯题材的标题往往着重于经验和方法内容方面的总结、报道和交流,从而促进工作的更进一步拓展。

7. 问题通讯类的标题。这类的通讯报道往往是就一些问题或现象而写,所以这类标题 往往需要鲜明、尖锐地提出问题,以便引起读者和一般民众的注意。它要求观点突出、旗帜鲜明。

报纸文章标题的排列方式也有不同的效果。一般而言,它有横题、直题、横排和直排两种方式 。为了让报纸的内容有变化或让标题更吸引人、给读者更多的美感,报纸的标题往往追求一些变化。比如它们往往根据内容来安排位置,有横题横文、直题横文、横题直文、直题直文等多种。此外,有时还有文中题、头脚题等等变化形式。

第六节 读懂报纸标题的难点

报纸的标题为什么那么难以读懂呢?

1. 报纸的阅读,特别是报纸标题的阅读往往需要一些特殊的背景知识。外国人,特别是把汉语作为第二外语来学的外国学生往往不具备这些背景知识。因为中文报纸的写作和编排不同于汉语教材,它基本的阅读对象是中国读者,所以它采用的词汇、语法现象和表达方式并没有顾及外国人的语言知识和阅读需要。因此,外国人要想读懂中文报纸,需要一些专门的背景知识方面的训练。

2. 由于受报纸篇幅的限制、中文报纸表述传统沿袭的影响,中文报纸的标题中往往喜欢采用一些古代汉语、地方方言和外文译音的内容,这些内容由于沿袭已久,渐渐变成了一种特殊的编码系统。对于熟悉它的人,往往一看便懂。即使是一时生造或新出现的提法或表达方式,也能按照应有的思路"破译"出来。但是对于没有这种背景知识的外国人则很难理解。这种知识通过训练和练习应该不难获得。

3. 为了吸引读者的阅读趣味和达到更好的宣传效果,中文报纸的标题往往采用多种修辞方法来表述新闻内容。较常见的有谐仿、拈连和刻意的双关、制造模糊性等等。此外,还有的为了加强效果,引用古代诗文、编写讲究对仗押韵的题目等等。

4. 由于报纸反映的事物都比较新,所以它们往往贴近生活地创造一些新的词语。这些词语有的较为规范,有案可稽,有的则纯属生造词语。但这些报纸的读者由于生活在其母语和当时当地的环境中,比较容易理解这些词语;可是对外国人来讲,这些新词或生造词语则成了最大的阅读障碍。一般而言,这些生造词语或新词往往只具有阶段性的生命力,时过境迁,它们也就被淡忘了。而这些一时时髦的词句在字典和一般工具书上也查不到出处或解释。这是外国读者阅读中文报纸最大的障碍之一。经过时间的考验,一般这类新生词语或生造词语有着较强生命力的也许会被收入工具书,如"五讲四美三热爱",但有些我们还不可知,如"非典"(SARS)。有时,一些初到的外来词音译的不统一,也会给读者带来阅读困惑。如 AIDS 一词,中文报纸曾译为"爱滋病""爱之病",最后统一译为"艾滋病"等等。

5. 中文报纸有时候为了追求趣味而刻意埋设文字包袱,让读者享受一下阅读的喜悦。但这种趣味性是外国学生读中文报纸的死敌。如同外国人很难欣赏中国的相声,很多纯属于文字技巧或文字游戏方面的设计,对于汉语为非母语的读者往往很难得知其中的奥妙。而这种苦读而不得知的状态会打消部分读者的积极性。这种情况可以给学生解释,让他们不必把它当成学习的压力和包袱。

6. 关心国际性的(特别是与报道对象有关的)中文报纸新闻的背景知识,加强相关训练,以期先行预热,从而增强阅读信心,达到更加完善的阅读效果。我们往往有这方面的经验,如果读者对阅读材料相关背景知识有了一定的预先了解,那将会对读懂和理解具体文件有很大的帮助。阅读中文报纸也是这样。如果有了相应的背景知识,读者能够及时调动自己的阅读意识和唤起相关的词汇、语法等方面的知识准备,就很容易增强读者的阅读信心,以利于达到更好的阅读效果。

生 词 *(3.2)*
Vocabulary

1. 灵魂 靈魂	línghún	(名)	比喻起指导和决定作用的因素 soul; spirit
2. 强化 強化	qiánghuà	(动)	加强 strengthen; intensify; consolidate
3. 贴近 貼近	tiējìn	(动)	靠近 press close to
4. 起码 起碼	qǐmǎ	(形)	最根本的,最低限度 rudimentary; elementary
5. 篡改 篡改	cuàngǎi	(动)	不正当的修改 distort; misrepresent; falsify
6. 邪恶 邪惡	xié'è	(形)	不正而且凶恶 evil
7. 监督 監督	jiāndū	(动)	监视和督察 supervise; superintend
8. 负面 負面	fùmiàn	(形)	反面的 negative
9. 无异于 無異於	wúyìyú	(动短)	跟……没有不同 not different from; the same as
10. 押韵 押韻	yā yùn	(动/名)	句子的最后一个字用声音相近的字 rhyming; be in the rhyme

11. 对仗 對仗	duìzhàng	（名）	按照声音和意思把句子排列得声音 好听有意义 antithesis (in poetry/etc.)
12. 双关语 雙關語	shuāngguānyǔ	（名）	文字的表达有不同的意思 pun; a phrase with double meaning
13. 简练 簡練	jiǎnliàn	（形）	简单明白 terse; succinct
14. 限制 限制	xiànzhì	（动/名）	规定范围,不许超过 limit
15. 开门见山 開門見山	kāi mén jiàn shān	（成）	明白易懂的写作风格 come straight to the point; declare one's intention right at the outset
16. 直观 直觀	zhíguān	（形）	直接能看见 directly perceived through the senses; audio-visual
17. 评述 評述	píngshù	（动/名）	评论和叙述 comment; review
18. 特写 特寫	tèxiě	（名）	专门的采访报道 feature article/story
19. 公告 公告	gōnggào	（名）	公开的告示和通知 announcement; proclamation
20. 悬念 懸念	xuánniàn	（名）	让人们关心结果的一种写作技巧 suspense
21. 访问 訪問	fǎngwèn	（动/名）	会见人或参观地方 visit
22. 把握 把握	bǎwò	（名）	肯定的能力 assurance; certainty
23. 来龙去脉 來龍去脈	lái lóng qù mài	（习语）	全部的经过 origin and development; cause and effect
24. 纵深 縱深	zòngshēn	（形）	往深处发展 in length and depth
25. 风貌 風貌	fēngmào	（名）	情况和面貌 style and features; view; scene
26. 尖锐 尖鋭	jiānruì	（形）	矛盾激烈 sharp; keen; penetrating
27. 顾及 顧及	gùjí	（动）	看到、想到 take in account; give consideration to
28. 沿袭 沿襲	yánxí	（动）	按照过去的方法 carry on as before; follow

29. 提法 提法	tífǎ	（名）	说法 the way sth. is put; formulation
30. 破译 破譯	pòyì	（动）	识破并译出获得的未知信息 expose the truth of; interpret
31. 谐仿 諧仿	xiéfǎng	（动/名）	故意有趣地模仿 imitate with humor
32. 拈连 拈連	niānlián	（名）	一种在写作时和文章其他部分连合 在一起的有趣的效果 adhesion
33. 有案可稽 有案可稽	yǒu àn kě jī	（习语）	可以查找到线索 be a matter of record; be documented
34. 生造 生造	shēngzào	（动短）	没有根据地编造 coin terms
35. 时过境迁 時過境遷	shí guò jìng qiān	（习语）	情况发生了变化 the affair is over and the situation has changed; the incident is over and the circumstances are different
36. 时髦 時髦	shímáo	（形/名）	新的受人注意的东西 fashionable; in fashion
37. 障碍 障礙	zhàng'ài	（名）	阻碍 barriers; hinder; obstacles
38. 刻意 刻意	kèyì	（副）	用尽心思 intentionally; done on purpose
39. 死敌 死敵	sǐdí	（名）	无论如何也不可调和的敌人 mortal enemy
40. 相声 相聲	xiàngsheng	（名）	一种说笑的表演形式 cross talk; comic dialogue
41. 奥妙 奧妙	àomiào	（名）	内容高深，不易理解 profound mystery
42. 预热 預熱	yùrè	（动）	先行的导入 warm up

练习题

一 选择题

1. 标题被认为是一篇文章的＿＿＿＿＿＿＿,它有着＿＿＿＿＿＿＿＿的作用。

    a.内容／指导   b.灵魂／强化阅读   c.题目／帮助

2. 新闻文章的标题应该＿＿＿＿＿＿,用新闻事实说话。

    a.真实具体   b.容易读懂   c.受到读者的欢迎

3. 报纸上新闻往往有实题和虚题。实题应该开门见山,虚题应该＿＿＿＿＿＿＿。

    a.借题发挥   b.说明实题   c.介绍情况

4. 中文报纸的标题比较难懂,因为理解它往往需要＿＿＿＿＿＿＿＿＿＿＿＿。

    a.特殊的背景知识   b.时间性   c.很好的外语

二 填充题

1. 报纸的标题在新闻写作中有非常重要的地位。做到这一点,必须重视＿＿＿＿＿＿＿＿,＿＿＿＿＿＿＿＿＿＿,＿＿＿＿＿＿＿＿＿＿,＿＿＿＿＿＿＿＿,＿＿＿＿＿＿＿＿,等几个方面的特点。

2. 报纸的标题根据内容分主要有＿＿＿＿＿＿＿＿和＿＿＿＿＿＿＿＿两大类。

3. 报纸新闻标题的主要类别有＿＿＿＿＿＿＿＿＿、＿＿＿＿＿＿＿＿、＿＿＿＿＿＿＿＿和＿＿＿＿＿＿＿＿等四类。

4. 报纸通讯部分的标题主要有＿＿＿＿＿＿＿＿＿、＿＿＿＿＿＿＿＿、＿＿＿＿＿＿＿、＿＿＿＿＿＿＿＿、＿＿＿＿＿＿＿、和＿＿＿＿＿＿＿＿等七类。

三 思考题

1. 报纸上的文章为什么有时候有实题和虚题?
2. 新闻标题和通讯的标题有什么不同?为什么?
3. 报纸上的文章标题为什么有时候会有不同的排列方式?
4. 新闻和通讯有什么不同?这些不同在标题部分是怎样体现出来的?
5. 谈谈通讯标题的特点和主要表现形式。
6. 请举例谈谈中文报纸标题和古汉语、方言的关系。
7. 请举例谈谈中文报纸标题的基本修辞方法。
8. 报纸标题为什么要生造词语?你怎么看待这些生造词语现象?
9. 举例谈谈中文报纸标题中的幽默现象。

第四章　中文报纸新闻概论(一)

第一节　新闻的定义

什么是新闻？对这个问题有各种各样的说法。有人认为：新闻是任何能使人们感兴趣的东西，最好的新闻则是能使绝大多数人感兴趣的消息。(News is anything that interesting a number of people, and the best news is that which has the greatest interest for the greatest number.)

还有的说法认为：新闻是发生在这个世界上东西南北各地的事情："新闻是发生在北(North)东(East)西(West)南(South)的事情"。这儿是利用了英文"新闻"一词的拼法暗合四方世界代表的开头字 NEWS 来隐喻新闻,虽有些追求趣味性的效果,但也基本上概括的新闻的某些本质。

另有一种说法认为,新闻就是符合媒体需要的消息,是它们认定的有价值和必要介绍给读者和老百姓知道的内容。这个定义有些主观性,但总的来讲,它倾向于根据新闻工作者的判断和工作经验来确定新闻的价值和意义。有的报纸则强调新闻的本身的客观价值,不赞成主持者或权威对新闻的主观性选择,比如著名的《纽约时报》就认为报纸的新闻职责在于"有闻必录"或"有闻必刊"(All the News That's Fit to Print),对所有的信息都应该发表公之于众。

另一种见解认为,不寻常的事情是新闻。美国一位新闻工作者给新闻下了一个十分有趣的定义:"狗咬人不是新闻,人咬狗才是新闻。"狗咬人是常常发生的事,甚至人咬人的事情也有时发生,但是人咬狗就是奇闻了。这样的事情报道出来, 不但会引人注意,而且会让人们长久地记住,这就有新闻价值了。1997 年在美国西部一名罪犯在警察追捕他时被警犬追赶,他顽抗时被狗咬了一口,这个罪犯很疼痛,他愤怒地回过头咬了狗一口,结果在他被捕

洋专家叫卖洋水果

这两天,来自美国佛罗里达柑橘协会的代表转遍了京城四道口水果批发市场、家乐福等各大超市,考察行情。柑橘协会的国际市场推广代表还穿上围裙亲自叫卖起佛罗里达的葡萄柚。
本报记者
阎彤 摄 J124

后的罪名中又多了一个"袭击警犬罪"。这件事也就成了让世人觉得新奇的一个新闻了。

还有新闻工作者认为,最新、最近的消息就是新闻。只要新,只要有时间性,任何不起眼的消息都能够成为新闻,都具有报道价值。例如刚刚发生的一件抢银行案,虽然损失金钱不多,此案涉及人物也不多,但对于涉案的银行、警察机关、地区治安人员以及相关银行的客户、亲戚、邻居、朋友等则是一项新闻,这样的地方性新闻也会吸引读者的兴趣,因为它符合了"新"、"近"的条件。

第二节 新闻的要素

现在世界上报纸和媒体发展的历史已经几百年了,报纸和媒体的最根本的内容就是新闻,国际上的新闻界对新闻的要素有一个共同的见解。什么是新闻的要素呢?最简单明确的回答就是有六大要素,因为在英文中这六个要素都有字母W,所以又有人称之为六个"W"。

1. 人物(WHO)。新闻事件的主体是人,事件发生跟人的行为有关。有时候这儿的"人"不一定是指一个人,它可能是一组人,一个组织或团体,或是一个利益集团。

2. 事件(WHAT)。在这儿特别是指发生了什么。事件是新闻的中心内容,它要求报道一个完整的过程。报道过程不一定要报道结局,因为有时事件还在进行中,没有结果。

3. 地点(WHERE)。交代新闻发生的地方特别重要,特别是跟读者眼下距离相关的事件。同时交代出新闻事件发生的地点,也有助于读者尽快掌握和理解它的内容。

4. 时间(WHEN)。报道新闻发生的时间很重要。时间性是新闻的灵魂,脱离了时间的要求,新闻就会变成旧闻,而一则众所周知的消息是不会引起读者兴趣的。这是报纸或媒体阅读和其他性质的阅读最根本不同的地方。

5. 原因(WHY)。优秀的新闻报道除了详细报道和传达新闻的内容以外,往往会努力揭示新闻事件发生的一些前因后果,尽可能地多给读者一些相关信息,以便唤起和巩固读者对新闻事件的兴趣,使它们对新闻内容始终保持关心和热情。

6. 过程(HOW)。报道新闻的任务除了传递信息以外,还要努力做到完整、全面地报道新闻事件发生的过程。不能忽略其原因、发生、发展、阶段性的结果和一些重要的细节。好的新闻报道不只是介绍情况,而是应该通过对新闻事件的介绍或连续追踪报道,给读者一个完整的来龙去脉线索和鲜明的印象。

生 词 (4.1)
Vocabulary

1. 暗合	ànhé	(动)	没有商量而恰巧一致	
暗合			agree without prior consultation	
2. 隐喻	yǐnyù	(名)	象征和表示	
隱喩			metaphor	
3. 奇闻	qíwén	(名)	奇特的消息	
奇聞			sth. unheard of; fantastic story	
4. 警犬	jǐngquǎn	(名)	帮警察工作的狗	
警犬			police dog; patrol dog	
5. 顽抗	wánkàng	(动/名)	顽固的抵抗	
頑抗			stubbornly resist	
6. 袭击	xíjī	(动/名)	突然的攻击	
襲擊			attack on; raid	
7. 不起眼儿	bùqǐyǎnr	(形)	不引起注意	
不起眼兒			not easily being noticed	
8. 涉案	shè'àn	(动短)	跟案子有关	
涉案			related with the case	
9. 结局	jiéjú	(名)	结果	
結局			result; consequence	

练习题

一 选择题

1. 关于新闻的定义有着各种各样的说法,因为新闻的特点_____。
   a. 很不清楚
   b. 非常乱
   c. 不容易用一句话说

2. 有人用 NEWS 来概括新闻的内容,因为它的意思是_____。
   a. 新鲜
   b. 包括世界上所有的事
   c. 东南西北

3. 有人说"狗咬人不是新闻,人咬狗是新闻"。它的意思是＿＿＿＿＿＿＿。

    a. 说明新闻喜欢新奇

    b. 开玩笑

    c. 新闻应该报告奇怪的事

4. 新闻的重要特点是它应该强调＿＿＿＿＿＿＿。

    a. 时间性

    b. 各种各样的说法

    c. 符合媒体需要

二 填充题

1. 关于新闻的定义有不同的说法,有人认为＿＿＿＿＿＿＿＿＿＿,
   还有人认为＿＿＿＿＿＿＿,另外,还有的说法认为＿＿＿＿＿＿＿,
   ＿＿＿＿＿＿＿＿＿＿,＿＿＿＿＿＿＿＿＿
   ＿＿＿＿＿＿＿＿＿＿等。

2. 新闻的要素中的六个"W"的意思是＿＿＿＿＿＿,＿＿＿＿＿＿,
   ＿＿＿＿＿,＿＿＿＿＿,＿＿＿＿＿,＿＿＿＿＿。

3. 有人认为,新闻就是符合媒体需要的消息。这个定义有主观性,它的想法
   是＿＿＿＿＿＿＿＿＿＿＿＿＿＿＿＿。

4. 新闻在报道一个事件时有时候可以不报道完整,因为＿＿＿＿＿＿＿
   ＿＿＿＿＿＿＿＿＿＿＿＿。

三 思考题

1. 为什么新闻有那么多的定义?你认为什么样的定义比较合理?

2. 新闻应该是符合媒体需要的消息吗?你觉得这种说法对不对?为什么?

3. 你认为报纸对新闻应该有闻必录吗?为什么?

4. 请你举例谈谈新闻的时间性为什么重要?你怎样理解"时间性是新闻的灵魂"这句话?

5. 新闻写作中为什么人物的内容重要?

6. 为什么报道新闻时要强调地点?

7. 为什么好的新闻能告诉事件发生的前因后果?它对帮助读者理解新闻有什么意义?

8. 谈谈细节描写在新闻中的重要性。

第三节　新闻的价值和意义

怎样来衡量一条新闻的价值呢？什么样的新闻重要、有意义而什么样的新闻不重要、没有意义呢？对这样的问题人们的回答可能不一样。因为新闻是有目的性和功利性的。对这个人无关的新闻可能对另一个人是至关重要的。

那么，新闻的价值还有没有标准呢？我们如何来判断一则新闻的价值和意义呢？基本标准还是有的。一则有价值的新闻，它一般要符合下面基本条件中的几项。

一、时间性。时间性的强调就是对新闻事件的报道越快、越新越好。新闻越新就越有价值。对一个事件，往往最早报道出它来的报纸就得到了最多的读者，也就最权威。现在，因为有了广播、电视等等可以随时报道新信息的媒体形式，报纸的时间性优势受到了挑战。但报纸可以发挥它追踪报道和深层报道的优势来吸引读者。

二、重要性。重要性是指新闻的影响和对读者的波及程度。一则新闻对读者的影响越大，它越重要。一些影响到了全世界人们的视听的新闻就是些最重要的新闻或者头条新闻。这样的新闻有战争消息、大的自然灾害等等。

三、切身性。一则新闻受到读者重视的程度和它与读者切身利益相关联的程度成正比。一般情况下，读者对国内发生的事情要比国际上发生的事情关心，对本省、本市发生的事情要比外省外市的事情关心，对跟自己直接有关的新闻要比那些关系不太直接的新闻关心。比如，同样是报道本市的一则事故的新闻，报道地铁和公共汽车事故消息的新闻要比报道服装厂事故的新闻更容易引起读者的重视。

四、冲突性。在社会生活中，冲突事件往往受到人们的关注，这样的新闻也就容易引起人们的留心。比如选举事件、两个国家之间发生的冲突事件、战争、罢工等等冲突性的内容容易成为人们关心的焦点。冲突性越强的消息就越容易引起人们的注意，因而也就越有新闻意义。

五、异常性。一些不同寻常的突发事件往往容易引起人们的兴趣和关注，它就具有新闻的要素。这种异常性越强烈，新闻成分就越强。比如像社会动荡政变、谋杀领导人；自然灾害大地震；金融危机股票市场发生大的波动等等都属于此类。另外，有些平时正常的事物因为其数量、质量上的奇异或发生的地点不同也能够成为这类新闻的话题，比如一个妇人一胎生了七个孩子，一个六十几岁的妇人生孩子、有

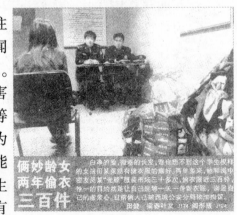

俩妙龄女
两年偷衣
三百件

人用基因技术生孩子或一个妇女在地铁上生了孩子等等,都属于这种情况。

六、趣味性。新闻报道的不一定都是重大的、震惊世界的消息,有些有趣的小事也能成为软性的新闻。比如某地七十多岁的老妇人去婚姻介绍所征婚,某地一个两岁的孩子不慎从二十层高楼上摔下来却丝毫未受伤,某家的狗打报警电话救了主人等等。

七、富有人情味。新闻报道除了传播消息外,还负有社会服务、社会教育的任务,因此,新闻的内容要有道德感和伦理价值,要有倾向性,表扬好的,批评坏的,它需要一些富有人情味的报道。比如助人为乐的新闻、拾金不昧的消息,关心帮助残疾人的老师,几十年如一日照顾病残老人的故事等等。它对引导社会风气,教育读者也有一定的意义。

第四节　新闻的语言

读新闻的是社会大众,他们不一定是受过高等教育的知识分子。新闻的对象是广大人民,所以,新闻的写作要符合大众的阅读习惯和能力。那么,什么样的语言是好的新闻语言呢?

首先,要使用大众共同熟悉和喜闻乐见的语言及表达形式。这就要求新闻的写作者要尽量使用简单明确的文字和表达方式。

其次,新闻语言要求简练生动。新闻的报道和传播需要注意生动简练,因为它有很强的时间性,除了时间限制以外,它还受版面的限制,所以在写作时一定要注意精简,尽量揭示事实,少用形容词,不过分修饰或描写,删去可有可无的字句。

第三,新闻的语言要有人情味。因为新闻的读者是老百姓,新闻的语言要符合他们的需求,要使用他们感兴趣的语言和表达方式。新闻的语言不同于文学语言,要大众化,不要故作艰深或卖弄。

第四,新闻的语言要明确、深刻、有力。新闻的报道和写作的目的除了报告消息外,往往还在于形成舆论、启发读者,而且新闻中时常穿插着分析、评论,所以新闻语言的准确、有力是非常重要的。我们读好的新闻作品时常常在潜移默化中被它们感动或感染就在于它们文字的力量。

第五,好的新闻的语言要有亲和力。优秀的新闻报道的感人之处就在于语言的魅力。除了通俗易懂、描情状物有力以外,它们往往有一种唤起读者的亲情的力量,让读者随着作者的笔触与报道事件同呼吸、共命运,关心和追随它们,最大限度地发挥报纸报道信息、引导舆论、发扬正气的作用。

生 词 (4.2)
Vocabulary

1. 衡量 衡量	héngliáng	(动)	评价和丈量 weight; measure; judge
2. 功利性 功利性	gōnglìxìng	(名)	跟利益有关的 utilitarianism
3. 波及 波及	bōjí	(动)	牵扯到 spread to; involve
4. 切身性 切身性	qièshēnxìng	(名)	跟个人利益有关的 personal; the characteristics of directly affecting a person
5. 正比 正比	zhèngbǐ	(名)	相关的比例 direct ratio
6. 异常性 異常性	yìchángxìng	(名)	不平常的 usualness; abnormality
7. 地震 地震	dìzhèn	(名)	地球振动的灾难 earthquake
8. 拾金不昧 拾金不昧	shí jīn bú mèi	(成)	捡到东西不留下或藏起来据为己有 not pocket the money one picks up
9. 引导 引導	yǐndǎo	(动)	带领 guide; lead
10. 艰深 艱深	jiānshēn	(形)	难懂的 difficult to understand
11. 卖弄 賣弄	màinong	(动)	炫耀 show off
12. 描情状物 描情狀物	miáo qíng zhuàng wù	(习语)	描写人物和情况 give a vivid description of things or situation

练习题

一 选择题

1. 新闻的时间性就是在保证真实的情况下,对事件的报道_____。

   a. 越快越好　　　　　b. 越详细越好　　　　　c. 越有趣越好

2. 新闻的重要性表现在_____。

   a. 时间性　　　　　b. 跟读者的利益关系　　　c. 新闻影响的范围

3. 一般情况下,报纸和新闻的读者最关系的内容是_____。

   a. 国际新闻　　　　　b. 国内的新闻　　　　　c. 切身的新闻

4. 异常性的新闻受到读者的重视,因为它们往往是_____。

   a. 时间性强　　　　　b. 突发事件　　　　　c. 很有趣味

5. 报纸上的新闻要求语言简单生动是因为_____。

   a. 照顾一般读者　　　b. 报纸是文学艺术　　　c. 报纸要修饰、描写

二 填充题

1. 判断和衡量一条新闻价值,每个人的回答可能不一样,因为新闻有_____
   _____和_____,它是否重要有时候要看它和读者的关系。

2. 衡量一条新闻价值和意义的标准,人们常常根据下面几个方面来判断

   _____,_____,_____,_____,
   _____和_____。

3. 对新闻的语言,一般有下面的一些基本要求_____,

   _____,_____,_____,_____,
   _____,_____。

三 思考题

1. 为什么一条新闻对不同的读者会有不同的意义?
2. 你怎样看待新闻的目的性和功利性?
3. 在广播、电视等新闻媒体竞争的情况下,报纸怎样表现它的优势?
4. 你如何看待报纸的切身性特点?报纸应该如何发挥自己切身性的特点来赢得更多的读者?
5. 报纸应该如何利用冲突性和异常性的新闻材料?
6. 你是怎样看待报纸的趣味性特点的?
7. 报纸上的新闻为什么要有人情味?这么的风格对读者有什么意义?
8. 报纸语言和报纸的版面有什么关系?它跟报纸的语言风格有什么关系?
9. 为什么好的报纸语言要有亲和力?请你举例具体说明。

第五章　报纸上的新闻(一)

　　中国大陆报纸报道新闻一般都比较有规律。在报纸的第一版和重要的位置一般报道重大的和严肃的新闻。这类新闻包括国家大事,国家领导人的活动,重要会议和工农业及科技方面的新闻。同时也报道一些国际上的大事以及外国领导人的消息。

　　在后面的版面中,一般设有要闻、国际、国内政治、经济、法律、社会、体育、文艺、医药和生活等版面。我们将尽量选择各个方面有代表性的选文来展示中文报纸的基本风貌, 让读者有机会接触和熟悉各种风格的题材和体裁来进行有效的练习。

精读篇

风格和文体介绍：　**INTRODUCTION OF THE WRITING STYLE**

　　本文是一篇正面的具有宣传意义的新闻报道。它首先配合标题内容报道了中央的新规定,然后就直接赞扬和评论这种新规定的意义,目的性非常鲜明。

　　接着作者又用回顾的形式赞扬5月的另一项新政策,再次强调本文的主题。在文章的下面部分作者开始展开自己的观点谈自己对中央新的领导班子的看法和评价,同时批评了一些不好的作风和习惯。在文章的最后,作者提出了希望和要求,希望建立新的风气、改变作风,使党和政府机关更好地为人民服务。

　　这篇文章是比较典型的发表重要新闻的风格。它一般着重谈论国家大事,风格也比较庄严和富有政治色彩,这类的文章政治宣传的目的比较明显,它想起到教育民众的作用。这样的兼有报道和评论的新闻内容是中国政府报纸报道模式的一种特色。

　　从文体风格上看,这种报道的文风比较庄重,往往采用比较正规的词汇表达,句法比较严谨,常用成语和固定表述词语等;喜欢用短句,语言较为简练有力。

中央今夏不去北戴河树清廉形象

　　今年夏季,中共中央、国务院、全国人大、全国政协、中央军委"五大班子"将不到北戴河办公。中央同时要求各部委负责人在此期间外出和休假,均须严格按照有关规定执行,不得擅自去北戴河等避暑胜地。

　　《检察日报》今天(12日)就此发表评论说,此举是亲民、清廉之举,各地也应该结合自身实际,破除那些不合时宜的陈规陋习,全力打造亲民、清廉政府。

中央这一决定打破了连续几十年夏季去北戴河办公的惯例，给全党树立了榜样，是一项鼓舞人心的亲民、清廉之举，令人击掌叫好。

笔者不禁又想起今年5月下旬，党中央国务院大刀阔斧地改革出访礼宾制度，领导人到国外访问不举行送迎仪式。这些重大举措的出台都是为了打造一个亲民、清廉、高效、务实政府之形象。党和国家领导人用率先示范的行动带头实践"三个代表"重要思想，实现共产党人"权为民所用，情为民所系，利为民所谋"的执政宗旨。

今年3月，胡锦涛主席和温家宝总理在十届全国人大会议上的"施政演说"至今仍历历在目。胡锦涛说："我一定忠诚地履行宪法赋予的职责，恪尽职守、勤勉工作、竭诚为国家和人民服务。"温家宝说："我深知人民的期待，要殚精竭虑，鞠躬尽瘁，不负众望。"

新领导班子"百日施政"的成就说明，他们正在实现着自己的诺言，亲民、爱民、廉政、勤政，并以身作则从自己做起，从小事做起。

文章指出，中央不到避暑胜地北戴河办公，其意义不仅仅为了节省办公经费，降低政府行政成本，最重要的是给各级党组织和政府树立了榜样。毋庸讳言，目前在少数地方还不同程度地存在着官僚主义、享乐主义、奢侈浪费、讲排场、摆阔气等不正之风和繁文缛节的"花架子"礼仪，影响了党群干群关系，影响了党和政府在人民心中的形象，群众反响较大。

上行要下效，中央做出了表率，各地应该结合自身实际，破除那些不合时宜的陈规陋习，下大力气解决群众反映强烈的问题，努力转变作风改进工作，全力打造亲民、清廉政府。

榜样的力量是无穷的，一个亲民、爱民、为民办实事的政府，必然得到群众的信任、拥护和支持，从而最广泛地聚集力量，推进经济发展。而政府将从人民的信任中获取无穷无尽的收益。

《北京日报》(尹卫国)2003/8/12

生 词 (5.1)
Vocabulary

1. 均	jūn	（副）	平均
均			average
2. 擅自	shànzì	（副）	对不在自己的职权范围以内的事情
擅自			自作主张
			do sth. without authorization
3. 检察	jiǎnchá	（名）	司法控制
檢察			procuratorate
4. 清廉	qīnglián	（形）	清白廉洁
清廉			check up; inspect; examine
5. 陈规陋习	chén guī lòu xí	（习语）	老的坏习惯
陳規陋習			old conventions and bad customs;
6. 全力	quánlì	（副）	用全部的能力
全力			with all one's effort
7. 打造	dǎzào	（动）	制造
打造			forge; build
8. 惯例	guànlì	（名）	传统的例子
慣例			convention; usual practice
9. 击掌	jīzhǎng	（动）	拍手表示高兴和支持
擊掌			clap hands
10. 不禁	bùjīn	（副）	忍不住
不禁			can't help doing something
11. 大刀阔斧	dà dāo kuò fǔ	（习语）	大胆而快
大刀闊斧			bold and resolute
12. 礼宾	lǐbīn	（动）	按一定的礼仪接待宾客
禮賓			protocol
13. 举措	jǔcuò	（名）	措施和举动
舉措			measure; step
14. 务实	wùshí	（动短）	注重实际
務實			deal with concrete matters
			relating to work
15. 率先	shuàixiān	（副）	在前面带头
率先			take the lead in doing sth.
16. 系	xì	（动）	牵挂
系			tie; fasten

17.	谋 謀	móu	（动）	计划方法 consult; plan; plot
18.	宗旨 宗旨	zōngzhǐ	（名）	主要目的和意图 aim; purpose
19.	历历在目 歷歷在目	lìlì zài mù	（习语）	像看见一样 come clearly into view
20.	忠诚 忠誠	zhōngchéng	（形）	忠心诚恳,尽心尽力 be loyal to
21.	履行 履行	lǚxíng	（动）	执行 perform; fulfill; carry out
22.	赋予 賦予	fùyǔ	（动）	给予 bestow on; endow with
23.	恪守 恪守	kèshǒu	（动）	坚定地遵守 scrupulously abide by
24.	勤勉 勤勉	qínmiǎn	（形）	勤劳努力 diligent; assiduous
25.	竭诚 竭誠	jiéchéng	（副）	努力诚恳 wholeheartedly
26.	殚精竭虑 殫精竭慮	dān jīng jié lǜ	（习语）	用尽努力思考 wrack one's brains; devote entire energy and thought
27.	鞠躬尽瘁 鞠躬盡瘁	jūgōng jìn cuì	（习语）	做出自己所有能做的 bnd one's back to the task until one's dying day; have dedicated one's life to a cause
28.	不负 不負	búfù	（动）	不让……失望 not fail in one's duty, obligation, etc.
29.	施政 施政	shīzhèng	（动）	执行政策 administration
30.	诺言 諾言	nuòyán	（名）	答应别人的话 promise
31.	勤政 勤政	qínzhèng	（动短）	努力工作 work hard; dutiful
32.	降低 降低	jiàngdī	（动）	下降 low; decrease
33.	成本 成本	chéngběn	（名）	花费的本钱 cost
34.	毋庸讳言 毋庸諱言	wúyōng huì yán	（习语）	不必瞒着不说 no need for reticence

35.	奢侈 奢侈	shēchǐ	（形）	花费大量钱财追求过分享受 luxurious; extravagant
36.	繁文缛节 繁文縟節	fán wén rù jié	（习语）	复杂的、没有必要的礼貌 unnecessary and overelaborate formalities
37.	花架子 花架子	huājiàzi	（习语）	形式主义的做法 play airs
38.	效 效	xiào	（动）	学习、模仿 learn; copy
39.	表率 表率	biǎoshuài	（名）	榜样、模范 model; example
40.	无穷 无窮	wúqióng	（形）	没有尽头 infinite; endless; boundless; inexhaustible
41.	从而 从而	cóng'ér	（连）	因此 thus; thereby
42.	收益 收益	shōuyì	（名）	生产或商业上的收入 profit; gains; income

报刊惯用语汇及表述模式

1. "……均须……"

"均"是"都"的意思，"须"是必须。这个句型表示一种强调和没有例外的情况。它是一种要求或严格的命令的比较正规的表达方式。例如：

(1) 中央要求今年"五大班子"和各部委负责人均须严格按照有关规定执行，不得擅自到北戴河等避暑胜地。

(2) 无论是国家干部还是一般老百姓，均须遵守国家的法令。

(3) 保护环境是全人类的大事，世界上所有的国家均须认真考虑这个问题。

2. "……就此 V"

指针对一种特殊的情况采取一些特殊的方法或者准备一些应付变化的措施。例如：

(1)《检察日报》今天就此发表评论说,此举是亲民、清廉之举。

(2) 反恐怖活动在今天的国际社会上受到了越来越多的重视。最近几年来,世界各国就此已经召开了很多重要的会议。

3. "打破……惯例"

这个句型强调要用有力的手段来破除一种习惯、传统或者规则。一般而言,被"打破"的大都是一些应该改革的习惯或旧习惯。例如:

(1) 中央这一决定打破了连续几十年夏季去北戴河办公的惯例,给全党树立了榜样。

(2) 这种新型电脑的设计打破了以往设计的惯例,发展出了很多方便使用者的功能,所以受到了顾客的热烈欢迎。

4. "不禁 V……"

"禁"是表示"止"的意思。不禁就是止不住、忍不住。止不住和忍不住地发出一个动作或完成一种行为,说明某事物有着很强的影响力和主动性。例如:

(1) 笔者不禁又想起今年 5 月下旬,党中央国务院大刀阔斧地改革出访礼宾制度,领导人到国外访问不举行送迎仪式。

(2) 每到节日的时候他就不禁想起了遥远的家乡和亲人。

5. "……为……所……"

这种句式是一种强调句型,它把宾语放到前面表示突出它的重要性。"所"后面是动词,表示它的归属和指向,它同时也表示一种被动状态。"权为民所用"本义是"为民用权",用这种句型的目的是强调权应当属于人民,被民众使用的性质。例如:

(1) 党和国家领导人用率先示范的行动带头实践"三个代表"重要思想,实现共产党人"权为民所用,情为民所系,利为民所谋"的执政宗旨。

(2) 他原来说过他不会再跟小白交朋友,可是看到小白的真心忏悔,最后他还是情为其所动,跟小白最后和好了。

6."毋庸讳言……"

表示对一些公开的事实不必瞒着不说。这样的句型一般用来表示一种坦率和直截了当的表述。但是,这个句型通常也表示后面提到的事实有一定的局限或遗憾的情况。这种句型往往用在一种让步或条件句子的情境(context)中。例如:

(1) 毋庸讳言,目前在少数地方还不同程度地存在着官僚主义、享乐主义、奢侈浪费等不正之风。

(2) 他们两人的工作合作一直不错,但是毋庸讳言,他们的个人关系一直不好。

7."……,从而……"

这种句型是表示一种原因和由这种原因引起的结果状态的句子。前面的句子是铺垫和基础,下面是结果。例如:

(1) 榜样的力量是无穷的,一个亲民、爱民、为民办实事的政府,必然得到群众的信任、拥护和支持,从而最广泛地聚集力量,推进经济发展。

(2) 他得到今天这样高的成就不是偶然的。他从上大学期间就非常勤奋和努力,从而打好了基础,在以后的研究中他又非常刻苦,终于取得了优秀的成绩。

小词典
跟本文有关的背景资料及术语介绍

1.中共中央

中共中央是中国共产党委员会的简称,它是中国共产党的最高领导机关,中国由共产党的全国代表大会选举产生。在全国代表大会闭会期间,中央委员会执行全国代表大会的决议,领导党的全部工作,对外代表中国共产党。中共中央政治局和它的常务委员会在中央委员会全体会议闭会期间,行使中央委员会的职权。

2.国务院

中华人民共和国最高国家权力机关的执行机关,即最高国家行政机关。它也就是中央人民政府。由总理、副总理、国务委员、各部部长、各委员会主任等人组成。国务院对全国人民代表大会和它的常务委员会负责并报告工作。

3. 全国人大

中国全国人民代表大会是中华人民共和国最有权威的公共机构。中国实行一院制的议会，共有 3000 名议员，任期五年。全体会议一年举行一次，讨论重要的国家大事，并通过重要的法律。全国人民代表大会的委员长是政治局常委之一，是享有最高公共职能的人之一。

4. 全国政协

中国人民政治协商会议是在 1949 年，由中国共产党和各民主党派、无党派民主人士、各人民团体、各界人士共同建立的具有广泛代表性的中国人民爱国统一战线组织。根据政协章程的规定，人民政协的主要职能是政治协商和民主监督，组织参加政协的各党派、团体和各族各界人士参政议政。

5. 中央军委

中国共产党中央军事委员会和中华人民共和国军事委员会的简称。它是领导中国全国的军事工作、统率中国人民武装力量的最高军事机关。

6. 北戴河

北戴河是中国的一个旅游胜地，它在河北省东北部，距离中国首都北京 279 公里。此地风景秀丽，面临大海，气候适宜，是休养、避暑和旅游的好地方。从 20 世纪 50 年代开始，中国共产党和国家领导人每年夏季都去北戴河办公。

7. 三个代表

"三个代表"是中国共产党和国家领导人江泽民提出的一个重要思想，这个思想认为，中国共产党要"1. 始终代表中国先进生产力的发展要求；2. 始终代表中国先进文化的前进方向；3. 始终代表中国最广大人民的根本利益。"这"三个代表"的思想对近年来中国的思想、文化和社会影响极大。

练习题

一　请根据课文内容填空

这篇文章通过中央一项政策的改革谈到了当前中国社会的一些重要问题，请你细读课文，回答下面的问题：

1. 这次不去北戴河办公的单位有：

_____

2. 这篇文章认为中共中央这个决定是：

_____

3. 除了不去北戴河办公以外,党中央国务院还提出了 _____

_____的决定。

4. 这篇文章认为中央不到北戴河办公的意义是：

_____

二 请根据课文内容选择正确的答案

1. 今年夏天中央不去北戴河办公是因为 _____。

   A. 陈规陋习   B. 清廉、亲民   C. 大刀阔斧

2. 除了夏天不去北戴河以外,中央今年还在 _____ 方面作了改革。

   A. 繁文缛节   B. 办公惯例   C. 礼宾制度

3. 中央今年不去北戴河办公,除了节省了办公经费外,还 _____。

   A. 给各地政府树立了榜样   B. 鞠躬尽瘁、不负众望   C. 毋庸讳言

4. 文章认为,中共中央不去北戴河办公,地方政府应该 _____。

   A. 做出表率   B. 上行下效   C. 反映强烈问题

三 请根据课文判断正误

1. 党中央要求"五大班子"今年夏天不去北戴河办公,别的部门的人均须按照规定去北戴河办公。（   ）

2. 中共中央和国务院等中央政府单位过去几十年每年夏天都在北戴河办公。（   ）

3. 胡锦涛和温家宝在他们的施政演说里就宣布今年夏天不去北戴河办公。（   ）

4. 在中国,有些地方政府存在着一些不正之风和很多坏作风,人民群众对这些很不满意。（   ）

5. 中共中央希望用自己的行动和努力作榜样,转变工作作风,让人民群众满意。（   ）

四   解释句子画线部分的意思

1. 检察日报今天就此发表评论说,<u>此举是亲民、清廉之举</u>,各地也应该结合自身实际,破除<u>那些不合时宜的陈规陋习</u>,全力打造亲民、清廉政府。
   (   )

2. 党和国家领导人用率先示范的行动带头实践"三个代表"重要思想,实现共产党人"<u>权为民所用,情为民所系,利为民所谋</u>"的执政宗旨。
   (   )

3. 新领导班子"百日施政"的成就说明,他们正在实现着自己的诺言,亲民、爱民、廉政、勤政,并<u>以身作则</u>从自己做起,从小事做起。
   (   )

4. 目前在少数地方还不同程度地存在着官僚主义、享乐主义、奢侈浪费、讲排场、摆阔气等<u>不正之风和繁文缛节的"花架子"礼仪</u>,影响了党群干群关系,影响了党和政府在人民心中的形象,群众反响较大。
   (   )

五   根据课文内容讨论和回答问题

1. 中共中央今年夏天为什么不去北戴河办公,作者是怎样评价这个决定的?
2. 中央今年为什么要打破几十年的办公惯例?
3. 作者为什么要把这项决定和胡锦涛、温家宝施政演说上的话结合在一起来写?
4. 中央的这项决定对中国的地方政府有什么意义?
5. 这项决定对中国的普通老百姓有什么意义?作者是怎么希望的?

风格和文体介绍： INTRODUCTION OF THE WRITING STYLE

这篇新闻报道带有宣传和推广的意思,它宣扬了一种选拔干部的新方法,并希望引起读者的注意,让更多的地方学习和采用这种方法。因此,这样的文章要写得具体、生动、有说服力。

首先它介绍了所报道的事实即竞争上岗的内容和方法,然后再介绍它的具体做法和好处,最后介绍它的范围、影响和可行性。

此外,这篇新闻还发表了与主题相关的文章来支持自己的论点。链接的文章具体介绍了一些开始录用公务员(干部)的事实,支持了前面文章的论点。另一篇文章则强调了干部轮训的重要性和方法,和前面的干部考试、录用等文章相配合,有效地突出了这一组文章的新闻主题。

这类新闻题材的写作有倾向性,目的是让人民参考和学习。因此它的文章风格必须是明白、清新,事实清楚,有说服力和可信性。

竞争上岗：官员晋升的主流

竞争上岗:官员晋升的主流
国家人事部透露,推行这一制度以来有 35.3 万人获晋升

[北京消息] 据国家人事部提供的信息,自 1998 年中共中央组织部和国家人事部《关于党政机关推行竞争上岗的意见》制定以来,越来越多的中国党政机关把竞争上岗作为官员晋升的主要方式。2002 年,全国政府机关通过竞争上岗晋升的官员约为 18 万人,已占同年晋升人数的 59.8%。据悉,从 1999 年以来,已有 35.3 万名政府官员通过竞争上岗。

人事部官员认为,竞争上岗是一种以公开、平等、竞争、择优为主要特征的干部选拔任用方法,把干部选拔置于群众的监督之下,落实群众的知情权、参与权、选择权、监督权,对于从源头上预防和治理用人上的不正之风和腐败现象,有效地克服由少数领导选人而出现的封官许愿和凭个人好恶选人用人的弊端, 促进优秀人才脱颖而出,提高干部队伍的整体素质,具有积极的作用。

竞争上岗的主要做法是:公布竞争职位与条件,公开报名、考试,民主测评,组织考察,产生任职人选,然后按规定程序和干部管理权限择优任用干部。

几年来,竞争上岗已由地、市两级政府机关向上延伸到中央国家机关,向下延伸到乡镇街道机关。目前已有 32 个国务院所属部门采取了竞争上岗方式选拔处级和司局级干部。民政部、人事部、国家发展和改革委员会、交通部、水利部等20 多个部门的 239 个司局级职位由竞争上岗产生。黑龙江、广东、内蒙古、湖北、陕西等省区对部分厅局级职位实行了竞争上岗。

人事部官员表示,竞争上岗制度还不完善,中央机关的一些部门还从未开展过竞争上岗,地方各省区市的发展也不平衡。目前,中组部和人事部正在起草《党政机关竞争上岗工作暂行规定》,把竞争上岗作为经常性的干部人事工作组织实施。

新闻链接 我国逾五千农民考上国家公务员

[北京消息] 据《中国青年报》报道,截至目前,我国考试录用公务员已达70多万人,其中从农民中录用公务员5000多人。这是人事部昨天提供的国家公务员考试录用资料中透露的信息。

中央国家机关从1994年开始,先后组织了10次公务员录用考试。内地31个省区市目前也已全部进行了省级机关公务员录用考试。

据不完全统计,到目前为止,全国报考公务员人数达240多万人,已录用的70多万人当中,除农民5000多人外,还从国有企事业单位录用公务员10万多人,从非国有单位录用4万多人,从待业人员中录用近万人。

人事部有关部门负责人说,我国实行公务员考试录用制度,以"公开、平等、竞争、择优"为原则,打破身份、地域界限,使"卷子"代替"条子"、"考官"代替"跑官",取得了良好的社会效果。

我国计划在5年内对公务员轮训一遍

[北京消息] 记者日前从中国人事部获悉,中国推行国家公务员制度10年来,全国已开展各类公务员培训1700多万人次。

人事部公务员管理司官员前日接受记者采访时称,最近几年,中国公务员参训率不断提高,由1996年的26%提高到2002年的62.3%,每年有230多万人次参加培训。

他介绍说,人事部1996年制定下发《国家公务员培训暂行规定》,使中国公务员培训工作步入制度化、规范化、科学化轨道;公务员培训类别体系逐步确立,形成了以初任培训、更新知识培训和专门业务培训为主要形式,以出国(境)培训、对口培训、学历教育等为有益补充的公务员培训门类体系;公务员培训基础建设逐步完备,以行政学院和各类公务员(干部)培训中心为主体的施教机构网络初步形成,高等院校也越来越多地承担一些公务员培训任务。

通过卓有成效的培训,中国公务员队伍素质、能力明显增强,工作作风也有明显改变。从学历上看,公务员大专以上人员占总数比例提高了37个百分点;从知识结构上看,公务员在岗位专门业务知识、现代科技知识、现代行政管理知识、依法行政知识以及世界贸易组织知识、市场经济知识、外语、计算机知识等方面均得到有效补充。

这位官员表示,中国公务员培训部门将在 5 年内将对全体公务员轮训一遍,使每名 公务员都能参加年均 12 天以上的脱产培训。同时坚持培训与使用相结合,逐步做到"不经培训不上岗,不经培训不任职,不经培训不提拔"。

《南方日报》钟欣 2003/8/13

生 词 (5.2)
Vocabulary

1.	上岗	shàng gǎng	(动短)	得到工作
	上崗			take up a job
2.	晋升	jìnshēng	(动)	受到提升
	晉陞			promote
3.	透露	tòulù	(动)	传出消息
	透露			leak; reveal
4.	人事	rénshì	(名)	管理职工的部门
	人事			human resource
5.	部	bù	(名)	机关
	部			department
6.	信息	xìnxī	(名)	消息
	信息			information
7.	约	yuē	(动)	差不多、大约
	約			almost; about
8.	择优	zéyōu	(动)	选择优秀的
	擇優			select those who are out standing
9.	选拔	xuǎnbá	(动短)	选择和提拔
	選拔			select; choose
10.	任用	rènyòng	(动)	选人担任
	任用			appoint; assign sb. to a post
11.	知情权	zhīqíngquán	(名)	知道事情内容的权利
	知情權			rights of have access to know the truth
12.	参与权	cānyùquán	(名)	参加的权利
	參與權			rights of participation
13.	监督权	jiāndūquán	(名)	监察和督促的权利
	監督權			rights of supervising
14.	预防	yùfáng	(动/名)	在事情发生以前防止
	預防			take precautions against; prevent

15.	治理 治理	zhìlǐ	（动短）	统治和管理 administer; govern; bring under control; put in order
16.	腐败 腐敗	fǔbài	（形/名）	腐烂和败坏 corrupt
17.	克服 克服	kèfú	（动/名）	用努力来解决和征服 overcome
18.	封官许愿 封官許願	fēng guān xǔ yuàn	（习语）	预先答应和告诉别人让他做官 offer official posts and make lavish promises
19.	凭 憑	píng	（动/介）	根据 depend on; rely on
20.	弊端 弊端	bìduān	（名）	坏事、缺点 disadvantages
21.	脱颖而出 脫穎而出	tuō yǐng ér chū	（习语）	突出出来 the point of an awl sticking out through a bag; talent showing itself
22.	测评 測評	cè píng	（动短）	测验和评价 measure and assess
23.	延伸 延伸	yánshēn	（动）	伸展 extend; expand
24.	街道 街道	jiēdào	（名）	旁边有房子的比较宽阔的道路 street; neighborhood
25.	处级 處級	chùjí	（名）	管理一个处或同等级别的干部 the status of being the head of a department
26.	司局级 司局級	sījújí	（名）	管理一个司局或同等级别的干部 the status of being the head of a big-department
27.	民政局 民政局	mínzhèngjú	（名）	管理社会工作的部门 civil administration
28.	水利部 水利部	shuǐlìbù	（名）	管理河流、水库和灌溉的机构 irrigation works; water conservancy
29.	厅局 廳局	tíngjú	（名）	管理一个厅局或同等级别的干部 the status of being the head of a mid-department
30.	实施 實施	shíshī	（动/名）	实行 actualize; bring into effect; Carry into execution

31. 逾 踰	yú	（动）	超过 exceed; even more
32. 截至 截至	jiézhì	（动）	到……为止 up to
33. 界限 界限	jièxiàn	（名）	分界、限制 ambit; bounds; circum scription
34. 卷子 卷子	juànzi	（名）	考试题目的纸 examination paper
35. 条子 條子	tiáozi	（名）	走后门的信 a brief informal note
36. 轮 輪	lún	（动）	循环的 turn; annulus
37. 培训 培訓	péixùn	（动）	培养和训练 train; training
38. 暂行 暫行	zànxíng	（动短）	暂时执行的 temporary used
39. 对口 對口	duìkǒu	（动短）	符合情况的 match with...
40. 施教 施教	shījiào	（动短）	进行教育 carry out education
41. 网络 網絡	wǎngluò	（名）	网一样的关系 network; internet
42. 卓有成效 卓有成效	zhuō yǒu chéng xiào	（习语）	很有成绩 fruitful; highly effective

报刊惯用语汇及表述模式

1. "据……信息"

　　"据"表示"根据"，信息是表示消息来源。这种句型一般用于新闻报道文体，作为开头交代新闻来源用。例如：

(1) 据国家人事部提供的信息，自 1998 年中共中央组织部和国家人事部《关于党政机关推行竞争上岗的意见》制定以来，越来越多的中国党政机关把竞争上岗作为官员晋升的主要方式。

(2) 据新华社信息，下个月中国、美国、朝鲜、韩国、俄国、日本等六国将在北京举行会谈。

2."自……以来,……"

这种句型往往表示一种时间概念。它一般强调一种时间和事实之间的关系,表示一种时间的延续状态。例如:

(1) 自 1998 年中共中央组织部和国家人事部《关于党政机关推行竞争上岗的意见》制定以来,越来越多的中国党政机关把竞争上岗作为官员晋升的主要方式。

(2) 自从去年以来,联合国在解决这个问题上做出了很多的努力,但是直到现在问题还没有真正得到解决。

3."把……置于"

"置"是安放的意思。"把……置于"就是把一种东西或状态放在一种情形和状态的控制和制约下,或者摆在一种特殊的位置上。例如:

(1) 人事部官员认为,竞争上岗是一种以公开、平等、竞争、择优为主要特征的干部选拔任用方法,把干部选拔置于群众的监督之下,落实群众的知情权、参与权、选择权、监督权。

(2) 不管在任何情况下,我们都应该谦虚谨慎,把自己置于一种学生的位置上。不要总是指手画脚,对事情不懂装懂。

4."……,其中……"

这种句型常常用来表示一种叙述状态中的强调。"其中"后面的内容往往是对表达事实内容某一部分的一种特别说明。例如:

(1) 据《中国青年报》报道,截至目前,我国考试录用公务员已达 70 多万人,其中从农民中录用公务员 5000 多人。

(2) 据国家人事部报道,去年全国提升市级以上干部 2000 多人,其中新提升的妇女干部有 600 多人。

5."到目前为止,……"

这种句型是强调一种现在的状态。这种状态一般都处在一种变化的情况,这种情况在目前还在变化当中。用这种句型时,重点在于表达目前情况。例如:

(1) 据不完全统计,到目前为止,全国报考公务员人数达 240 多万人,已录用的 70 多万人当中。

(2) 根据新华社消息,中国农村到目前为止,已经基本上达到了适合上学年龄的儿童都享受义务教育的目标。

6. "从……获悉,……"

"获"是得到,获悉就是得到消息。"从"是表示消息来源。这个句型是新闻文体表示消息来源的一种正规的表达方式。例如:

(1) 记者日前从中国人事部获悉,中国推行国家公务员制度10年来,全国已开展各类公务员培训1700多万人次。

(2) 昨天记者从美国劳工部获悉,美国今年的失业率比去年又增加了三个百分点,失业率达到近年来最高的指数。

7. "使……步入……轨道"

这种句型表示用一些方法(如引导、控制、调整等)把一种情况或局面转换成另一种更有利的局面或形态。例如:

(1) 人事部1996年制定下发《国家公务员培训暂行规定》,使中国公务员培训工作步入制度化、规范化、科学化轨道。

(2) 两年多的调整和修复,使这个工厂终于走出力困境,步入了开创新产品、创造优秀的产值和利润的全新的轨道。

小词典
跟本文有关的背景资料及术语介绍

1. 竞争上岗

"竞争上岗"是近十年来中国政府选拔干部的一项新措施。它最初是在1994年机构改革和推行公务员制度入轨阶段,以选配和分流人员的手段而运用的,由于效果显著,并得到民众普遍肯定,而在全国推广。竞争上岗的主要程序是:公布竞争职位与条件,公开报名,考试,民主测评,组织考察,产生任职人选,然后按规定程序和干部管理权限择优任用干部。中国人事部官员认为,竞争上岗是一种以公开、平等、竞争、择优为主要特征的官员选拔任用方法。这一方法拓宽了选人用人渠道,促使优秀人才脱颖而出;遏制了托人说情、跑官要官、近亲繁殖等不正之风;打破了"论资排辈"、"平衡照顾"的陈腐用人观念;在官员能上能下方面取得了突破性进展,有利于激励公务员分发进去,提高行政机关的效能。

2. 国有企事业单位

国有企业单位也叫全民企业单位。这种单位是国家所拥有的，包括国家机关、学校、医院、铁路、矿山、邮电、交通等。它的特点是工作比较固定，福利比较好。在过去，国有企业被称作"铁饭碗"，因为它属于国家，在国有企业的工作也比较有保障。改革开放以来，中国政府开始采取了一系列的改革措施，国有企业的内容也发生了很大的变化，它不再是"铁饭碗"了。

3. 待业人员

国有企事业改革开放以来，发布了一系列的企事业单位人员雇用政策。随着这些政策的实施，把一部分多余的或者不称职的人员从工作岗位上精简下来。这些职工就成了没有职业或等待获得职业的"待业人员"。

4. 条子

指有些人通过不正当的手法利用权力或关系介绍自己的亲友或熟人得到好处。包括当官、赚钱和其他的利益。条子是办这种不正当的手段之一。通常由有权力的人写一封短信或介绍的便条来走后门办事。条子被看成是一种不正之风的代表。

5. 跑官

指有通过不正当的方式走后门、请客送礼来达到做官的目的的一种行为。这是一种不正之风，受到了政府的批判和人民的反对。

练习题

一　根据词性搭配划线连词

竞争	弊端	透露	考试
提供	上岗	进行	界限
克服	考察	打破	提高
组织	条件	取得	效果
公布	信息	不断	信息

二 根据课文内容选词填空

1. 据国家人事部提供的＿＿＿＿＿＿＿，自《关于党政机关推行竞争上岗的意见》制定以来,越来越多的中国党政机关把竞争上岗作为官员晋升的主要方式。

   (信息　　　情况　　　希望)

2. 几年来,竞争上岗已由地、市两级政府机关＿＿＿＿＿＿到中央国家机关和乡镇街道机关。

   (择优　　　延伸　　　腐败)

3. 目前,中组部和人事部正在起草《党政机关竞争上岗工作暂行规定》,把竞争上岗作为经常性的干部人事工作组织＿＿＿＿＿＿。

   (实施　　　竞争　　　完善)

4. 北京消息　据《中国青年报》报道,＿＿＿＿＿＿目前,我国考试录用公务员已达 70 多万人,其中从农民中录用公务员 5000 多人。

   (到达　　　延伸　　　截至)

5. 记者日前从中国人事部获悉,中国推行国家公务员制度 10 年来,全国已开展各类公务员＿＿＿＿＿＿1700 多万人次。

   (对口　　　培训　　　施教)

三 用指定的词语完成句子

1. 根据国家人事部提供的＿＿＿＿＿＿＿＿＿＿＿＿

   ＿＿＿＿＿＿＿＿＿＿＿＿＿＿＿＿＿＿＿＿。(信息)

2. 据悉,＿＿＿＿＿＿＿＿＿＿＿＿＿＿＿＿＿＿＿

   ＿＿＿＿＿＿＿＿＿＿＿＿＿＿＿＿＿＿＿。

3. 截至目前,＿＿＿＿＿＿＿＿＿＿＿＿＿＿＿＿＿

   ＿＿＿＿＿＿＿＿＿＿＿＿＿＿＿＿＿＿＿。

4. 事实证明,＿＿＿＿＿＿＿＿＿＿＿＿＿＿＿＿＿

   ＿＿＿＿＿＿＿＿＿＿＿＿＿＿＿＿＿。(卓有成效)

四 判断画线部分,并予解释

1. 2002 年,全国政府机关通过竞争上岗晋升的官员约为 18 万人,已占同年晋升人数的 59.8%。据悉,从 1999 年以来,已有 35.3 万名政府官员通过竞争上岗。

   指应该是,或是指＿＿＿＿＿＿＿＿＿＿＿＿＿＿＿＿

2. 几年来,竞争上岗已由地、市两级政府机关向上延伸到中央国家机关,向下延伸到乡镇街道机关。

   指申请,或是指＿＿＿＿＿＿＿＿＿＿＿＿＿＿＿＿＿

3. 人事部官员表示,竞争上岗制度还不完善,中央机关的一些部门还从未开展过竞争上岗,地方各省区市的发展也不平衡。

指不合理、不公平,或是指 _____

4. 据《中国青年报》报道,截至目前,我国考试录用公务员已达 70 多万人,其中从农民中录用公务员 5000 多人。

指从现在开始,或是指 _____

5. 通过卓有成效的培训,中国公务员队伍素质、能力明显增强,工作作风也有明显改变。

指非常困难,或是指 _____

五　按照正确顺序组合下列句子

1. A. 自 1998 年中共中央组织部和国家人事部《关于党政机关推行竞争上岗 的意见》制定以来

B. 据国家人事部提供的信息,

C. 越来越多的中国党政机关把竞争上岗作为官员晋升的主要方式

1) _____　　2) _____　　3) _____

2. A. 公布竞争职位与条件,公开报名、考试,民主测评,组织考察,产生 任职人选

B. 然后按规定程序和干部管理权限择优任用干部

C. 竞争上岗的主要做法是

1) _____　　2) _____　　3) _____

3. A. 竞争上岗制度还不完善

B. 地方各省区市的发展也不平衡

C. 人事部官员表示

D. 央机关的一些部门还从未开展过竞争上岗

1) _____　　2) _____　　3) _____　　4) _____

4. A. 其中从农民中录用公务员 5000 多人

B. 这是人事部昨天提供的国家公务员考试录用资料中透露的信息

C. 截至目前,我国考试录用公务员已达 70 多万人

1) _____　　2) _____　　3) _____

5. A. 全国已开展各类公务员培训 1700 多万人次

B. 记者前日从中国人事部获悉

C. 中国推行国家公务员制度 10 年来

1) _____　　2) _____　　3) _____

六　写作练习

1. 细读课文,进一步理解这种新闻报道文体写作的基本特点。

2. 作者是怎样报道这个新闻题材的? 他用了哪些例子来说明问题?

3. 竞争上岗的好处在哪里? 作者是怎样通过新闻事实来表达自己的看法的?

4. 请用三句话来写出这篇文章的中心思想。

七　课堂讨论题

1. 竞争上岗是什么? 为什么要竞争上岗?

2. 请谈谈竞争上岗的方法比以前的方法有什么好处?

3. 竞争上岗有哪些程序? 它的主要做法是什么?

4. 竞争上岗是从哪一年开始的? 现在竞争上岗还存在着哪些问题?

5. 除了竞争上岗以外,中国人事部还采用了什么办法来提高公务员的素质?

风格和文体介绍：**INTRODUCTION OF THE WRITING STYLE**

　　这是一篇介绍中国国家领导人讲话的新闻。由于讲话人的地位重要，所以这个讲话也就有了非常重大的新闻意义。在这篇讲话中胡锦涛提出了新的想法和希望，这种希望对中国政府今后的工作有着重大的指导意义，所以这是一则值得注意的新闻。

　　中国官方报纸新闻文章有一个值得重视的重点，它的头版经常刊登领导人讲话。由于讲话者地位的重要和讲话涉及内容的重要，这些讲话本身就是新闻。

　　一般来讲，这些重要讲话会谈到一些国家大事和世界大事，它们的内容比较正规，文章的风格比较严肃，谈论的问题也都是比较抽象，文字表达的风格比较准确、严谨，但政治色彩比较浓厚。

　　阅读和理解这类文章的风格对我们理解中国的政治和社会有好处。它们一般都富有针对性和指导性，讨论的问题从国际到国内、从政治到经济，这种模式是中国重大新闻的标准写法，可以作为阅读中国报纸新闻的入门。

胡锦涛强调用"三个代表"重要思想统领文化建设
确保国家文化安全社会稳定

　　[据新华社电]　中共中央政治局 12 日上午进行第七次集体学习，中共中央总书记胡锦涛主持。他强调，大力发展社会主义文化，建设社会主义精神文明，是贯彻落实"三个代表"重要思想的必然要求，是全面建设小康社会的必然要求，也是促进经济社会协调发展和人的全面发展的必然要求。我们必须从全面建设小康社会的全局和实现中华民族伟大复兴的高度，深刻认识加强文化建设的战略意义，在推进社会主义物质文明和政治文明建设的同时，更加自觉地推进社会主义文化建设。

　　胡锦涛在主持学习时发表了讲话。他强调，建设中国特色社会主义文化，必须牢牢把握先进文化的前进方向，最根本的是要坚持马克思列宁主义、毛泽东思想和邓小平理论在意识形态领域的指导地位，坚持用"三个代表"重要思想统领社会主义文化建设。发展文化事业和文化产业，是社会主义文化建设的重要组成部分。发展各类文化事业和文化产业，都要坚持正确导向，把社会效益放在首位，做到社会效益和经济效益的统一，努力宣传科学真理、传播先进文化、塑造美好心灵、弘扬社会正气、倡导科学精神。

　　胡锦涛强调,一切有利于加强我国社会主义文化建设的有益经验,一切有利于提高我国人民精神境界的文化成果,一切有利于发展我国社会主义文化事业和文化产业的管理方式,都要积极研究借鉴。要始终高举社会主义文化旗帜,在文化观念上决不照抄照搬,在发展模式上决不简单模仿,坚决防范和抵御各种腐朽落后的文化观念侵蚀干部群众的思想,确保国家的文化安全和社会稳定。

《羊城晚报》2003/8/13

生 词 (5.3)
Vocabulary

1. 政治局	zhèngzhìjú	（名）	中国共产党的中央领导机关
政治局			the Political Bureau
2. 落实	luòshí	（动）	执行和完成
落實			arry out; fulfil; put into effect
3. 小康社会	xiǎokāng shèhuì	（习语）	比较富裕的生活
小康社會			middle-class society
4. 协调	xiétiáo	（动 / 名）	合作顺利
協調			assort with; correspond
5. 复兴	fùxīng	（动 / 名）	恢复和兴起
復興			ebound; reconstruct; renaissance
6. 战略	zhànlüè	（名）	筹划和策略
戰略			stratagem; tactic
7. 推进	tuījìn	（动 / 名）	推动发展
推進			advance; boost; push
8. 意识形态	yìshí xíngtài	（名）	思想状况
意識形態			ideology
9. 领域	lǐngyù	（名）	范围
領域			domain; field; kingdom
10. 产业	chǎnyè	（名）	产品、工业
產業			industry; property; domain
11. 导向	dǎoxiàng	（名）	方向
導向			trend
12. 效益	xiàoyì	（名）	效果和好处
效益			benefit
13. 弘扬	hóngyáng	（动）	发扬和提倡
弘揚			develop; promote
14. 成果	chéngguǒ	（名）	成绩和结果
成果			production; harvest

15.	借鉴 借鑒	jièjiàn	（动 / 名）	学习和借用 use for reference
16.	照抄照搬 照抄照搬	zhào chāo zhào bān	（习语）	按照样子来抄写和搬用 copy word for word
17.	防范 防範	fángfàn	（动 / 名）	防止 keep away
18.	抵御 抵御	dǐyù	（动 / 名）	抵抗 resist; withstand
19.	腐朽 腐朽	fǔxiǔ	（形）	腐烂的 molder
20.	侵蚀 侵蚀	qīnshí	（动 / 名）	侵害腐蚀 corrode; erode; eat into
21.	确保 確保	quèbǎo	（动短）	明确的保证 insure

浏览测试
Reading For Main Ideas

　　这篇文章谈了三个主要的内容。第一个内容我们已经为你提供,请你写出其他两个句子来总结出另外两个主要内容:

第一个内容:
中共中央政治局召开了会议,胡锦涛发表了重要讲话。

第二个内容:
_____。

第三个内容:
_____。

阅读细节
Reading For Details

· 　细读下面的回答并圈出正确的结论。
· 　和你的同学比较、讨论,看看谁的答案对。

1. 中央政治局这次会议的主要内容是：
   ◇   建设小康社会
   ◇   大力发展社会主义文化
   ◇   全面发展"三个代表"

2. 胡锦涛认为,要想建设好中国特色的社会主义文化,必须：
   ◇   实现小康社会
   ◇   政治局集体学习
   ◇   牢牢把握先进文化的前进方向

3. 胡锦涛认为,社会主义文化建设的重要组成部分是：
   ◇   发展文化事业和文化产业
   ◇   加强文化建设的战略意义
   ◇   意识形态的领导地位

4. 胡锦涛认为,发展社会主义文化建设要注重：
   ◇   文化产业的管理方式
   ◇   照抄照搬
   ◇   研究和借鉴

深度阅读
Reading Between the Lines

- 和你的同学讨论下列问题,并写出你们的答案。

1. 中共中央政治局为什么要集体学习？发展社会主义文化当前有什么意义？
   _____
   _____

2. 胡锦涛认为,怎样才能发展中国特色的社会主义文化？
   _____
   _____

3. 在发展社会主义文化方面,胡锦涛有哪些想法和指示？
   _____
   _____

风格和文体介绍：　**INTRODUCTION OF THE WRITING STYLE**

　　这是一篇非常有新意的新闻报道。在中国政府的官方报纸中，一般政府领导人的讲话都被看成是一种非常重要的、富指导性意义的，甚至带有政策性的内容。但是这一则新闻报道表现出了一种全新的报道角度。首先，这篇文章介绍的是一个热点新闻。中国即将实施新的《婚姻登记法条例》，其中有一些引起注意和争论的内容。在这样的情况下，负责全国妇女工作的领导人在国务院召开的新闻发布会上的讲话一定会引起人们广泛的关心。

　　出乎人们意料的是，这次的妇联领导的讲话没有像以往那样宣讲政策而是比较富有个人色彩和人情味。妇联领导非常直率地回答了很多问题，而且谈了很多"个人意见"。

　　这篇文章的报道风格比较清新。它不像过去的这类文章那样喜欢讲大道理而是非常通俗、亲切，文章总体的风格比较轻松，没有教训人的色彩。这样的新闻读者喜欢读。

妇联领导的"个人意见"

　　8月14日，在国务院新闻办召开的记者招待会上，全国妇联副主席顾秀莲女士向中外记者介绍了近年来中国妇女的发展状况，而就若干敏感问题，顾秀莲女士发表了一番"个人意见"。

　　会上有记者就已经国务院批准，即将实施的《婚姻登记法条例》中有关取消婚前健康检查的规定，以及目前社会上存在的"一夜情"、"婚外情"和所谓"性革命"等现象，请顾秀莲女士发表看法。顾女士则就此以"我以为"、"我认为"、"我觉得"等为"导语"，发表了若干"个人意见"，提出"就是国家不强制检查，我认为你还要检查"。因为婚前检查直接关系到婚姻生活的健康和幸福。而对于"婚外情"、"性革命"等现象和说法，顾秀莲女士则提出了含蓄的批评，希望大家在遵守《婚姻法》的同时，树立良好的伦理道德观念，保留中国的优良传统。

　　因为没有足够的资料备查，因此无法判断顾女士的上述谈话，是不是中国高层领导首次在公开场合发表的"个人意见"。但至少以"可能你们说我这个老太太很落后，没关系，是一家之言"这样的语气，就社会普遍关注的问题向记者发表谈话，在我们的记忆中实在不多。

　　这是一种变化，而且是好的变化。它不但好在高层官员敢于在公开场合摒弃正确然而空洞的官话、套话，以具有个性的语言表达自己对敏感社会问题的看法。而且还好在高层官员也在自觉地、明确地界定并严守了法律与道德、公德与私德的界限，对某些与法律并不相悖，但却引起争议的现象，没有因其"不良"倾向而予以"痛斥"。同时在对这些现象提出批评时，也没有以全国人大常委会副委员长、全国妇联副主席、书记处第一书记等官方权威身份，形成事实上的"定调"。这是对法律权威的尊重，也是对不同个人在不触犯法律的前提下，自由选择生活方式的权利的尊重。

不必讳言,中国的妇女权益保护依然面临严峻挑战,在某些方面,男女不平等现象、侵害妇女权益现象甚至有回潮倾向。同时,"一夜情"、"婚外情"和所谓"性革命",也已经确实存在,使我们的社会面临一定程度上的伦理困境。曾经有人据此而呼吁在修改《婚姻法》时,加进惩罚性条款。但是没有。这结果无疑会让部分公众,尤其是那些权益受到侵害的妇女感到失望,但把法律的交给法律,把道德的归于道德,却是法制社会必须遵守的原则。

如何在道德观念发生巨大变化的社会中自处,是所有男人女人都必须勇敢和智慧地面对的课题。如何尽快建立新的与社会发展相适应的道德准则,则是我们的社会面临的课题。而一个原则是,被社会普遍接受的道德准则是在社会的发展和每个个人的不断选择、适应的过程中形成的,而不能冀望于某个权威部门或个人的强制推动。顾秀莲副主席在第九次妇女全国代表大会举行前夕表达的"个人意见",体现了对这一原则的尊重。

《北京青年报》2003/8/15

生 词 (5.4)
Vocabulary

1. 妇联 婦聯	fùlián	(名)	中华全国妇女联合会 the All-China Women's Federation
2. 敏感 敏感	mǐngǎn	(形)	生理上和心理上对外界事物反应很快 sensitivity; susceptivity; keenness; have thin skin
3. 番 番	fān	(量)	次 a measure word
4. 登记 登記	dēngjì	(动/名)	报名办结婚的手续 book in; register
5. 一夜情 一夜情	yíyèqíng	(名)	不正当的肉体交易 one night's love
6. 婚外情 婚外情	hūnwàiqíng	(名)	婚姻以外的情感 extra-marital affair
7. 导语 導語	dǎoyǔ	(名)	介绍性的话 introduction
8. 含蓄 含蓄	hánxù	(形)	不公开的,隐藏的 connotation
9. 伦理 倫理	lúnlǐ	(名)	道德规范 ethic

10.	备查 備查	bèichá	（动短）	准备等待查考 for future reference
11.	一家之言 一家之言	yì jiā zhī yán	（习语）	一种有名的、权威的言论 one doctrine or school of thought; authority in a certain field
12.	摒弃 摒弃	bìngqì	（动）	扔掉 through out; spurn; slam the door
13.	空洞 空洞	kōngdòng	（形）	没有内容 inanition
14.	官话 官話	guānhuà	（名）	官腔 official talking; good words
15.	界定 界定	jièdìng	（动）	确定、划定 defining; give a definition
16.	公德 公德	gōngdé	（名）	公众道德 social morality
17.	私德 私德	sīdé	（名）	私人生活道德 personal morality
18.	悖 悖	bèi	（形）	反对、相反 against
19.	讳言 諱言	huìyán	（动）	不敢说，不愿意说 dare not or would not speak up
20.	权益 權益	quányì	（名）	权利和利益 rights and interests
21.	严峻 嚴峻	yánjùn	（形）	严重 austerity; grimness
22.	困境 困境	kùnjìng	（名）	困难的境况和境地 a pretty pass; how-d'ye-do; jam; puzzledom
23.	呼吁 呼籲	hūyù	（动／名）	向个人或社会申述，请求援助或主 持公道 appeal; appeal to; call on
24.	冀望 冀望	jìwàng	（动／名）	强烈的希望 hope; look forward to
25.	体现 體現	tǐxiàn	（动／名）	表现出来 embodiment; incarnate; materialize

浏览测试
Reading For Main Ideas

这篇文章介绍了中国政府领导人的一些新的工作方法和新观点，它很有启发意义。文章评价了顾秀莲的发言，对她的发言进行了评论。请你用一两个句子谈谈它们的主要内容：

顾秀莲的看法：
_____。

文章作者的看法：
_____。

作者认为顾秀莲发言的意义
_____。

阅读细节
Reading For Details

· 细读下面的回答并圈出正确的结论。
· 和你的同学比较、讨论，看看谁的答案对。

1. 顾秀莲认为：
   ◇ "一夜情"、"婚外情"是"性革命"。
   ◇ 虽然国家不强制，但婚前应该做健康检查。
   ◇ 《婚姻法》取消婚前健康检查是不对的。

2. 因为没有足够的资料备查，所以文章作者认为：
   ◇ 顾秀莲的说法是"个人意见"，所以不对。
   ◇ 虽然不确定，但国家领导人这样发言的语气不多。
   ◇ 顾秀莲的说法很落后。

3. 顾秀莲的说法和法律的说法：
  ◇ 完全一样。
  ◇ 并不相悖,互相尊重。
  ◇ 发生了好的变化。

4. 作者认为,在现在中国：
  ◇ 需要权威来"定调"。
  ◇ 应该呼吁修改《婚姻法》。
  ◇ 依然有男女不平等现象。

深度阅读
Reading Between the Lines

• 和你的同学讨论下列问题,并写出你们的答案。

1. 新的《婚姻法》为什么要取消婚前健康检查? 顾秀莲对此谈了什么样的看法? 你对这个问题有什么看法?

_____

2. 顾秀莲是国家领导人,在这儿她为什么用了"可能你们说我这个老太太很落后,没关系,是一家之言"这样的语气?

_____

3. 顾秀莲的观点和法律的观点有什么不同? 人们应该遵守法律的观点还是顾秀莲的观点?

_____

4. 中国妇女权益保护面临着什么样的问题?新的《婚姻法》为什么没有加进惩罚性的条款?

_____

新华社痛揭"文凭"背后种种怪象
秘书司机去上课 领导首长拿文凭

我国一些地区清查出的干部假文凭数量之多令人吃惊,而这些文凭背后的种种怪现象更是发人深省。

怪现象一:硕士班趋之若鹜,本科班日显落伍。虽然一些干部没有受过正规的大学教育,但是面对高校举办的名目繁多的学习班,他们更热衷于研究生班,只能获得本科文凭的学习班在县(处)级以上的干部中根本不受欢迎。

怪现象二:书记县长多,主席主任少。在各种各样的函授班、研究生班学习的人中,任职于党委和政府的干部远远多于在人大和政协任职的干部。一位熟知内情的党校老师说,干部提高学历主要是为了升职,而人大、政协的干部再提升的可能性不大,所以积极性自然不高。

怪现象三:公务缠身无暇顾,秘书司机当陪读。领导政务繁忙,不可能保证每节课都到,这时,只有让秘书代劳了。不管是领导还是秘书去听课,坐长途客车或者挤公交车都不太现实,所以每次上课前后,排成长龙的豪华小轿车成了校园的一大景观。

怪现象四:干部拿文凭,公家出费用。读一个普通的研究生班,两年或三年期间向学校交纳的各种费用总计最少也要 2 万元。据了解,在一些地方,一般科局级干部的读书费用, 所在单位至少要报销 70%, 而领导干部们则可以全额报销。

怪现象五:考前请客吃饭,考后电话不断。考试和论文答辩前后是一些干部最为忙碌的时候,教授家的住址和电话早就打听清楚了,考前请老师吃顿饭,对于深谙此道的官员来说,有助于增强自己顺利通过的信心。考试以后,教授家的电话就变成了"114",电话络绎不绝,通常只问一句"过了没有"?

(据新华社电)《羊城晚报》2003/8/13

生 词 (5.5)
Vocabulary

1. 新华社 新華社	xīnhuáshè	（名）	中国政府官方新闻社 Xinhua News Agency
2. 文凭 文憑	wénpíng	（名）	毕业证书 diploma
3. 清查 清查	qīngchá	（动短）	彻底检查 check; uncover
4. 发人深省 發人深省	fā rén shēn xǐng	（习语）	让人深刻思考 set people thinking
5. 硕士 碩士	shuòshì	（名）	有学问的人，研究生学位 master
6. 趋之若鹜 趨之若鶩	qū zhī ruò wù	（习语）	比喻许多人争着去追逐不好的事物 scramble for
7. 落伍 落伍	luò wǔ	（动短）	掉在了后面 behind the time; drop behind; fogyism
8. 名目繁多 名目繁多	míngmù fánduō	（习语）	各种各样的名称 many mann names
9. 热中于 熱中於	rèzhōngyú	（动短）	对……非常感兴趣 be wild about; high on
10. 函授班 函授班	hánshòubān	（名）	通过通讯来教学的课程 teach by correspondence
11. 内情 內情	nèiqíng	（名）	内部的情况 inside news
12. 缠身 纏身	chánshēn	（动短）	被……纠缠 preoccupy; entangle
13. 暇 暇	xiá	（名）	空闲的时间 free time; leisure
14. 陪读 陪讀	péi dú	（动短）	伴陪读书 accompany to study
15. 交纳 交納	jiāonà	（动）	付钱 pay; render
16. 全额 全額	quán'é	（名）	全部的 all amount

17. 答辩	dábiàn	(动 / 名)	讨论和解释自己的观点
答辩			defense; answer; reply
18. 深谙此道	shēn ān cǐ dào	(习语)	对……很熟悉
深諳此道			know the way very well
19. 络绎不绝	luòyì bù jué	(习语)	连续不断
絡繹不絕			in an endless stream

练习题

一　请根据课文判断正误

1. 干部们喜欢研究生班,因为可以学到更多的知识。(　　)
2. 因为人大和政协的干部升职的可能性不大,所以他们不愿意上研究生班取得文凭。(　　)
3. 有的干部工作比较忙,就让秘书替他们上课学习。(　　)
4. 很多干部用政府的钱来交学费读书,这是不符合规定的。(　　)
5. 干部们非常尊重老师,经常请他们吃饭。(　　)
6. 文凭后面的怪现象说明对干部们的知识水平的检查不能只靠考试。
(　　)

二　请根据课文回答下列问题

1. 中国一些地区为什么要清查干部假文凭?
2. 有的干部连大学都没上过,为什么要读研究生班?
3. 为什么参加学习的干部中"书记县长多,主席主任少"?
4. 考试以后,干部们关心的他们的考试成绩是什么? 为什么?

速读练习　在速读练习中你不必查字典,也不必认识课文中的每一个字。如果除了提供的词汇你还有生词,你可以根据上下文来猜测生词的意思,试着读懂课文的内容。这种练习的目的是让你忽略细节,争取读懂文章的主要内容。

请爱护咱们的"MADE IN CHINA"
——"中国制造"进入日本千家万户

近年来,中国商品在日本市场上站稳了脚跟,不仅堂堂正正地走入了信誉极高的大型百货店,进入日本的千家万户,而且信誉大升,广受欢迎。

据日本媒体对超级市场的调查,中国进口商品的残次率近年来大幅降低,个别商品的质量甚至超过日本产品。一些家庭主妇对采访的电视记者说:"中国商品式样符合日本人的品味,价格合理,所以买中国商品最划算。"

"中国制造"能获得如此高的声誉,应归功于中日双方贸易人士多年的共同努力。中日贸易在许多领域里是以合资或合作方式实现的,日本企业本身就是"中国制造"的主体,他们把日本的零部件运入中国,按照日本的设计,然后委托中国企业加工生产,或者是日本在华的独资企业生产,再返销日本。在加工生产中,日本企业对产品质量要求很高,为此不惜投入物力和时间对工人进行技术培训和指导,并实行严格的质量管理。因此,进入日本市场的"中国制造"商品相当一部分是日本企业和中国企业在中国境内共同完成的。"中国制造"把中日两国企业的利益捆绑在一起,是中国商品能在日本立住脚的首要原因。

其次,"中国制造"的商品进入日本市场大都通过日本商业的主渠道,这些主渠道一是世界著名的日本综合商社,比如丸红、伊藤忠、三井物产等;二是日本制造商或大型店铺直接进口,直接经销。日本主渠道的进口商有传统的历史和丰富的经验,讲究信誉,对进口商品质量检查十分严格。这是"中国制造"的商品及品牌能广受爱挑剔的日本消费者欢迎的又一个原因。

另一条经验是,中国商品进入日本市场并要创立独自的品牌,可以考虑利用日本的代理商。最能给人启示的例子就是绍兴酒。中国绍兴酒历史悠久,与日本的清酒有异曲同工之处,极合日本人的口味,但以前却很难进入日本主流市场。后来,中国有关企业委托日本著名酒商"宝酒造"作为代理商,结果短短两年时间,绍兴酒就红遍日本各地,家喻户晓。后来又有人研究出绍兴酒的新饮法,如兑柠檬水,放入日本酸梅,配威士忌等,使绍兴酒的饮法进入了文化层次。绍兴酒如此,乌龙茶更是如此,如今中国的乌龙茶在日本已成为著名的品牌,大有压倒日本茶之势,这与代理商三得利公司的努力是分不开的。再则,"中国制造"要想在日本市场真正立住脚,必须进入日本的大型商店。

中国商品在日本市场赢得良好品牌形象,还得益于2000年出现的"尤尼库罗"现象。尤尼库罗是日本一家新兴的服装连锁店,它为了与大商店竞争,充分发掘中国商品的成本优势,大批量开发进口中国服装,在日本市场上创出了"尤尼库罗＝中国优质商品"的效应,彻底改变了日本消费者对中国商品的不良印象。尤尼库罗由于经销中国商品而一举成名,并给其他大型商店以启示。于是在后来的几年里,各大百货店和超级市场业都加大了从中国进口商品的力度。位于银座的三越百货店以"店家设计"方式从中国独立开发进口商品,引起了消费者的普遍关注和欢迎。这样,从尤尼库罗掀起"中国制造"的旋风为开端,其他大型商店相继跟进,终于奠定了中国商品在日本市场上的根基,创立了"中国制造"的品牌。

《经济日报》报驻东京记者阎海防 2003/8/14

生 词 (5.6)
Vocabulary

1.	信誉 信譽	xìnyù	(名)	信用和名誉 credit standing
2.	残次率 殘次率	cáncìlǜ	(名)	不合格的比例 the rate of incomplete or poor single-venture (by foreigners)
3.	划算 划算	huásuàn	(形)	合适 be to one's profit; calculate; weigh
4.	零部件 零部件	língbùjiàn	(名)	机器的部分 parts
5.	委托 委託	wěituō	(动)	请人代办 consign; devolve; entrust
6.	独资 獨資	dúzī	(名)	指一个人或一方单独投资的 single-venture
7.	返销 返銷	fǎnxiāo	(动)	卖到生产的地方 resold by state to place of production
8.	不惜 不惜	bùxī	(副)	不怕,不在乎 not hesitate; not spare
9.	捆绑 捆綁	kǔnbǎng	(动)	用绳子扎在一起 binding; seizing
10.	渠道 渠道	qúdào	(名)	水道,比喻道路 channel; ditch; trench
11.	挑剔 挑剔	tiāotī	(动)	过分严格地在细节上指摘 carp at; pick; picky
12.	代理商 代理商	dàilǐshāng	(名)	替卖产品的商人 agent

13. 家喻户晓 家喻戶曉	jiā yù hù xiǎo	（习语）	所有人都知道 widely known
14. 柠檬 檸檬	níngméng	（名）	一种水果 lemon
15. 威士忌 威士忌	wēishìjì	（名）	一种用大麦黑麦制成的酒 whisky
16. 乌龙茶 烏龍茶	wūlóngchá	（名）	中国南方的一种茶 Oolong
17. 得益于 得益於	déyìyú	（动短）	从……得到好处 profit from
18. 连锁店 連鎖店	liánsuǒdiàn	（名）	系列性的销售店 multiple shop
19. 发掘 發掘	fājué	（动）	挖，发现 dig; excavation
20. 一举成名 一舉成名	yì jǔ chéng míng	（习语）	突然出名 become famous overnight
21. 旋风 旋風	xuànfēng	（名）	威力强大的旋转的风 cyclone; tornado; whirlwind
22. 奠定 奠定	diàndìng	（动）	建立基础 establish; settle

练习题

一 请根据课文判断正误

1. 因为中国产品的质量都超过了日本产品，所以在日本受到了欢迎。（   ）
2. 很多"中国制造"的商品是中国和日本联合制造的。（   ）
3. 因为日本的顾客爱挑剔，所以他们不愿意购买中国制造的商品。（   ）
4. 中国的绍兴酒和乌龙茶得到了日本代理商的帮助，很快打入了日本市场。（   ）
5. 日本人现在只喜欢喝乌龙茶，不喜欢喝日本茶了。（   ）
6. "尤尼库罗"是一个著名的日本商人，它专门卖中国商品。（   ）

二 请根据课文回答下列问题

1. 中国制造的产品是怎样打开日本市场的？在这样的过程中日本人做了些什么？
2. 日本商人为什么要帮助中国产品打开日本市场？
3. 为什么中国产品进入日本市场要创立自己的品牌并要利用日本代理商？
4. 你怎么看待"尤尼库罗"现象？它对中国产品在日本有哪些帮助？
5. 你买过中国商品吗？你对中国制造的商品评价怎么样？

速读练习　在速读练习中你不必查字典,也不必认识课文中的每一个字。如果除了提供的词汇你还有生词,你可以根据上下文来猜测生词的意思,试着读懂课文的内容。这种练习的目的是让你忽略细节,争取读懂文章的主要内容。

北京监狱局昨起试行罪犯日常放假制度
首批犯人昨起度周末

·穿上连衣裙走出监狱大门感觉不太适应·出狱前签署《具保书》·出狱前警察还要再嘱咐一番
北京市监狱局昨试行罪犯日常放假制度十名犯人成为首批受益者

　　昨天早上,女犯张艳的脸上一直挂着掩饰不住的快乐,4 年多来,她第一次走出监狱回到家里和亲人团聚,同时也成为市监狱局首次试行罪犯日常放假制度的第一个受益者。

　　·市监狱局首次试行 罪犯日常放假,张艳穿上新裙子、长丝袜、高跟鞋,和妈妈一起回家过周末

　　昨天,和张艳一样获准在双休日放假回家探亲的还有作为试点的北京市女子监狱、未成年犯管教所和清河分局茶西监狱共 10 名罪犯,这是市监狱局历史上首次试行罪犯日常放假,也是首都监狱系统推行人文化管理,个别化教育,努力提高罪犯改造质量工作中的一个新举措。据悉,这次放假回家的 10 名罪犯包括 7 名男犯、3 名女犯,都是被执行原判刑期二分之一以上,改造表现一贯良好,而且余刑在一年以内,并经过监狱分监区、监狱、市监狱局逐级审批后确定的,针对这些放假回家的服刑人员,每个试点单位都制定了周密的实施方案。他们于 8 月 15 日

上午离监探亲,8月17日下午在规定时间内返回。根据规定,这期间,他们需到当地公安机关办理暂住手续,并严格遵守各项法律法规,以及准予探亲的各项规章制度。

据市监狱局的有关领导介绍,对符合条件的服刑人员进行日常放假不同于以往的春节放假,其目的除了与亲人团聚以外,更重要的是为了使罪犯与家庭、社会接触,通过切身的感受,对当前社会发展形势形成一定的认识,并逐步调整心态,增强适应社会的信心,为顺利回归社会做好充分的思想准备。据了解,这次础上进行的一次尝试,也是罪犯放假制度的进一步完善和对推行行刑社会化进行的有益探索。首次试行放假后,市监狱系统将进一步完善现有的日常放假办法,并于年底制定出正式放假制度,在全市各监狱推行。经过市监狱局特别批准,在此次获准周末放假回家的3名女犯离开监狱的前一天和当天,本报记者特别到监狱采访,亲眼目睹亲耳所闻她们在失去自由之后,第一次享受类似回归的亲情体验。

· 换上便装连衣裙之后,张艳躲在走廊的一角。她满面羞涩,不肯出来见人。她说穿上这身衣服,不知为什么,她突然觉得有点别扭,说不出哪里不对劲,也可能是那身囚服穿着略显肥大,而这件连衣裙有点太束缚了

记者很想跟女犯张艳回家去采访。因为管教队长告诉记者说,张艳的父亲病重。但是家里人再三叮嘱管教队长不要把这个消息告诉她,以免影响她在监狱里的改造情绪。所以,在走出监狱的时候,张艳仍然不知道自己的父亲曾经生病住院。按张艳的原判刑期和她在狱中这几年的良好表现,她将在今年12月刑满出狱。据说,医院曾经向张艳的家人通报说,张父的病相当重。而这一切都发生在几个月之前,按医生的预断,父亲的来日应当不多了。张艳的母亲对老伴说:"你不能走,一定要等女儿回家的那一天。"或许是因为等待爱女的希望,支撑着这位父亲,他的病情一段时间以来相对稳定。

这种情况下,张艳获准回家过周末。可以肯定,此次放假回家对于张艳的一家来说,是一次难得的相见。

当得知自己周末可以放假回家的时候,张艳当即将这个消息告诉了母亲。她在电话中说:"妈,我可以回家了。"母亲一下愣住了,半天说不出话来:"你不是12月份回家么?是提前了?"母亲的声音有些颤抖。"不是,监狱开始试行周末放假,我是第一批。"张艳向母亲解释。张艳对记者说,作为第一批受益人,她觉得自己真的非常幸运。

记者来到女子监狱的时候,市监狱局狱政管理处和监狱狱政管理科的负责同志已经开始向即将回家的服刑人员及其家属讲解说明有关的规定。

到监狱接张艳回家的是她的母亲。在办理完全部放假手续之后,张艳在管教队长的监督下,接过母亲给她带来的衣服。按监狱有关部门的规定,所有罪犯放假回家的时候,一律可着便装。母亲对记者说,衣服、鞋子和袜子,里里外外都是新买的。

换上便装连衣裙之后,张艳躲在走廊的一角。她满面羞涩,不肯出来见人。她说穿上这身衣服,不知为什么,她突然觉得有点别扭。说不出哪里不对劲。也可能是那身囚服穿着略显肥大,而这件连衣裙有点太束缚了。张艳走出监舍之后,便一直挽着母亲的胳膊。母女的那份亲昵真的让人看了感动。

·不想让女儿看见自己从那个大铁门里出来,李梅事先与家人约好,让女儿在一个路口等着

李梅入狱的时候,她的女儿9岁。虽然孩子生下来之后一直由爷爷奶奶帮着照看,但是李梅从来对孩子不敢有丝毫怠慢。那时候她开着一家发廊,每天忙于生意,平常顾不上孩子,但是她每天都回家,要过问一下孩子的衣食起居。每个周末,不管多忙,她都要抽出一整天的时间带孩子出去玩玩儿。孩子在母亲的关心爱护下健康成长。因为能够时时感受到亲人的温暖,所以,孩子的个性发展得相当良好。然而,这一切,几乎在一夜之间完全变了。李梅因为组织介绍卖淫罪被判处有期徒刑3年。李梅说,那个时候,她只一味地想赚钱,想赚钱的目的就是想为女儿"创造"一个丰衣足食的生活条件。她希望自己的孩子上最好的学校、受最好的教育,她甚至恨不能为孩子挣下一生的生活经费和教育经费。她过于想挣钱了,没有把握好自己,她犯罪了。

李梅入狱的事,她至今没有直接跟女儿说过。她知道在已经渐渐开始懂事的女儿面前已经瞒不住事了。但是她到现在也没有想好该怎么跟女儿说。2001年冬天,家人曾经带女儿来狱中看她。女儿当时不怎么说话,也不怎么吃东西,只是看着她。那感觉不亲近也不远。她说不清当时心里的感受,真觉得作为母亲,她太对不起孩子了。前不久,孩子的爷爷在电话里告诉她,孩子的学习成绩下降了。为此她抑制不住心里的焦虑。因为她明白,或者说她有切身的感受,她最害怕最担心的是女儿学坏。

·除了刚入狱不久参加监狱管理局组织的服刑人员乒乓球比赛出过一次监狱的大门,此次是她第一次离开监狱。上次是从一所监狱到另外一所监狱,而此时是名符其实地回家度周末

此次享受首次回家度周末的10名服刑人员中,48岁的王新是年龄最大的一个。她3年前因为挪用公款被判入狱。除了刚入狱不久参加监狱管理局组织的服刑人员乒乓球比赛出过一次监狱的大门,此次是她第一次离开监狱。上次是从一所监狱到另外一所监狱,而此时是名符其实地回家度周末。王新的心情真的别有一番滋味。本来,监狱里符合回家过周末条件的罪犯在女子监狱并不只昨天的3个人,因为此项工作作为一种新的而且是首次的尝试,所以放假人数相对有所

控制。王新当时对自己能够获准并没有心理准备,所以当管教队长前天下午通知她准备周五回家的时候,她几乎不相信自己的耳朵,连夜她将这个消息通知了家里。

昨天早上,她的姐姐 8 点钟刚过便来到了监狱大门口。站在铁栅栏外面,姐姐望眼欲穿。虽然再有一会儿,妹妹就可以跟她回家了,但是她还是抑制不住内心的激动。王新的姐姐对记者说,服刑期间可以回家过周末,她连想都没有想过。做梦都没有想到如今国家的政策这样开明,对罪犯的管理这样文明,这样具有人情味。

大约 8 点半钟,姐姐被一位管教队长带进监区。按照监狱的规定,她作为王新的家人签了一份《具保书》,具体内容是:管束和教育回家探亲的服刑人员,督促其回家后及时持监狱开具的《离监探亲证明书》到住地公安派出所报到备案,督促其在探亲期间遵纪守法,不从事违法犯罪活动,发现服刑人员有违法乱纪行为及时向住地公安派出所和监狱报告。一旦回家的服刑人员下落不明和潜逃,及时向公安机关和监狱报告并积极提供线索配合查找。此外,姐姐必须保证获准回家的妹妹按规定时间返回监狱,不得拖延假期。

出了监狱大门,王新便跟姐姐首先到当地派出所报了到,她们回到家的时候已经将近 12 点钟。

已经住了很长时间医院的丈夫,因为妻子放假回家,特意跟医生说明情况回家跟妻子团聚。因为他知道虽然妻子从监狱里放假回来,但是她的行动仍然会有一些限制。获得一次回家度周末的机会不容易,他不想让妻子违反监狱的规定。上午,他输完液之后马上回到了丈母娘家。王新的儿子也特意请假回来,迎接母亲。她的女儿因为在远郊接受培训没能赶回来,但是母亲刚到姥姥家她便打来了电话。

·家里已经为其准备了丰盛的午餐。但因为早上心绪繁乱王新吃不下饭,此时她的确有点饿了,但是她没有吃,而是拿碗筷走到母亲的面前,她用筷子先夹了一口青菜送进母亲的嘴里,她对姐姐说:"你们都先吃吧,我来喂妈。"

王新此次回的家严格说来并不是她自己的家,而是她母亲的家。她的母亲已年过 70,王新入狱后老人的身体每况愈下。因为脑中风老人已失语。面对突然回家的女儿,老人激动得不知道如何表达。她拉着小女儿的手,抚摸她的脸她的全身。她用手比画着,指指墙上的钟,又指指已经摆放好了的餐桌,意思是让女儿赶紧吃饭。

桌上的菜当然是王新爱吃的。因为早上心绪繁乱她吃不下饭,此时她的确有点饿了,但是她没有吃,而是拿碗筷走到母亲的面前,她用筷子先夹了一口青菜送进母亲的嘴里,她对姐姐说:"你们都先吃吧,我来喂妈。"

母亲眼睛盯着女儿,眼圈红了。王新一口一口地喂母亲吃饭,母亲吃完之后,她才自己吃。这顿饭非常丰盛,但是王新没有吃太多。

王新说,母亲就她和姐姐两个孩子,相对来说更偏爱她这个老小,可是她偏偏自己不争气进了监狱,家里的一切都落在姐姐的身上。姐姐自己有家有孩子,还要照顾老人和她这个妹妹的家。她入狱后两个孩子的日常生活都靠姐姐照料。丈夫病了,得了癌症,住院这么长时间,姐姐每天下班之后第一件事便是给她住院的丈夫送饭,风雨无阻。然后就要到母亲家里为老人安排衣食。几年来她欠家里人尤其是姐姐的太多了。周末放假虽然只有短短的 3 天,但是她仍然要用这有限的时间和机会,补偿自己对家人的亏欠。

· **王新不打算出家门了,她不想让熟人看见自己。她的"事"左邻右舍几乎都知道,如今两年过去了,人们对她以及她所犯的罪错已经开始淡忘了,她要重新开始**

在走出监狱之前,管教队长特别找王新谈过一次话。管教队长对她说,你这次回家后,一定要好好的,不能出现任何问题。因为这次给罪犯放假过周末,是市监狱局的一项非常大胆的尝试。如果效果好,以后或许能放更多的人出去度假。你表现得好,既是给自己机会也是给他人机会。

王新说,为了更安全也为了更稳妥,她不打算出家门了。她不像别的女犯那样对这变化的世界充满好奇,她觉得自己已经过了那样的年龄。她母亲的家是一个临街的小四合院,院子里一棵老树,从 1968 年他们家搬过来时就有了,现在还在,那棵老树伴随着王新一家人几十年了,这棵树为这个安静的小院的环境添了几多优美。虽然外面的世界很精彩,但是王新甚至都不愿意打开母亲家里那扇古旧的大门。一方面,她不想让熟人看见自己。她的"事"左邻右舍几乎都知道,如今两年过去了,人们对她以及她所犯的罪错已经开始淡忘了,她要重新开始。另一方面,她想借机照顾一下母亲,好好尽尽孝道。入狱这件事对母亲的打击是致命的,她知道母亲为此悲恸欲绝。

本来家里为母亲专门请了一个小保姆照顾母亲的起居,全家人包括母亲已经完全习惯并适应了。但是王新想这两天让小保姆轻松一下。除了为全家人做饭等家务事,有关母亲的所有琐事她打算全部承担下来。扶着母亲上厕所,她觉得没有人能比得上她细致。帮母亲洗澡、剪指甲、梳头发等等,她恨不得把所有对母亲的亏欠,在这两天之内补偿过来。她觉得母亲已经是 70 多岁的人了,自己照顾母亲的机会是非常有限的。她会好好表现,争取再有机会获准放假。

按原判刑期,王新今年年底就要刑满出狱了,但她非常珍惜回家度周末的机会,她觉得,和家人共度周末,不仅让她感受亲情,更重要的是能让她拥有一种类似回归的体验。(文中罪犯均为化名)

《北京青年报》2003/8/16

生　词 (5.7)
Vocabulary

1.	连衣裙 連衣裙	liányīqún	（名）	上下相连的裙子 one-piece dress
2.	签署 簽署	qiānshǔ	（动）	在重要的文件上正式签字 subscribe; affix to
3.	担保书 擔保書	dānbǎoshū	（名）	保证文件 assurance; surety
4.	受益者 受益者	shòuyìzhě	（名）	得到好处的人 beneficiary
5.	掩饰 掩飾	yǎnshì	（动／名）	遮盖起来 cover up; gloss over; conceal
6.	团聚 團聚	tuánjù	（动／名）	结合在一起 reunite; get together
7.	获准 獲准	huòzhǔn	（动短）	得到批准 get approval
8.	试点 試點	shìdiǎn	（名）	试验的地方 experimental unit; make experiment
9.	逐级 逐級	zhújí	（副）	一级接着一级 chase; drive out; pursue
10.	周密 周密	zhōumì	（形）	严格周全 careful; thorough
11.	心态 心態	xīntài	（名）	心理状态 mood; attitude
12.	回归 回歸	huíguī	（动／名）	回来 regress; regression
13.	羞涩 羞澀	xiūsè	（形）	不好意思 be ashamed; shame; shy
14.	囚服 囚服	qiúfú	（名）	供犯人穿的特制的衣服 prisoner's uniform
15.	束缚 束縛	shùfù	（动／名）	控制和约束 bind up; astrict
16.	刑满 刑滿	xíngmǎn	（动短）	被处罚的日期完结 maturity of the prison time

17.	来日不多 來日不多	lái rì bù duō	（习语）	没有很多时间了 not too many in the future day
18.	支撑 支撐	zhīchēng	（动）	支持 support; sustain; underlay
19.	愣 愣	lèng	（副）	勉强、硬做 doggedly
20.	颤抖 顫抖	chàndǒu	（动）	发抖 falter; quiver; shiver
21.	亲昵 親昵	qīnnì	（形）	关系亲切 very intimate
22.	怠慢 怠慢	dàimàn	（形）	不热情、不礼貌 neglect; pretermission; shafting
23.	发廊 髮廊	fàláng	（名）	理发美容的商店 hair salon
24.	卖淫 賣淫	mài yín	（动）	出卖肉体赚钱 bawdry; prostitute oneself; whoredom
25.	丰衣足食 豐衣足食	fēng yī zú shí	（习语）	生活富足 have ample food and clothing
26.	过于 過於	guòyú	（形）	太 excessively; too; unduly
27.	瞒 瞞	mán	（动）	隐藏 cozen; hornswoggle; jockey
28.	下降 下降	xiàjiàng	（动）	落下来 descend; drop; fall
29.	焦虑 焦慮	jiāolǜ	（形）	着急、担心 angst; anxiety; misgivings
30.	名副其实 名副其實	míng fù qí shí	（习语）	名字和实际情况一样 be worthy of the name; the name matches the reality
31.	挪用 挪用	nuóyòng	（动）	私自用公家的钱 appropriation; embezzle; impropriate
32.	公款 公款	gōngkuǎn	（名）	属于国家、企业、团体的钱 public money
33.	栅栏 栅欄	zhàlan	（名）	遮挡的栏杆 barrier; crib; fence
34.	望眼欲穿 望眼欲穿	wàng yǎn yù chuān	（习语）	很热切的盼望 looking forward to with eager expectancy

35.	抑制 抑制	yìzhì	（动）	压抑控制 restrain; control; check
36.	开明 開明	kāimíng	（形）	开放、文明 enlightened; open-minded
37.	管束 管束	guǎnshù	（动）	管理约束 control; restrain
38.	督促 督促	dūcù	（动）	监督催促 supervise and urge
39.	拖延 拖延	tuōyán	（动）	落在规定时间后面 delay; drag on; hang up; hold off
40.	特意 特意	tèyì	（副）	专为某事 especially; specially
41.	丈母娘 丈母娘	zhàngmǔniáng	（名）	妻子的妈妈 mother-in-law (wife's mother)
42.	心绪烦乱 心緒煩亂	xīnxù fán luàn	（习语）	心情不好 worried; bad mood
43.	每况愈下 每况愈下	měi kuàng yù xià	（成）	越来越不好 go down the drain; go from bad to worse
44.	中风 中風	zhòngfēng	（动）	疾病，多由脑血栓、脑溢血引起 stroke; apoplexy; palsy
45.	丰盛 豐盛	fēngshèng	（形）	多而满 rich; sumptuous
46.	相对来说 相對來說	xiāng duì lái shuō	（副短）	比较来看 comparatively talk; relative-ly speak
47.	偏爱 偏愛	piān'ài	（动）	特别喜欢 accept the face of; favoritism; preference
48.	偏偏 偏偏	piānpiān	（副）	表示事实跟所希望的恰恰相反 unluckily
49.	癌症 癌症	áizhèng	（名）	恶性脑瘤 cancer
50.	风雨无阻 風雨無阻	fēngyǔ wú zǔ	（习语）	不受天气影响 in all weathers
51.	欠 欠	qiàn	（动）	借或拿别人的东西没有归还 owe; lack of; not enough
52.	补偿 補償	bǔcháng	（动）	偿还 compensate; equalize; expiation

53.	亏欠 虧欠	kuīqiàn	（动）
			借或拿别人的东西没有归还 owe; owes
54.	淡忘 淡忘	dànwàng	（动）
			忘记,记不起来 fade from one's memory
55.	稳妥 穩妥	wěntuǒ	（形）
			稳当,可靠 reliable; safe
56.	好奇 好奇	hàoqí	（形）
			感到稀奇、奇怪 curious, full of curiosity
57.	扇 扇	shàn	（量）
			量词 a measure word
58.	借机 借機	jiè jī	（动短）
			利用机会 take the chance; take the opportunity
59.	尽孝道 盡孝道	jìn xiàodào	（动短）
			完成孝顺的行动 to fulfil the duty of filial piety
60.	致命 致命	zhìmìng	（形）
			要命的,可使丧失生命的 deadliness; fatal
61.	悲痛欲绝 悲痛欲絕	bēitòng yù jué	（习语）
			难过得要死 grieved to death
62.	适应 適應	shìyìng	（动）
			习惯、适合 adapt; fit; suit
63.	琐事 瑣事	suǒshì	（名）
			小事 bagatelle; desipience
64.	细致 細緻	xìzhì	（形）
			周到细心 particularity
65.	类似 類似	lèisì	（形）
			相像 analogy; parallelism

练习题

一 请根据课文判断正误

1. 北京市监狱局试行罪犯周末放假制度已经 4 年了,这个政策受到了欢迎。（   ）

2. 北京市监狱局领导介绍,他们以往对符合条件的服刑人员在春节时放假,这样做的目的是为了更好地改造罪犯。（   ）

3. 因为张艳不喜欢穿连衣裙,所以她躲着不肯出来见人。（   ）

4. 因为张艳的父亲病重,也因为张艳在狱中表现不错。监狱领导决定先给她机会享受试行的罪犯周末放假。（   ）

5. 李梅为了给女儿"创造"丰衣足食的生活条件而卖淫被送进了监狱。
（　　　）

6. 李梅入了监狱以后,她的女儿不知道妈妈在监狱里。（　　　）

7. 王新原来没有准备周末会有机会放假回家,所以当她接到通知的时候她很不高兴。（　　　）

8. 王新的妈妈身体不好,所以王新的姐姐代表家长来监狱接她。（　　　）

9. 凡是享受周末放假的犯人必须遵守监狱的规定,并提前一天返回监狱。
（　　　）

10. 王新的妈妈和丈夫都得了重病,她犯了罪,不能照顾他们。王新觉得很惭愧。（　　　）

11. 王新觉得自己年龄大了,对社会的变化已经不太好奇。她不愿意出去玩了。（　　　）

12. 王新家里原来有小保姆照顾她妈妈。但是王新不放心小保姆,所以在她回家的几天里她要亲自照顾妈妈。（　　　）

二　请根据课文回答下列问题

1. 这篇报道为什么这么详细地介绍情况？你觉得让犯人周末放假回家有意义吗？为什么？

2. 作者在这篇文章中报道了三个人的故事？他为什么选这三个人作例子？

3. 监狱局介绍对罪犯试行周末放假不同于过去的春节放假,为什么？这样做对罪犯、对社会有什么好处？

4. 监狱对周末放假回家的犯人有哪些规定和要求？犯人的家人又有哪些责任和义务,为什么？

5. 作者是怎样描写这三个女人和她们的家人的？这样的描写对突出这篇文章的主题有什么意义？

6. 在你们国家是怎样改造犯人的？请结合课文的内容谈谈你的看法。

第六章　报纸上的新闻(二)

　　报道经济、工农业的新闻也是中国内地报纸的一项重要任务。中国的报纸几乎每一天都报道关于工农业的新闻和消息，这个方面在中文报纸中占用的篇幅极大。中国是一个发展中国家,工农业是中国社会经济发展的命脉。所以这方面的新闻总是受到人们的关心。

　　我们下面的选文将突出介绍这类新闻的特点以及在阅读时应该注意的重点和难点。和前面讲述的重大国际国内新闻一样,这类的新闻也有一定的写作要点和模式,读懂和认真分析这些方法和熟悉相关的词汇,对于我们尽快读懂中文报纸会有很大的帮助。

精读篇

风格和文体介绍：　**INTRODUCTION OF THE WRITING STYLE**

　　这是一篇报道工商业方面的新闻。虽然讨论的问题是工商业的,但这个内容是全国人民都关心的,所以探讨问题的根源对了解中国工商业发展的状况有一定的指导意义。

　　工商业的发展牵连着老百姓的生活,而中国这个空调生产的大国,其本身空调生产过剩,为什么还要大量从国外进口空调呢? 这个问题问得好,它首先就引起了读者的兴趣。

　　接着,作者摆事实、讲道理,特别是进行了具体的调查研究,提供了非常扎实的数据和资料,指出了中国空调生产方面存在的问题。聪明的读者在这儿读出来的当然不仅仅是空调的问题,这个问题会引起更多更深的联想和思考。

　　这篇文章既介绍了事实,又说明了观点,同时又提出了一些有力的见解,是一篇有观点、有内容的新闻报道。

洋空调为何不怕价格战
国产空调库存超千万　　国外空调进口连翻倍

　　正当中国空调业遭受着前所未有的激烈市场竞争的同时，数倍于往年数量的洋空调却如入无人之境般大举造访这个全球最大的空调生产国。记者昨天从上海和深圳口岸获得的数据显示，在今年国内空调市场出现严重供大于求的形势下,洋空调的进口数量却成倍增长。上海海关的有关人士透露,仅今年 1 至 5

月份经过上海口岸的一般贸易进口空调就达4309台,价值469万美元,分别比去年同期增长5.5倍和2.3倍。深圳海关对今年1至7月份的空调进口统计也显示,一般贸易进口空调共6794台,价值935万美元,分别同比增长1.31倍和48.1%。其中进口量最大的日本空调占到了前七个月深圳口岸进口总量的73.9%,增长了2.19倍,此外从印度尼西亚进口的空调也有73.9%的增幅。

洋空调的这种大举进攻让中国空调企业颇是摸不着头脑,因为此时他们正在僧多粥少的市场份额中惨烈拼杀。中国家用电器协会的信息显示,目前国内空调企业的库存已经高达千万台,比去年末的历史最高库存还多了约300万台。如果按照每台空调1500元的价格结算的话,整个行业库存沉淀的资金在150亿元左右。为了在这种前所未有的激烈竞争中赢得生存空间,今年国内的空调战也空前惨烈,近一年来国内空调价格整体降幅已达到30%至50%。

而更让国内企业颇为眼馋的是,洋空调不仅在国内市场大行其道,而且价格基本都处于较高水平。海关进口记录中显示,上半年进军中国空调市场的洋空调主要是车用空调、中央空调等利润丰厚而又被多数中国企业所忽略的品类,洋品牌正是利用独特的市场定位在厮杀激烈的中国市场中抢得了丰厚的大餐。仅车用空调方面,上海口岸1至5月份的进口量就比去年同期增长了将近50%。而从深圳口岸进口的包括家用中央空调在内的功率大于2匹的大制冷量空调也同比增长了52%。这些非常规品类的空调利润率远远高于竞争激烈的小型家用空调。根据深圳方面的统计,大功率空调的进口量虽然只占总量的35.6%,但价值却占到了74.2%。显然,是国产空调过于单一的产品结构给洋空调留下了一块肥肉,而自己却只能喝汤了。

业内人士指出,洋空调的"出奇制胜"给中国空调企业上了生动的一课。长期过分地专注于价格战使得国内许多企业的主要精力都局限在了如何降低产品成本上,而忽略了新品的开发。目前国内大多数空调企业都有着产品雷同的现象,全围着普通家用空调转,缺乏比较优势和技术含量,最终使空调的发展空间越来越窄,以至不得不动用"降价"武器,结果又陷入了价格降低导致企业利润减少,从而削弱了技术研发实力和持续发展后劲的怪圈。因此有专家忠告,空调企业与其通过降价来角逐有限份额,倒不如冷静地寻找更广阔的潜在市场。

《北京青年报》2003/8/15

生 词 (6.1)
Vocabulary

1. 库存 庫存	kù cún	(动短)	仓库存的内容 repertory; stock; stock-pile; storage
2. 翻倍 翻倍	fān bèi	(动短)	成倍数的比例 multiple times
3. 遭受 遭受	zāoshòu	(动短)	受到不幸或损害 suffer; Be exposed to; lie under; meet with
4. 大举 大舉	dàjǔ	(形)	大规模地进行 enter with force
5. 造访 造訪	zàofǎng	(动)	拜访 pay a visit, call on
6. 数据 數據	shùjù	(名)	资料和数字 data
7. 海关 海關	hǎiguān	(名)	进出口的管理部门 CIQ; custom; customhouse
8. 达 達	dá	(动)	达到 reach
9. 增幅 增幅	zēngfú	(名)	增加的幅度 amplitude
10. 大举进攻 大舉進攻	dà jǔ jìngōng	(习语)	大规模地强力进入 enter with force and power
11. 颇 頗	pō	(副/形)	很,非常 considerably; fearfully; oblique
12. 僧多粥少 僧多粥少	sēng duō zhōu shǎo	(习语)	比喻人多东西少,不够分配 not enough to satisfy everyone
13. 份额 份額	fèn'é	(名)	一定的比例 quotient; share
14. 惨烈 慘烈	cǎnliè	(形)	非常残酷 cruel; tragic
15. 结算 結算	jiésuàn	(动)	最后的核算 balance in hand; settlement; square

16.	沉淀	chéndiàn	（名）	沉到底层的物质,比喻积累,凝聚
	沉澱			deposition; precipitation; sedimentation
17.	降幅	jiàngfú	（名）	下降的比例
	降幅			the ratio of descend
18.	眼馋	yǎnchán	（形）	看见自己喜爱的事物极想得到
	眼饞			be envious; covet
19.	大行其道	dà xíng qí dào	（习语）	进行得很顺利
	大行其道			doing something with full energy; very successful
20.	中央空调	zhōngyāng kōngtiáo	（名）	大型的中心控制型空调设备
	中央空調			central controlled air-conditional system
21.	丰厚	fēnghòu	（形）	丰富厚重,多
	豐厚			rich and generous; thick
22.	厮杀	sīshā	（动短）	残酷的拼打
	廝殺			fight closely
23.	功率	gōnglǜ	（名）	机械和能量的单位
	功率			power
24.	制冷	zhì lěng	（动短）	用人工方法变冷
	製冷			refrigeration
25.	单一	dānyī	（形）	只有一(个/种)的
	單一			singleness; singularity
26.	出奇制胜	chū qí zhì shèng	（习语）	用巧妙的方法来取胜
	出奇制勝			defeat sb. by a surprise action
27.	雷同	léitóng	（形）	不该相同而相同
	雷同			echoing other; duplicate
28.	降价	jiàng jià	（动短）	减低价钱
	降價			depreciate
29.	陷入	xiànrù	（动）	掉进
	陷入			get into; immersion; plunge
30.	削弱	xuēruò	（动）	使变弱、使无力
	削弱			weaken; cripple; dent
31.	后劲	hòujìn	（名）	后备力量
	後勁			aftereffect; stamina
32.	怪圈	guàiquān	（名）	奇怪的循环
	怪圈			strange circle; odd circle
33.	忠告	zhōnggào	（名）	忠心的劝告
	忠告			advice; advise; counsel

34. 角逐	juézhú	（动／名）	争斗
角逐			content; tussle
35. 潜在	qiánzài	（形）	掩藏起来不容易被发现的
潜在			latency

报刊惯用语汇及表述模式

1. "正当……"

这种句型一般用来强调一种时间状态，一般表示在一个具体时间发生的一种新的情况。例如：

(1) 正当中国空调业遭受着前所未有的激烈市场竞争的同时，数倍于往年数量的洋空调却如入无人之境般大举造访这个全球最大的空调生产国。

(2) 正当他十分着急的时候，他要找的人忽然来到了他面前。

2. "……，此外……"

这种句型一般表示在叙述了一种情况以后，强调另一种情况的存在或发生。这另一种情况也有着同样重要的地位和意义。例如：

(1) 今年，日本进口空调占到了前七个月深圳口岸进口总量的 73.9％，增长了 2.19 倍，此外从印度尼西亚进口的空调也有 73.9％ 的增幅。

(2) 这所大学有很多有名的科学家，此外还有一些著名的文学教授。

3. "(根)据……统计"

表示根据一种事实和研究、调查的结果，引起下文。这样的句型在于强调一种比较严肃和应该留心的事实。例如：

(1) 根据深圳方面的统计，大功率空调的进口量虽然只占总量的 35.6％，但价值却占到了 74.2％。

(2) 据统计，今年上半年受中国即将入世等因素的影响，我国进口车猛升至 4 万多辆，比去年同期增长 80％，其中轿车增幅达 156％。

(3) 据统计，连续十年来这所大学的毕业生的就业率一直是全国最高的。

4. "……，显然……"

这种句型是介绍一种事实，这种事实容易看出或感觉到。用这种句型一般表示强调。例如：

(1) 根据深圳方面的统计，大功率空调的进口量虽然只占总量的35.6%，但价值却占到了74.2%。显然，国产空调过于单一的产品结构给洋空调留下了一块肥肉，而自己却只能喝汤了。

(2) 她是学工程的，我的专业是文学，显然，她在电脑方面的知识比我要丰富。

5. "……，最终……"

这种句型往往表示一种结果的状态，而这种结果是人们可以预见的或者期待的；有时候也表示一种不可避免的情况。例如：

(1) 目前国内大多数空调企业都有着产品雷同的现象，缺乏比较优势和技术含量，最终使空调的发展空间越来越窄，以至不得不动用"降价"武器。

(2) 经过了多年的努力和准备，北京申请主办奥运会的愿望最终实现了。

6. "……，以至(于)……"

这种句型表示由于一种情况引起了下一种情况的发生。这是一种比较强烈的条件句。前面的情况是后面情况的原因，而且是不可避免的原因。例如：

(1) 由于目前国内大多数空调企业的产品雷同，缺乏比较优势和技术含量，最终使空调的发展空间越来越窄，以至不得不动用"降价"武器。

(2) 这次停电给人民的生活和工商业都带来了很大的麻烦，以至于不少家庭吃不上饭，喝不上水。

7. "……，从而，……"

这种句型的前面部分往往表示原因、方法等，后面的部分一般表示经过和目的。有"因此就"的意思。例如：

(1) 由于传统的空调缺乏技术含量，以至于不得不用降价的武器，结果是产品利润减少，从而削弱了技术研发的实力。

(2) 由于电脑和现代科技的迅速发展提供了可能性，从而使世界范围的文化交流得到了很多的便利。

8. "与其……，倒不如……"

这种句型表示一种选择和一种让步状态。它一般表示比较两件事的得失而决定取舍的意思。"与其"用在放弃的一面。例如：

(1) 有专家忠告，空调企业与其通过降价来角逐有限份额，倒不如冷静地寻找更广阔的潜在市场。
(2) 既然他这么自私，我与其跟他继续生活下去，倒不如跟他分手，找一个真正爱我的人，幸福地过新的生活。

小 词 典
跟本文有关的背景资料及术语介绍

1. 价格战

"价格战"是中国国内有些企业为了达到销售自己产品的目的而采取的一下销售策略。一般的方法是降低自己产品的价格，用低廉的价格来吸引顾客购买自己的产品。但是由于商场上同一产品的定价一般有一个约定俗成的标准，如果同样产品一家公司降了价，赢得了顾客，那么别的公司为了竞争也必须降价。这样大家互相降价就变成了一种恶性的循环，对自己和对别人都会带来不好的结果。这种竞争像一种战斗，所以被称作价格战。

2. 供大于求

"供"指供应，"求"指需要。这儿指的是一种产品供应或提供得过多，远远多于需要的程度。这样的产品就不再会受到顾客的欢迎，因此也就不好销售了。

3. 同比增长

指在同一个时期对同一种产品或内容进行一种合乎比例的对比，来检验或衡量出它的增长情况。

4. 比较优势

比较优势指一种通过比较的方法展现出来的优势。这种比较优势一般要有一种独特、创新的特色。如果产品和别人的相同或相近而且价格也相似，那么就往往会失去比较优势；相反，如果自己的产品富有独创性，别人没有，那就有了比较优势。

5. 技术含量

技术含量指的是产品中所包含的技术投入和技术要求的标准内容。一般地说，现代化的、高科技的产品技术含量就比较高，比如科技、电子、精密仪器等。而一般的体力劳动或手工性质的劳动技术含量就比较低。现在，随着科技的发展，技术含量高的产品比较有市场竞争力。

练习题

一　根据课文内容填空

这篇文章谈了中国市场上空调不断降价时，外国进口的空调却非常赚钱和畅销，并对这种奇怪的现象进行了细致的分析。请你根据课文写出它的基本内容：

"洋"空调在中国销售的情况及原因：

销售量 _____

同比增长 _____

原因分析 _____

国产空调销售情况和存在的问题：

A: _____

B: _____

C: _____

D: _____

二　选择正确的答案

1. 中国的空调业遭受着越来越激烈的市场竞争，但是却有越来越多的洋空调进入中国市场，这种情况说明中国空调市场存在着_____的情况。

    A. 供大于求　　　　　B. 同比增长　　　　　C. 需求不协调

2. 今年国内空调虽然供大于求，但仍然进口了很多空调。其中进口量最大的空调是_____生产的。

    A. 深圳海关　　　　　B. 日本　　　　　C. 印度尼西亚

3. 由于国内生产的空调供大于求，目前国内空调企业的库存已经高达千万台。国内的空调价格整体降幅也达到了_____。

    A. 2.19 倍　　　　　B. 73.9%　　　　　C. 30%—50%

4. 洋空调在中国市场上能够受到欢迎是因为这些产品 _____。

    A. 大行其道   B. 中国缺少   C. 利润丰厚

5. 专业人士认为,中国的企业应该学习洋空调的 _____。

    A. 出奇制胜   B. 比较优势   C. 技术含量

三 请根据课文判断正误

1. 中国是全球最大的生产空调的国家。(   )

2. 中国的空调市场有的产品供大于求,但有的产品还很缺乏。(   )

3. 虽然中国的空调生产得已经够多了,可是中国还需要进口空调来补充一些不足和一些特殊的需要。(   )

4. 因为中国空调企业的技术水平不够,所以必须进口洋空调。(   )

5. 因为进口的洋空调太多,所以中国空调库存卖不掉。(   )

6. 因为洋空调的价格比较便宜,所以人们喜欢买洋空调。(   )

7. 因为中国空调市场规划得不好,所以有的产品卖不掉,需要的产品却不够,只好靠进口。(   )

8. 文章认为,应该学习洋空调的经验,多发展利润丰厚和大功率的空调产品。(   )

9. 文章认为,应该注意根据市场需要来发展产品。(   )

四 解释句子画线部分的意思

1. 正当中国空调业遭受着前所未有的激烈市场竞争的同时,数倍于往年数量的洋空调却如入无人之境般<u>大举造访</u>这个全球最大的空调生产国。

    (   )

2. 洋空调的这种大举进攻让中国空调企业颇是摸不着头脑,因为此时他们正在僧多粥少的市场份额中<u>惨烈拼杀</u>。

    (   )

3. 为了在这种前所未有的激烈竞争中赢得<u>生存空间</u>,今年国内的空调战也空前惨烈,近一年来国内空调价格整体降幅已达到30%至50%。

    (   )

4. 海关的进口记录中显示,上半年进军中国空调市场的洋空调主要是车用空调、中央空调等利润丰厚而又被多数中国企业所忽略的品类,洋品牌正是利用独特的市场定位在厮杀激烈的中国市场中抢得了<u>丰厚的大餐</u>。

    (   )

5. 显然,是国产空调过于单一的产品结构给洋空调<u>留下了一块肥肉,而自己只能喝汤</u>。

    (   )

五　根据课文内容讨论和回答问题

1. 中国空调市场为什么出现了国产空调积压但还要花大价钱进口外国空调的现象？

2. 中国空调市场出现的这些问题说明了什么？这里说的仅仅是空调方面的问题吗？这篇文章还给了我们什么样的启示？

3. 外国空调看到了中国空调市场上的哪些弱点？中国空调为什么放弃了好的机会而"只能喝汤"？

4. 这篇文章应用了很多统计数字和时间、比率等，它们对表达文章的中心主题有什么好处？

5. 这篇文章使用了很多非常强烈的甚至军事性的术语如"大举进攻"、"惨烈拼杀"、"空前惨烈"、"如入无人之境"、"厮杀激烈"、"出奇制胜""动用……武器"、"角逐"，作者为什么使用这些术语？它们对表达文章的内容有什么意义和效果？

精读篇

风格和文体介绍：INTRODUCTION OF THE WRITING STYLE

　　这篇新闻报道了一个新的社会现象：中国近年来劳动分工方面的发展和变化。近年来随着中国经济改革的发展和深入，中国的工农业状况开始出现了一些前所未有的变化。一方面城市了出现了很多工人下岗、失业的现象，另一方面又有大量的农民开始走向城市，变成了新一代的蓝领工人。这种现象引起了作者和读者的注意。

　　这篇文章讨论了农民进城工作的问题，特别是把农村富余劳动力到城里服务和为城市做贡献当成了主题。此外，文章还突出了政府的支持和帮助的重要性。在链接的文章中，作者突出了政府的支持和培训农民进城工作的良好传统。这种支持和传统是事业成功的保证。

　　这篇新闻注意介绍事实、理清线索，同时交代和回顾历史和传统，报道重点突出，线索交代清楚，内容也比较引人入胜。

广州涌现新一代"蓝领"农民

增城农民：没有金刚钻不揽瓷器活

　　[本报讯]　记者赵燕华等报道：增城市委、市政府有计划有重点抓好农村劳务输出，今年上半年，增城农村富余劳动力就业率累计达到81%，帮助农民增收3.2亿元。

　　据统计，增城市农村富余劳动力约有9万人，到今年6月底累计安置就业65296人，其中今年新推荐65200人进城就业。保守估计每人每月收入500元，今年就能帮农民增收3.8亿元。上半年农民人均现金收入2761元，增长20.86%，其中52%的收入是来自工资性的收入。

政府拨款培训农民

　　据了解，增城市领导把农村工作概括为一抓交通，二抓流通，三抓农业科技，四抓农民外出打工，并把引导组织农民进城务工经商当作是增加农民收入、提高农民素质的重要举措来抓。此外，增城市还在政策上给予支持，推动农村劳务输出。去年5月份和今年年初，市政府分别发放了专门针对就业工作的文件，要求来投资的企业招收的当地员工数不低于总数的40%，今年政府还专门拨款100多万元为农民就业免费培训。

组织农民就业有奖

　　与此同时，增城市委、市政府还建立和健全激励机制，促进了就业工作的顺利展开。如通过由有关部门组成的小组的严格考核，对就业工作抓得出色的部门、领导进行奖励。去年就奖励了 7 个镇街,反应良好。推行责任制,把就业工作的任务指标落实到具体的基层干部,实现分工明确,并把就业工作完成的状况作为他们工作考核的重要项目,保证就业工作的落实。

蓝领农民进城抢手

据了解,增城市及各镇(街)劳动部门今年加大了为农民免费培训的力度,迄今已经举办了 3 期,有 790 人结业,效果显著,尤其是厨师班、美容班,结业的学员很抢手。年届 50 岁的下岗失业人员林培辉,参加了烹调培训结业后,承包了一个有 500 名员工的企业饭堂,除养活一家 5 口外,还招用了十几个同班学员,带动了一班人就业;两名美容学员,结业后在增城市区办了美容院,自己当上了小老板。

大众传媒改变观念

增城市劳动部门还充分利用电视台、报纸、广播等媒体对农民进行就业观念宣传。去年开设的"劳动保障天地"专栏,至今已经播出 60 多集,"待在家里出力,自然'穷',走出田头才能'富'",增城市通过用浅显易明的道理引导山区、贫困地区的农村富余劳动力转移到城镇务工经商走出了可喜的一步。

从化农民   身怀一技长   敢闯天下关

记者钟珮璐等报道:拥有 38 万农村人口的从化市,通过长期规范、有序、有效的劳务输出和劳务管理,使山区农民通过外出务工脱贫致富成效显著。

13 万人外出谋职业

从化市劳动服务公司从上世纪 70 年代起就组织该市农村富余劳动力到广州务工,至今已有 13 万人次,其中有 1300 人在 1980—1990 年被用工单位转为正式职工。到 2003 年 7 月,用工单位扩大到 108 个,在册劳工有 8000 多人,其中在港口、石化、万宝冷机、浪奇等大单位有 2000 人左右。

桃园镇龙岗村桥头经济社的郑桂湘,经从化市劳动服务公司选派到黄埔新港装卸大队,工作勤勤恳恳,精益求精,能熟练操纵运用巨轮甲板上的各种装卸吊机操作,经过港务局进一步培训考核,他已领取船舶卷扬机手证书,并被提升为队长。

劳动部门全程跟踪

从化市劳动就业服务管理部门还对派出民工进行跟踪管理,在广州港务局、广州石化等大型用工单位派出带队干部,经常驻在码头工区,与港务公司、装卸大队密切联系,关心和了解从化民工的工作生活,对其中表现出色的及时进行表扬,此举受到用工单位的好评,也得到民工的赞扬。

"一站式"就业服务

从化市劳动部门把解决农村富余劳动力的就业出路作为己任,主动出击,多方联系,加强沟通,大力拓展劳动力输出网点,不断改善现有的服务手段和服务措施,为劳动者提供全方位的"一站式"服务;加快建立职业指导专业化队伍,着力提高职业介绍的成功率,摸清就业困难群体底数,积极开展上门宣传政策、职业指导、提供岗位信息、岗前培训、劳动保障事务代理和生活保障等专项就业援助。劳动部门还根据用工单位的具体要求,增设新工种、特别工种培训班,提高农村青年的技艺素质和务工档次。

《羊城晚报》2003/8/13

生　词 *(6.2)*
Vocabulary

1. 就业 就業	jiùyè	(动／名)	找到工作 obtain employment; take up an occupation
2. 累计 累計	lěijì	(动短)	加起来计算 accumulative total; add up
3. 安置 安置	ānzhì	(动)	安放和处理 aftercare; allocation; install; nestle
4. 推荐 推薦	tuījiàn	(动)	介绍 commend; recommend; nominate
5. 保守 保守	bǎoshǒu	(形)	维持原样,思想跟不上发展 conservative
6. 人均 人均	rénjūn	(名)	每人平均 per person
7. 抓 抓	zhuā	(动)	用手握 grasp; grabbing; ahold
8. 素质 素質	sùzhì	(名)	基本品质 diathesis; making; stuff
9. 健全 健全	jiànquán	(形)	健康完全 healthiness; sanity
10. 机制 機制	jīzhì	(名)	机体、制度 system; mechanism
11. 指标 指標	zhǐbiāo	(名)	计划中规定达到的目标 guideline; index; target
12. 考核 考核	kǎohé	(名)	考察、核查 assess; examine

13. 加大 加大	jiādà	（动）	增大 increase; enlarge
14. 力度 力度	lìdù	（名）	力量和强度 force; power; puissance
15. 迄今 迄今	qìjīn	（副）	到现在 heretofore; hereunto; hitherto
16. 美容 美容	měiróng	（动）	使形象更好看 improve looks; cosmetology
17. 烹调 烹調	pēngtiáo	（动）	炒菜做饭 cook
18. 承包 承包	chéngbāo	（动短）	承当责任和利益 contract (with); job
19. 宣传 宣傳	xuānchuán	（动）	告示人们知道 propagandize; disseminate; drumbeating
20. 保障 保障	bǎozhàng	（动）	保护（生命、财产、权利）不受侵害 ensure; guarantee; safeguard
21. 浅显易明 淺顯易明	qiǎn xiǎn yì míng	（习语）	明白容易懂 very clear and simple
22. 富余 富餘	fùyu	（形）	富而有余 margin; surplus
23. 人次 人次	réncì	（名）	若干人数的总和 person-time
24. 在册 在冊	zàicè	（动短）	在名单上的 on the list
25. 勤勤恳恳 勤勤懇懇	qínqín kěnkěn	（习语）	工作非常努力 very hard working
26. 精益求精 精益求精	jīng yì qiú jīng	（习语）	极端认真 keep improving and thought
27. 装卸 裝卸	zhuāngxiè	（动）	安装上和取下来 assemble and unassembled; load and unload
28. 吊机 吊機	diàojī	（名）	把物品提到高处的机器 crane; hoist
29. 卷扬机 捲揚機	juǎnyángjī	（名）	把物品送到别处的机器 windlass
30. 跟踪 跟蹤	gēnzōng	（动）	跟随追踪 follow up the cent; run after; scout

31.	带队 帶隊	dài duì	（动短）	带领队伍 lead a group of people
32.	举 舉	jǔ	（动）	送到高处 measure word
33.	出击 出擊	chūjī	（动）	出发去找机会 launch an attack; hit out
34.	沟通 溝通	gōutōng	（动）	交流 communicate
35.	全方位 全方位	quánfāngwèi	（副／名）	四面八方,各个方向或位置 holistic
36.	摸清 摸清	mōqīng	（动短）	研究全部情况 to search out the situation
37.	底数 底數	dǐshù	（名）	基本的事实 the truth of a matter
38.	增设 增設	zēngshè	（动短）	在原有的以外再设置 add; gain; increase
39.	档次 檔次	dàngcì	（名）	规格和水平 ranking; level

报刊惯用语汇及表述模式

1. "据统计,……"

这种句型一般表示在陈述一种经过调查研究以后所得出的一种结论或反映一种有根据的事实,以便引起人们的注意或报告一种事实。例如:

(1) 据统计,增城市农村富余劳动力约有9万人,到今年6月底累计安置就业65296人,其中今年新推荐65200人进城就业。

(2) 据统计,从去年以来,美国的失业率在不断地增长,从8%到了14%。

2. "……,其中……"

这种句型一般介绍一种情况或说明一些事实、现象。在介绍了基本事实以后它往往举一些例子来说明问题,用"其中"来突出一些有说服力的个案。例如:

(1) 增城市农村富余劳动力约有9万人, 到今年6月底累计安置就业65296人,其中今年新推荐65200人进城就业。

(2) 到2003年7月,从化市用工单位扩大到108个,在册劳工有8000多人,其中在港口、石化、万宝冷机、浪奇等大单位有2000人左右。

3. "据了解,……"

这种句型一般表示要陈述一种情况,这种情况是说话人了解的一种事实。这种句型和"据统计"有相似之处,但"据统计"一般更注重数字和技术性内容,而"据了解"更注重一般的描述性的内容。例如:

(1) 据了解,增城市领导把农村工作概括为一抓交通,二抓流通,三抓农业科技,四抓农民外出打工。
(2) 据了解,增城市及各镇(街)劳动部门今年加大了为农民免费培训的力度,迄今已经举办了 3 期,有 790 人结业,效果显著。

4. "**此外**,……"

这种句型表示对另一种事实的陈述和介绍。它一般在介绍了一种事实之后为了较强语气而强调表述另一种事实。例如:

(1) 增城市领导把引导组织农民进城务工经商当作是增加农民收入、提高农民素质的重要举措来抓。此外,他们还在政策上给予支持,推动农村劳务输出。
(2) 为了尽快让新学生学会汉语的发音,这位老师想了很多办法。他做了录音带、编写了辅导材料;此外他还利用了电脑网上教学的方法。

5. "**与此同时**,……"

这种句型一般先陈述一种事实,陈述了上面的事实以后再表述另一事实。它的目的是强调一种同步的关系,同时也强调两种事实之间的关系。它们有时候同样重要,有时候表示它们之间有一种延续和递进的关系。例如:

(1) 增城市领导把引导组织农民进城务工经商当作是增加农民收入、提高农民素质的重要举措来抓。与此同时,市委、市政府还建立和健全激励机制,促进了就业工作的顺利展开。
(2) 为了解决国产空调积压的问题,有关部门开始研究开发市场的新方法。与此同时,空调生产厂家还开始研究新的技术来适应顾客新的需要。

6. "……,**尤其是**……"

这种句式一般先表述一种事实, 然后强调其中的一个部分来达到重点突出的效果。例如:

(1) 增城市及各镇(街)劳动部门今年加大了为农民免费培训的力度，迄今已经举办了 3 期，有 790 人结业，效果显著，尤其是厨师班、美容班，结业的学员很抢手。

(2) 经过了一个夏天在北京的学习，我们东亚专业同学的汉语都有了很大的进步。尤其是那些初级班的同学，原来他们连"你好"都不会说，现在都能跟老百姓说一般的话题了。

7. "……，至今……已经"

这种句式表示一种延续状态的进步。它一般在前面部分介绍一下事情的发展，然后介绍一下现在的情况，来说明变化或进步的情况。例如：

(1) 增城市劳动部门还充分利用电视台、报纸、广播等媒体对农民进行就业观念宣传。去年开设的《劳动保障天地》专栏，至今已经播出 60 多集了。

(2) 去年以来，本市开始了医疗保险的登记工作，至今全市已经有 80% 的人加入了医疗保险。

8. "把……作为己任，……"

"己"，自己；"任"，责任。这类句型强调一种责任心，指把一种事情当作自己的事情来做。这种事情一般不是他的责任。如果是某人应该做的事情就不用这种句型。例如：

(1) 从化市劳动部门把解决农村富余劳动力的就业出路作为己任，主动出击，多方联系，加强沟通，不断改善现有的服务手段和服务措施。

(2) 这些年来，老张始终把照顾这位无儿无女的老人作为己任，他的行为受到了整个社区人们的称赞。

小 词 典
跟本文有关的背景资料及术语介绍

1. 劳务输出

劳务输出是近年来出现的一个新现象。随着农村科技和机械化程度的逐渐提高，农村的劳动力开始出现多余，这些多余的劳动力可以满足其他地方体力劳动者的需求，比如到工厂或城市去从事劳动服务。这种情况被称为劳务输出。

2.富余劳动力

随着中国农村近年来人口不断增长,人均土地面积越来越少。同时,由于机械化程度的提高,农业生产不再像过去那样以体力劳动为主。这样,农村的劳动力就出现了多余和过剩的现象。这些多余的劳动力就被称为富余劳动力而成为了一种新的劳力资源。

3.免费培训

培训指对一些人员进行培养和训练,使他们能够掌握一些新的技能和技巧,来适应新的劳动市场的需要,这是促使劳动力再就业的一种有效的手段。为了再就业而进行的培训,一般都是帮助就业的,这种培训往往很受欢迎,而且也大都要收取一定的费用。免费培训特指的是为社会服务性的不收费用的培训。

4.脱贫致富

"脱"指脱离和抛弃的意思。"致"的意思是达到和完成。脱贫致富是指通过一些方法来脱离贫困和达到富裕。这是近十年来中国政府对一些贫困地区改变面貌提出的口号和要求。

练习题

一　根据词性搭配划线连词

安置　　文件　　　加大　　显著
提高　　就业　　　效果　　出击
健全　　机制　　　跟踪　　力度
发放　　素质　　　主动　　管理

二　根据课文内容选词填空

1.增城市委、市政府有计划有重点_____农村劳务输出,今年上半年,增城农村富余劳动力就业率累计达到81%,帮助农民增收3.2亿元。

(达到　　完成　　抓好)

2.据了解,增城市领导把农村工作_____为一抓交通,二抓流通,三抓农业科技,四抓农民外出打工。

(变成　　概括　　举措)

3.去年5月份和今年年初,市政府分别_____了专门针对就业工作的文件,今年政府还专门拨款100多万元为农民就业免费培训。

(发放　　拨款　　培训)

4. 与此同时,增城市委、市政府还 _____ 和健全激励机制,促进了就业工作的顺利展开。

(通过   建立   概括)

5. 增城市通过用浅显易明的道理 _____ 山区、贫困地区的农村富余劳动力转移到城镇务工经商走出了可喜的一步。

(教育   宣传   引导)

6. 从化市劳动服务公司从上世纪 70 年代起就组织该市农村富余劳动力到广州务工, _____ 已有 13 万人次, 其中有 1300 人在 1980 —1990 年被用工单位 转为正式 职工。

(过去   至今   将来)

三 用指定的词语完成句子

1. 中华人民共和国是由几十个民族组成的, _____
_____。(其中)

2. 即使你电脑学得很好,你也不一定能找到工作, _____
_____。(此外)

3. 最近这些年,中学生买电脑的越来越多了, _____
_____。(尤其是)

4. 这个工厂生产的电视从 1960 年代就开始出口, _____
_____。(至今)

5. 近年来,使用手机电话的人越来越多, _____
_____。(据统计)

6. 美国近年来开始越来越注意到了反对恐怖活动的重要性, _____
_____。(与此同时)

四 判断画线部分,并予解释

1. 增城市委、市政府有计划有重点抓好农村劳务输出,今年上半年,增城农村富余劳动力就业率累计达到 81%,帮助农民增收 3.2 亿元。
指比较有钱的农民, 或是指 _____

2. 去年 5 月份和今年年初,市政府分别发放了专门针对就业工作的文件,要求来投资的企业招收的当地员工数不低于总数的 40%,今年政府还专门拨款 100 多万元为农民就业免费培训。
指要多给农民工资, 或是指 _____

3. 与此同时,增城市委、市政府还建立和健全激励机制,促进了就业工作的顺利展开。
指注意购买医疗保险, 或是指 _____

4. 增城市通过用浅显易明的道理引导山区、贫困地区的农村富余劳动力转移到城镇务工经商走出了可喜的一步。

指欢欢乐乐去工作，或是指 _____

5. 从化市劳动部门把解决农村富余劳动力的就业出路作为己任，主动出击，多方联系，加强沟通，大力拓展劳动力输出网点。

指批评一些工作不好的人，或是指 _____

五　按照正确顺序组合下列句子

1. A. 其中今年新推荐 65200 人进城就业

   B. 到今年 6 月底累计安置就业 65296 人

   C. 据统计，增城市农村富余劳动力约有 9 万人

   1) _____　　2) _____　　3) _____

2. A. 使山区农民通过外出务工脱贫致富成效显著

   B. 拥有 38 万农村人口的从化市

   C. 通过长期规范、有序、有效的劳务输出和劳务管理

   1) _____　　2) _____　　3) _____

3. A. 有 790 人结业，效果显著

   B. 迄今已经举办了 3 期

   C. 而再次购买的时候则肯定先考虑经验质量

   D. 尤其是厨师班、美容班，结业的学员很抢手

   1) _____　　2) _____　　3) _____　　4) _____

4. A. 其中有 1300 人在 1980—1990 年被用工单位转为正式职工

   B. 至今已有 13 万人次

   C. 从化市劳动服务公司从上世纪 70 年代起就组织农村富余劳动力到广州务工

   1) _____　　2) _____　　3) _____

5. A. 关心和了解从化民工的工作生活

   B. 从化市劳动就业服务管理部门还对派出民工进行跟踪管理

   C. 在广州港务局、广州石化等大型用工单位派出带队干部

   D. 经常驻在码头工区，与港务公司、装卸大队密切联系

   1) _____　　2) _____　　3) _____　　4) _____

六　写作练习

1. 细读课文，进一步理解这种新闻文体写作的基本特点。

2. 作者根据事实对报道内容进行了概括，应用了不少资料，还采用了历史比较的方法。这样的写法有什么好处？

3. 作者采用了小标题的方式来概括本文的基本内容。这样的表达对读者了解全文有什么帮助？

4. 请用一段话来写出这篇文章的中心思想。

5. 作者在这儿写了增城和从化两个地方农民到城市工作的情况。这两篇短文的写作方法有什么不同？它们各自强调了什么不同的方面？请你细读并仔细分析一下它们在写作方法上的不同。

6. 请你根据最近电视或者广播上的新闻报道，根据你知道的写作这一类文章的特点，练习写一篇带有资料性的报道文章。

七 根据课文内容讨论和回答问题

1. 广州地区为什么出现了新一代的"蓝领"农民？这种情况说明了中国当代社会的一种什么样的变化？

2. 什么叫"劳务输出"？为什么现在的中国农村会有富余劳动力？

3. 增城市的领导是怎样帮助农民进城当"蓝领"的？

4. 请举一个例子说明增城领导如何培训人员就业成功的

5. 从化市在指导农民进城工作上有哪些特色？

6. 从化市领导为什么要对派出的民工进行跟踪管理？这样做有什么好处？

泛读篇

风格和文体介绍: **INTRODUCTION OF THE WRITING STYLE**

　　这篇文章报道的是中国农村的现实问题。它介绍的情况是一个试点,所以文章虽然不长,但是介绍的内容却比较全面。首先它介绍了时间、内容和结果,让读者很快了解到基本内容。接着具体介绍了试行政策的实施方法,文章写得清楚、明白。然后谈了试行政策的效果和结论。

　　整篇报道风格清晰明白,语言通俗,运用数字来报道事实,起到了很好的效果。

上海农村税费改革
农民: 负担轻了

　　[**本报讯**] 　(记者顾耀)市政府发言人昨天透露,从今年起,上海对农民实行农业税免征政策,预计上海农民直接减负将为 1.43 亿元。

　　自去年 3 月 1 日全面启动后, 本市采取了一系列措施进行上海农村税费的试点改革:取消乡统筹费、屠宰费,在 3 年内逐步取消统一规定的劳动积累工和义务工,减轻农民负担;调整农业税政策和农业特产税政策,不增加农民负担;改革村提留征收使用办法和管理办法,提高支出效益;实施财政转移支付,切实保障基层政权和组织正常运转。上海的试点改革始终坚持贯彻"减负、规范、稳定"6字方针;把减轻农民负担作为核心内容,实行"减费不增税"方针,鼓励农民进行农业结构调整,调整农业税政策。

　　数字显示,上海农村税费试点改革成绩卓著。2001 年,上海农民的税费负担为 4.25 亿元;税费改革后,农民的税费负担减为 1.43 亿元。据初步统计,农村税费改革试点一年多来,上海农民人均税费负担下降了 62%。以税费改革试点区金山为例,去年全区农民共减负 3700 万元,年人均负担从 180 多元减到 71 元,减少六成多;全区农民人均纯收入从 2001 年的 4300 元增长到去年的 4832 元。同时,上海还部署了村级组织的精简工作,去年末全市行政村已从 2693 个减少到 2001 个。

《解放日报》2003/8/13

生　词 (6.3)
Vocabulary

1. 征税	zhēng shuì	(动短)	收取税务	
徵稅			impose; imposure	
2. 减负	jiǎn fù	(动短)	减轻负担	
減負			reduce pressure; relief burden	

3. 启动	qǐdòng	（动）	发动，开始工作
啓動			start-up; startup
4. 屠宰	túzǎi	（动）	杀死动物
屠宰			butcher; slaughter
5. 调整	tiáozhěng	（动）	调理整顿
調整			adjust; regulate; tune
6. 运转	yùnzhuǎn	（动）	操作，使转动
運轉			operate; go; movement
7. 卓著	zhuōzhù	（形）	非常出色
卓著			eminent; outstanding
8. 部署	bùshǔ	（动）	安排
部署			deploy; depose
9. 精简	jīngjiǎn	（动）	减掉多余的东西
精简			simplify; condense; reduce

浏览测试
Reading For Main Ideas

　　这篇文章报道了上海农村税费改革给农民带来的好处。它从取消一些费用、取消义务工和调整税收三个角度总结了取得的成绩。第一个部分我们已经为你提供，请你写出其他两个句子来总结出另外两个主要内容：

第一个内容：
<u>上海农村税费试点改革取消了乡统筹费、屠宰费。</u>

第二个内容：
_____。

第三个内容：
_____。

阅读细节
Reading For Details

· 细读下面的回答并圈出正确的结论。

· 和你的同学比较、讨论，看看谁的答案对。

1. 上海实行农业税免征政策,给上海农民减负达到_____。
   - ◇　4.25 亿元
   - ◇　1.43 亿元
   - ◇　3700 万元

2. 上海实行农村税费改革的目的是_____。
   - ◇　提高支出效益
   - ◇　进行试点改革
   - ◇　进行农业结构调整

3. 调整以后,上海农民的税费负担是_____。
   - ◇　3700 万元
   - ◇　1.43 亿元
   - ◇　4.25 亿元

4. 减负以前,上海农民人均税费一年是_____。
   - ◇　4300 元
   - ◇　180 元
   - ◇　71 元

深度阅读
Reading Between The Lines

- 和你的同学讨论下列问题,并写出你们的答案。

1. 农村的税费改革是一件好事,为什么不马上实行而要先进行试点改革?

　　_____

2. 上海的农村税费试点改革要坚持什么样的原则? 为什么?

　　_____

3. 数字显示出上海的农村税费改革取得了哪些成绩?

　　_____

4. 除了税费改革以外上海还部署了什么别的工作? 为什么?

　　_____

风格和文体介绍:　**INTRODUCTION OF THE WRITING STYLE**

　　这是一篇纪实和比较性的报道。文章的开头,并开门见山地介绍了上海儿童发展状况的结果和基本事实,然后介绍相关的知识和国际标准,并和一些发达国家的标准进行比较,让读者心中有个基本的概念。然后指出一些不足之处,用事实说话。本文写得比较具体、深入、可信。

　　文章的后半部分重点介绍了上海市儿童教育发展的情况,并进行了历史比较。最后谈了一下存在的问题,提出了告诫。

　　这篇文章报道的是上海在儿童成长发展方面的成绩,但最后不忘记提出问题,是一篇实事求是和负责任的报道文章。

上海儿童成长发展接近世界发达水平
18 项主要目标均已达到

　　[本报讯]　(记者郑红　通讯员吴幸勤)上海市统计局最新提供的《中国儿童发展纲要 (2001—2010)》(以下简称《纲要》) 实施进程监测统计报告显示,到 2002 年,儿童与健康、儿童与教育、儿童与法律保护、儿童与环境等四个大类 18 项儿童发展主要目标,除"提高出生人口素质"、"保障孕产妇安全分娩"、"降低婴儿和 5 岁以下儿童死亡率"、"预防和控制未成年人犯罪"4 项目标基本达标外,其余 14 项上海均提前达标。这表明上海儿童发展水平已接近世界发达国家水平,走在时代前列。

　　以"儿童与健康"为例可见,上海儿童的健康指标已接近甚至达到发达国家水平。人们比较关心的人口出生素质逐年提高, 由于婚前医学检查率已高达 98.69%,为出生人口质量把好了第一关。2002 年上海住院分娩出生缺陷儿发生率为 9‰,低于全国 9.56‰的平均水平。婴儿和 5 岁以下儿童死亡率也持续下降,2002年的数字分别为 5.01‰和 6.21‰。另外,婴儿死亡例数占 5 岁以下儿童死亡例数的比重首次突破 80%,为 80.7%,但距发达国家 90%的水平还有一段距离,减少儿童意外死亡,改善儿童生存环境仍是今后工作的重点。

　　就"儿童与教育"而言,上海所有目标均提前达标。特别在全面普及九年义务教育,保障所有儿童受教育权利方面,上海成绩显著。

　　2002 年,上海有中小学校 1608 所,中小学教师 9.14 万人,111 万义务教育阶段的学龄儿童均能享有优质的教育资源；2000 年以来，上海小学和初中学龄儿童净入学率都保持在 99.9%以上。学前教育资源也不断优化，2002 年，全市现有幼儿园 1176 所，平均一个教职员工教育 9.9 个幼儿，比 20 世纪 90 年代初减少了 1.8 个。另外，上海高中阶段教育入学率达 99.3%，比"十五"期间达到 98%的目标高出 1.3 个百分点。

　　记者同时也从这份监测报告中看到，当前影响或阻碍儿童发展的主要问题有肥胖、近视、未成年人犯罪等。2002 年，上海每百名小学生中约有 14 个"小胖墩"，每百名中学生中有 11 个；另外，中小学视力不良率居高不下，2002 年上海小学、初中、高中学生的视力不良率分别为 26.76%、57.81%和 79.87%，情况不容乐观。

《解放日报》2003/8/13

生　词 *(6.4)*
Vocabulary

1.	统计局 統計局	tǒngjìjú	（名）	做统计工作的机关 bureau of statistics
2.	纲要 綱要	gāngyào	（名）	大纲和要点 compendium; program; outline
3.	监测 監測	jiāncè	（动）	监督测量 monitor; supervise
4.	分娩 分娩	fēnmiǎn	（动）	生孩子 childbearing; childbirth
5.	达标 達標	dábiāo	（动）	达到标准 reach to standard; fulfil requirement
6.	前列 前列	qiánliè	（形）	最前面的一列 in the first rank
7.	缺陷 缺陷	quēxiàn	（形）	缺点 disfigurement; limitation
8.	优化 優化	yōuhuà	（动短）	加以改变使优秀 optimize
9.	幼儿园 幼兒園	yòu'éryuán	（名）	幼儿学校 kindergarten; nursery school
10.	肥胖 肥胖	féipàng	（形）	体重超过标准 fatness; adiposity
11.	近视 近視	jìnshì	（形）	眼睛疾病 myopia; short sight

12. 小胖墩 小胖墩	xiǎopàngdūn(r)	（形）	对胖孩子的不客气的称呼 fatty
13. 居高不下 居高不下	jū gāo bú xià	（习语）	停留在很高的位置上 occupy commanding position/height
14. 不容 不容	bùróng	（副）	不允许 not allow
15. 乐观 樂觀	lèguān	（形）	充满信心的看法 optimism; optimize

练习题

一　请根据课文判断正误

1. 上海的统计报告显示,除了4项目标以外,上海儿童达到了其余14项儿童发展主要目标。（　　）
2. 上海儿童在"提高出生人口素质"等4项其他目标上没能达到世界发达国家标准。（　　）
3. 婚前医学检查很重要,它为出生人口质量把好了第一关。（　　）
4. 上海儿童的健康指标跟全国的情况比是好的,但跟发达国家比还有一些差距。（　　）
5. 上海的绝大多数少年儿童都上了学。（　　）
6. 上海学生上高中的人数比国家要求的水平还高。（　　）
7. 上海青少年发展仍然存在着问题,比如肥胖等。（　　）

二　请根据课文回答下列问题

1. 上海儿童发展报告说明上海在儿童教育等方面取得了哪些成绩？还有哪些方面的问题？
2. 上海与发达国家在儿童发展问题上在哪些方面还有距离？为什么？
3. 举例说明上海在儿童与教育方面取得的成就。
4. 上海在儿童发展和教育方面还存在着哪些问题？应该怎样看待和解决这些问题？

速读篇

风格和文体介绍：　INTRODUCTION OF THE WRITING STYLE

　　这篇文章报道的是老百姓都关心的日常生活中人人都会遇到的问题。医疗制度的改革使得人们看病吃药成了一个新的问题。这篇报道谈的是一家平价药店怎样受到老百姓欢迎，同时又面临着哪些问题。

　　报道的内容是广大读者关心的问题，这篇文章的风格比较通俗易懂，语言亲切朴实，叙事平铺直叙，但条理清晰，特别是结尾部分提出了问题，引起人们的注意，是一种比较有力的表达方式。

百姓欢迎政府支持
——"开心人"虽喜还忧

　　"现在最希望的就是尽快通过 GSP(药品经营质量管理规范)认证，让我们的管理水平有全方位提高。"上海开心人大药房董事长刘俊杰几天前在电话里向记者这样表示，就在一周前，他们正式向上海药监部门提出了 GSP 认证申请。

　　有着沪上平价药房"开路先锋"之称的"开心人"，开张已三个多月，7 月份以来平均每天的营业额都在 20 万元。这里卖的抗生素价格只是别家的一个零头，这里卖的常用注射液一个疗程用下来比别家少花了好几百元，让不少老百姓买到了实惠。

　　来自买家的热烈追捧显示出平价药房的强大生命力，而来自政府的扶持和指导更给平价药房带来底气。刘俊杰说，正是在市、区两级药监局的具体指导下，"开心人"现在做得更规范了，不仅药品库房面积从当初的 200 平方米扩大到 1000 平方米，挂牌执业药师有了 4 个，普通营业员也都已证照齐全，店里的空调也能恒温在 28℃。而市药监局 7 月 10 日出台的本市大型药房管理意见里就开宗明义，"对有利于进一步推动本市医疗改革的降价型大型药房应予以支持，同时正确引导、合理布局。"

　　对平价药旺盛的市场需求一旦被发现，相应的供给便源源不断而来。在短短三个月里，从华源惠源到雷允上福济，从绿色联盟到国大东盛，沪上平价药房的队伍迅速扩大。像第一家上海本地"开心人"——国大东盛药店开张一周多来，每天的客流就超过了 2000 人，日均营业额更是超过 10 万元，尝到甜头的国大已经想到了下一步：再拷贝一个东盛店到沪西去！有业内人士估计，仅算国大东盛和开心人这两家大型超市型平价药房，半年下来就能让利于民 3000 万，要是算上目前所有的平价药店，到年底上海老百姓买药将起码得到 20％的便宜。

　　同类竞争对手的增加，反而让刘俊杰开心，他认为这表明上海对平价药房模式的认可。但是,刘俊杰还有两个烦恼:一个是虽然买家和政府都支持,但供货上游——上海的医药批发和零售企业还是态度冷漠,这让他们依然不得不从外地绕道 进货上海药;还有,虽然平价药房在广州、南昌等地都受到了当地医保局的欢迎,但上海的医药局却以不是本地连锁企业之由拒绝了"开心人"进医保门槛,这既能给病家"减负"又能给医保"降压"的多赢好事,为什么在上海就行不通呢?

《新民晚报》记者胡晓晶 2003/8/14

生 词 (6.5)
Vocabulary

1.	药监 藥監	yàojiān	(名)	药物监督和管理系统 medical montoring system
2.	平价 平價	píngjià	(名)	公平、普通的价格 par value; parity
3.	开路先锋 開路先鋒	kāi lù xiānfēng	(名)	走在前面领路的人 trailbreaker
4.	抗生素 抗生素	kàngshēngsù	(名)	某些微生物或动植物所产生的 能抑制另一些微生物生长繁殖 的化学物质 antibiotics
5.	零头 零頭	língtóu	(名)	零碎的小钱 oddment
6.	疗程 療程	liáochéng	(名)	一个治疗的时期 period of treatment
7.	实惠 實惠	shíhuì	(形)	实际的好处 boon
8.	追捧 追捧	zhuīpěng	(动短)	追逐、捧场 pursue and praise
9.	扶持 扶持	fúchí	(动)	帮助和支持 support
10.	底气 底氣	dǐqì	(名)	心中的力量 stamina
11.	挂牌执业 掛牌執業	guà pái zhí yè	(动)	得到允许合法地工作 open business with official approval
12.	恒温 恆溫	héngwēn	(名)	保持一样的温度 constant temperature

13.	出台 出臺	chū tái	(动短)	发表 come on
14.	开宗明义 開宗明義	kāi zōng míng yì	(习语)	文章的开始说明主要的意思 make clear the purpose from the very beginning
15.	旺盛 旺盛	wàngshèng	(形)	有精力 bloom; flower
16.	源源不断 源源不斷	yuányuán bú duàn	(习语)	有丰富资源,不停地来 in a steady stream; continuously
17.	客流 客流	kèliú	(名)	顾客的流量 statistic of the custom
18.	拷贝 拷貝	kǎobèi	(动)	复制 copy

浏览测试
Reading For Main Ideas

　　这篇文章介绍了在上海发生的一件新闻:平价药店受顾客欢迎的消息。文章报道了平价药店三个方面的内容。第一个方面的内容我们已经为你提供,请你用其他两个句子来总结出另外两个主要内容:

第一个内容:
<u>平价药店在上海受到顾客欢迎的情况</u>。

第二个内容:
_____。

第三个内容:
_____。

阅读细节
Reading For Details

- 细读下面的回答并圈出正确的结论。
- 和你的同学比较、讨论,看看谁的答案对。

1. "这里卖的抗生素价格只是别家的一个零头"的意思是：
   ◇　这里卖的药物价格不合理。
   ◇　这里卖的药物价格很便宜。
   ◇　这里卖的药物价格非常贵。

2. "来自买家的热烈追捧显示出平价药房的强大的生命力"的意思是：
   ◇　老百姓批评了药房的某些经营方式。
   ◇　老百姓觉得这家药房的产品对健康有利。
   ◇　顾客对药房的价格和服务非常欢迎和支持。

3. "挂牌执业药师有了4个,普通营业员也都已证照齐全"的意思是：
   ◇　这个药房的制度健全、一切合乎要求。
   ◇　这个药房的药品非常便宜。
   ◇　这个药房得到了政府的帮助和支持。

4. "上海的医药批发和零售企业态度冷漠,这让他们不得不从外地绕道进货上海药"的意思是：
   ◇　药房给病家"减负"又能给医保"降压"。
   ◇　平价药房不太喜欢进货上海的药品。
   ◇　平价药房面临一些问题,需要上海市的支持。

深度阅读
Reading Between The Lines

· 和你的同学讨论下列问题,并写出你们的答案。

1. 这篇文章说明"开心人"开张三个月以来受到了顾客的欢迎。它是用哪些事实来说明这个情况的?

_____

2. 作者从哪些方面说明了平价药房有着强大的生命力?平价药房还面临着哪些问题?

_____

3. 平价药房那么受顾客欢迎,它为什么还有烦恼? 怎样才能解决这些烦恼?

_____

速读篇

速读练习　在速读练习中你不必查字典，也不必认识课文中的每一个字。如果除了提供的词汇你还有生词，你可以根据上下文来猜测生词的意思，试着读懂课文的内容。这种练习的目的是让你忽略细节，争取读懂文章的主要内容。

打针不见得比吃药好

"大夫，给孩子输液吧，输液退烧快，要不就打一针……"——这种为了见效快主动要求输液或打针的病人及家属在医院中并不少见。针对这一情况，北京大学第三医院、宣武医院、天坛医院、北京积水潭医院等联合推出了《合理使用注射剂手册》，向医护人员介绍怎样才是合理使用注射剂。专家认为对注射剂的依赖并不符合安全用药的原则，医生应该给病人更好的治疗建议。

• 滥用注射危害多多

根据调查，北京地区 10 家三级甲等医院的注射剂使用率在 10% 左右，农村有些地方 30% 到 50% 的处方中都含有注射剂，而欧洲国家这一比例只有 4%。

北医三院药剂科主任介绍，不建议过多过滥使用注射剂的原因首先在于对人体来说任何形式的开放血管都不是一件好事。我国虽然管理很严，但仍然存在着不法商人回收针管、注射针头的现象。这种不洁注射每年引起全世界几百万人感染乙肝、艾滋病，给患者带来了更多的安全隐患。

其次，注射液特别是输液虽然纯度很高，可是仍然不能避免存在不溶性的微粒。这些微粒可以通过输液器的终端过滤装置进入人体，较大的微粒可能造成血管内局部堵塞和供血不足，引起血管栓塞。过多的微粒在造成局部堵塞后可以引起组织缺氧，产生水肿和静脉炎，更严重的是异物从血管进入组织，被巨嗜细胞包围增殖成为肉芽肿。输液中所配的药物越多，所含的微粒数就越高。如果药品、输液器及注射规程再不规范，那么微粒造成的后果将更为严重。所以，输液并不完全是良方，人们不能完全迷信输液治疗而忽略它潜在的危害，医生更应该把握治疗用药的分寸。

• 输液不见得比口服药物快

根据北医三院药剂科的一项调查显示，门诊注射室里有近一半的输液病人是主动向医生提出要输液和注射的，因为他们认为这样可以更快地达到药物的效果，而很多基层的临床医生也倾向于给病人注射剂，但这种"共识"是没有科学性的。

安全用药的四个原则是安全、有效、经济、适用(也就是方便)，药物的严重不良反应，比如休克都是来自于注射类药物，口服的比例很少，所以从安全角度讲，口服药物更好。而且，医生建议，如果不是严重感染最好不用注射剂。

针剂的纯度确实比口服药物高，但由于其制作工艺较复杂，在除去杂质的时候有效成分也会损失，所以，注射剂的有效成分比口服药剂要少。北医三院的医生们曾比较过双黄连颗粒、针剂和口服液中，精制步骤最少的颗粒剂有效成分反而是最高的。

有人认为，口服药的生物利用度没有注射剂高，但是现在口服药的生物利用度也可以达到90%，而且出现了很多新型的高效药物，像接受手术后病人营养差，以前只能靠注射给药，现在则有很多种高效的营养补充剂来完成补充营养的作用，不必再依赖注射液。

另外，使用口服药物相对来说价格便宜，服用方便，不像注射剂只能由专业人员完成，对病人来说是省时省力的选择。

有的医生在注射剂中用大量的抗生素和激素，当时的疗效立竿见影，但后期的副作用也非常大，所以提醒病人，如果能口服药物，最好不采取注射的方法，能肌肉注射最好就不采用静脉注射。即使必须注射的也应该尽量减少注射的次数，同时减少注射剂联合使用的种类，避免不良反应和配伍禁忌的出现。

• 注射给药也有适应范围

翟主任介绍，有的情况是必须使用注射给药的，像病人有吞咽困难、呕吐、严重的腹泻、胃肠道病变和其他类型的吸收障碍，还有在病情严重或发展迅速，需要很高的组织药物浓度做紧急治疗的情况。有的病人不能保证按时按量吃药，医生也可以建议他用注射给药，但还是要遵循安全用药的原则，尽量减轻注射给病人可能造成的伤害。

《北京青年报》2003/8/15

生 词 *(6.6)*
Vocabulary

1. 输液　　shū yè　　（动短）　　把葡萄糖溶液、生理盐水等用一定
   输液　　　　　　　　　　　　的装置通过静脉血管输送到体内，
   　　　　　　　　　　　　　　以补充体液并达到治疗的目的。
   　　　　　　　　　　　　　　transfusion

2. 注射剂　　zhùshèjì　　（名）　　打针的药品
   注射劑　　　　　　　　　　　injection

3. 建议　　jiànyì　　（动／名）　　劝告，主张
   建議　　　　　　　　　　　advice; advise; make suggestions

4. 滥　　làn　　（形）　　不正当的、过多的
   濫　　　　　　　　　　excessive; overflow

5. 不法　　bùfǎ　　（形）　　不合法的、非法的
   不法　　　　　　　　　illegitimacy; iniquity

6. 回收　　huíshōu　　（动）　　用过又拿来用
   回收　　　　　　　　　　callback; reclaim

7. 乙肝　　yǐgān　　（名）　　肝脏疾病
   乙肝　　　　　　　　　hepatitis B

8. 艾滋病　　àizībìng　　（名）　　一种传染病，获得性免疫缺陷综合征
   艾滋病　　　　　　　　　　AIDS

9. 隐患　　yǐnhuàn　　（名）　　潜藏的祸患
   隱患　　　　　　　　　hidden trouble

10. 不溶性　　bùróngxìng　　（名）　　不能溶化在液体里
    不溶性　　　　　　　　　　infusibility

11. 微粒　　wēilì　　（名）　　微小的颗粒
    微粒　　　　　　　　　atom; mote; particulate

12. 终端　　zhōngduān　　（名）　　电子计算机等系统中用来发指令或
    終端　　　　　　　　　　　接收信息的装置
    　　　　　　　　　　　　　terminal

13. 过滤　　guòlǜ　　（动）　　筛滤
    過濾　　　　　　　　　filtrate; filtration; leach

14. 装置　　zhuāngzhì　　（动／名）　　设备
    裝置　　　　　　　　　　　set; setting; equipment; fitting

15. 堵塞　　dǔsè　　（动）　　使不流通
    堵塞　　　　　　　　　build up; jam; stop

16. 栓塞　　shuānsè　　（名）　　堵住，形成障碍
    栓塞　　　　　　　　　embolism; embolize

17.	静脉炎 靜脈炎	jìngmàiyán	(名)	血管疾病 phlebitis
18.	基层 基層	jīcéng	(名)	各种组织中最低的一层,跟群众的 联系最直接 grass roots
19.	临床医生 臨牀醫生	línchuáng yīshēng	(名)	医院管理住院病人的医生 clinician
20.	共识 共識	gòngshí	(名)	共同的看法 commonsense; public knowledge
21.	不良反应 不良反應	bùliáng fǎnyìng	(名)	不好的情况 bad reaction/effection
22.	休克 休克	xiūkè	(名)	失去呼吸和生命的情况 shock
23.	激素 激素	jīsù	(名)	一种药物 hormone; incretion; internal secretion
24.	立竿见影 立竿見影	lì gān jiàn yǐng	(成)	马上看到效果 get effect instantly
25.	副作用 副作用	fùzuòyòng	(名)	跟随着主要作用而附带发生的不好 的作用 side effect; side-effect
26.	静脉 靜脈	jìngmài	(名)	血管 vein; vena
27.	配伍 配伍	pèiwǔ	(动)	把两种或两种以上的药物配合起来 同时使用 be match; to company
28.	禁忌 禁忌	jìnjì	(名)	医药上应避免的 no-no; taboo

练习题

一 请根据课文判断正误

1. 很多病人及家属往往主动要求使用注射剂。（   ）
2. 专家认为,依赖打针并不符合安全用药的原则。（   ）
3. 调查显示,越是水平高的医院越喜欢用注射剂。（   ）
4. 专家认为使用注射剂要开放血管,这样对身体不利。（   ）
5. 专家认为,用口服药物比用注射剂安全,而且不良反应少。（   ）
6. 因为使用注射剂比口服药便宜,所以有人喜欢用注射剂。（   ）
7. 医生认为,如果能口服药物,最好不要使用注射剂。（   ）

二　请根据课文回答下列问题

　　1. 病人和家属为什么主动要求使用注射剂？

　　2. 医生和专家为什么不主张多使用注射剂？

　　3. 作者认为使用注射剂有哪些不好的因素？请你具体介绍一下。

　　4. 医生为什么认为输液不见得比口服药物快？

　　5. 安全用药有哪些原则？为什么？

　　6. 对什么样的病人是必须使用注射给药的？为什么？

第七章 中文报纸新闻概论(二)

第一节 新闻报道的模式

在前面的章节中我们讨论了新闻构成的基本要素，用这些内容来分析报纸上的新闻文体，很多阅读上的问题就迎刃而解了。一条典型的新闻报道要具备人物、事件、时间、地点、原因和过程的基本要素，虽然这里的某些要素会有缺项或穿插表述，但缺少上述主要内容的新闻报道不会是好的新闻文章。

报纸上的新闻报道除了要具备新闻要求的基本要素以外，新闻的写作还要求语言清新，脉络清晰明了，富有逻辑性。为了帮助阅读新闻和理解新闻，我们有必要了解一下新闻写作的一些具体的模式。简单地说，新闻的写作一般有下面几种模式：

一、倒金字塔式(the reverted pyramid pattern)

这种方式就是把新闻中最重要的、读者最感兴趣的部分写在第一段的导言里，以便一下子抓住读者的兴趣，然后再叙述报道，把次要的部分按照顺序向下作报道。这种方式是新闻报道中最普遍应用的方式。它的好处是，把新闻最重要的部分放在开头第一段导言中进行交代，可以帮助编辑按照内容编好标题，同时也可以帮助那些心急的读者或没有时间阅读全文的读者立即掌握新闻的内容。这种写作方式是新闻的典型写作方式，已经在西方和中国的新闻界成为了传统。

二、正金字塔式 (the upright pyramid pattern)

这种方式和倒金字塔方式正好相反，写作方法由远及近，由浅入深。记者把新闻中最重要、最有趣和有悬念性的地方放在文章的后面，形成高潮。这种方法的特色是平铺直叙，层层深入，读来轻松自然。它的目的是吸引读者将全文读完。这种结构往往开始时平淡，越往后越进入高潮。一般的短新闻或报道中较少采用这种方式；但在一些大型的报道或特写中，作者常常用这样的方式写作。

三、正、反金字塔结合式(reverted and upright pyramid pattern)

这种新闻写作方式是正金字塔和倒金字塔写作方式的折中，是根据新闻写作目的采取的一种灵活运用的方法。它往往采用在新闻报道的第一段的导言部分明白说出新闻的重点或设置悬念，从第二段起按照时间发展顺序报告事件发生情况。这样的写法有时依据时间性，有时依据故事发展线索，有时按照逻辑性的原则来表达。

第二节　新闻报道的顺序

中文报纸在报道新闻时有自己的一些约定俗成的顺序。介绍这些顺序，对我们尽快了解报纸的内容、风格有很大的帮助。

虽然中国内地、港台和海外的中文报纸各有自己的特色，但它们的基本顺序仍然依照一些大的规范。这个规范是，在报纸的第一版或者是最重要的版面部分，往往用来报道国家大事。在中国内地出版的报纸，这部分一般用来报道国家领导人的消息、会议情况、外事活动、国家新政策的颁布或其他重大消息，而且常常配有新闻照片。在全国性的大报尤其是这样。即使是省级报纸或地方报纸，如果是属于政府创办和经营的，一般也是遵循这个方式。这样，一些重大的新闻事件发生时，地方报纸一般不进行采访报道，基本上是转载中央级大报或官方新闻通讯社的消息，这样的新闻内容非常整齐划一。

国家大事和领导人动态以外，中文报纸报道的重点是国内发生的一些有全国性影响的大型新闻、消息，最近的时事热点；如果最近有一些影响世界全局性的新闻，这些国外的消息也会是重点报道的内容。

此外，如果是省一级或地方性的报纸，它们就会重点报道报本省、本地的新闻。这些新闻的内容包括：

A. 政治新闻。主要涉及国家、政府以及相关内容的关于整个社会生活方面的消息。

B. 社会新闻。它包括社会生活各个方面的内容，同时包括司法类新闻、社会冲突、自然灾害对社会的影响等内容。

C. 工农业新闻。工农业在中国社会占有非常重要的地位，报道相关的消息是媒体的一个重要的任务。

D. 科技文教新闻。它们主要涉及科学新发明、发现及其应用，技术革新等内容。近年来，电子科技和生物科学的发展成了媒体和读者关心的一个重点。文教新闻包括文化教育和艺术类的新闻。

E. 财经新闻。随着社会经济活动和人们生活关系的密切，财经新闻受到了越来越多人们的关注。财经新闻包括全国性、地方性和国际性几个方面的内容。一般而言，跟自己关系越密切的新闻读者越关心；所以，除了专业性的财经报或大报以外，一般地方报纸或小报也着重报道当地的财经消息。

F. 体育新闻。关心报道体育新闻是中文报纸的一大特点。不论大报小报，不论内地、港台或是海外出版的中文报，都非常注重报道体育消息。从国际上大赛或体育活动到地方上的一些小型的比赛，甚至某些学校、公司、企业的体育活动都是体育新闻的内容。特别是在大型的国际运动会、比赛项目如奥运会、世界杯篮球、排球、足球赛，亚运会期间，几乎所有的中文报纸都抽出大量篇幅进行重点报道，体育的篇幅甚至会超出平时很多倍，有时甚至会挤掉一些其他的报道内容。当然，国内的一些体育活动也是这个栏目关心的重点。

G. 健康、医药新闻。医药卫生关系到千家万户，所以它们也是受一般读者欢迎的消息。这类的新闻包括医药和医疗科学方面的新发现、新发明、新技术，除了医疗以外，还有保健、食品、卫生甚至美容、减肥等方面的内容。

H. 娱乐、影剧新闻。文娱活动是人们生活的一个重要内容，这类新闻也深受人们欢迎。它包括电影、电视和广播消息，最新电影、节目介绍，影坛、歌坛消息，娱乐界名人的消息等等，它也是深受读者喜爱的软性新闻。

I. 交通生活、天气预报等服务性的新闻。这种新闻看上去琐碎，但它们和读者的生活息息相关，所以也是广大读者关心的内容。

上面介绍的是一般中文报纸报道新闻重要性的排列，这种排列一般也代表着编辑对它们的重要性和顺序的理解以及在安排相应版面时的计划。这些内容，我们在下面分析和阅读报纸时比较容易察觉出来。

需要说明的是，香港、台湾和海外的中文报在处理新闻内容时和大陆有些不同。受西方媒体的影响，它们在考虑安排新闻版面时注重适应读者的兴趣、时事热点以及可读性的原则，在这类的报纸上有时候宣传的任务让位于功利的目的、可读性的原则或趣味性、新奇性的要求等等。

生　词 (7.1)
Vocabulary

1. 迎刃而解 迎刃而解	yíng rèn ér jiě	（习语）	主要问题解决了，其他有关问题就可以很容易地得到解决 be readily solved
2. 缺项 缺项	quēxiàng	（名）	缺少的内容 the item lacked
3. 穿插 穿插	chuānchā	（动／名）	插在中间的 interlude
4. 脉络 脈絡	màiluò	（名）	重要的线索 skeleton; venation
5. 逻辑 邏輯	luójí	（名）	规律、条理 logic
6. 模式 模式	móshì	（名）	形式 mode; pattern

7.	金字塔	jīnzìtǎ	（名）	三角形
	金字塔			pyramid
8.	心急	xīn jí	（形）	着急
	心急			impatient; short-tempered
9.	典型	diǎnxíng	（名）	模范
	典型			representative; model; type
10.	高潮	gāocháo	（名）	最高点
	高潮			climax; heat
11.	平铺直叙	píng pū zhí xù	（习语）	平淡的叙述
	平鋪直敘			speak or write in a dull or flat way
12.	折中	zhézhōng	（动）	调和的
	折中			compromise; tradeoff
13.	灵活	línghuó	（形）	精灵活泼
	靈活			agility; flexible
14.	约定俗成	yuē dìng sú chéng	（习语）	习惯的规定
	約定俗成			established by usage
15.	依照	yīzhào	（连 / 介）	按照
	依照			according to; in accordance with
16.	颁布	bānbù	（动）	发表、宣布
	頒佈			publish; switchman
17.	遵循	zūnxún	（动）	按照
	遵循			follow; keep to
18.	转载	zhuǎnzǎi	（动）	再次发表
	轉載			reprint; reship
19.	官方	guānfāng	（名）	政府的
	官方			by the government; official
20.	整齐划一	zhěngqí huà yī	（习语）	完全一样
	整齊劃一			single typed
21.	司法	sīfǎ	（名）	执行法律
	司法			judicatory; judicature
22.	灾害	zāihài	（形）	不幸的事件
	災害			calamity; disaster
23.	革新	géxīn	（动）	改变成新的
	革新			reform; reformation; renovation
24.	世界杯	shìjièbēi	（名）	国际体育比赛
	世界杯			world cup
25.	亚运会	yàyùnhuì	（名）	亚洲体育运动比赛
	亞運會			Asian game

26. 保健 保健	bǎojiàn	（动）	保护健康 health care; health protection
27. 减肥 减肥	jiǎn féi	（动）	使身体变瘦 diet
28. 预报 預報	yùbào	（动）	预先告诉 forecast; predict
29. 琐碎 瑣碎	suǒsuì	（形）	小的,零碎的 pettiness; trivialism
30. 息息相关 息息相關	xī xī xiāng guān	（习语）	关系密切 be closely bound up; be closely linked
31. 让位 讓位	ràng wèi	（动短）	把位子给别人 abdication; give the space to
32. 功利 功利	gōnglì	（名）	名声和利益 material gain; utility; benefit

练习题

一　选择题

1. 新闻报道写作的基本模式一般有：
   a. 两种　　　　　b. 三种　　　　　c. 多种
2. 使用倒金字塔的写法写新闻的特色是：
   a. 引起读者兴趣　　b. 由浅入深　　　c. 有逻辑性
3. 使用正金字塔的写法写新闻的特色是：
   a. 先出现高潮　　　b. 由浅入深　　　c. 最普遍应用
4. 使用正反金字塔的写法写新闻的特色是：
   a. 灵活运用　　　　b. 按照时间顺序　c. 平铺直叙

二　填充题

1. 一条典型的新闻报道要具备 _____、_____、_____、_____、_____ 和 _____ 的基本要素。
2. 报道的写作方法是一种特殊的写作方式,它有一些鲜明的特点。一般来新闻写作的主要方法有_____,_____ 和 _____ 等几种。
3. 倒金字塔的新闻写作方式一般是先写_____,然后_____。这种方式_____。
4. 正字塔的新闻写作方式一般是由_____,由_____。这种方式_____。

5. 正方金字塔结合式的新闻写作方式一般是 ＿＿＿＿＿＿＿＿＿＿＿＿＿＿，
它往往 ＿＿＿＿＿＿＿＿＿＿＿。这种方式 ＿＿＿＿＿＿＿＿＿＿＿＿＿。

三 思考题

1. 典型的新闻报道应该具备哪些基本要素？
2. 除了新闻事件的基本要素以外，新闻的写作还应该有什么要求？
3. 谈谈三种新闻写作方法各自的好处和局限。
4. 利用所学的新闻写作知识分析一些具体的新闻文章，看看它们是用哪种方式写作出来的？
5. 中文报纸在报道新闻时有哪些约定俗成的顺序？了解这些顺序对我们读懂中文报纸会有些什么样的帮助？
6. 国家性的报纸和地方性的报纸在报道新闻时有些什么样的不同？
7. 中文报纸和外国的报纸在编排方面有些什么不同的特点？请举例说明。
8. 中国大陆、香港和台湾的报纸在处理新闻时有哪些不同，请结合阅读举例说明。

第三节　新闻题材风格的分析

上面介绍了新闻题材内容的不同和报道顺序的排列。在阅读报纸上的新闻时，我们往往会发现，新闻的题材和它的表现形式即体裁之间是有密切的关系的。

新闻题材，综上所述，大致上可分为国内外要闻、工农业新闻、社会、文化、科技、体育、娱乐和服务类的新闻等几大版块。这些新闻因其内容不同，它们的表现形式也不一样。

一般来说，新闻的题材决定了它的写作风格和特点。题材对表达方式有一定的制约性。比如，报道国内外重大新闻时文体一般要庄重、严肃，表现新闻事实时文章风格应该鲜明、简练，少用修饰语。表现工农业新闻时文章风格要亲切朴实，适应广大工农读者的文化水平和阅读习惯。报道社会服务类的新闻时则要求通俗亲切、富有趣味性和可读性等等。熟悉这些内容和风格的规定性，对我们了解中文报纸和读懂中文报纸有一定的好处。

第四节　新闻体裁的分析

新闻的体裁有它统一的风格，它不同于文学作品，新闻最主要的特点是务实。新闻绝对要忠于事实，不能有任何的虚构、夸张和文学性描写的成分。当然，新闻写作不排斥运用文字技巧和文学手段来增强表现力，但任何文学的服务手段都要让位于严格忠于事实的基本要求。

这样看来，新闻的体裁规定性决定了它的风格。比如，标题新闻的写作目的在于提纲挈领，以最重要的篇幅突出表达新闻的核心内容。它要求言简意赅，突出重点，语言简洁有力。

消息　一般是指一种简单、客观的事实报道。它一般不做过多的描写，而着力于对事实本身的介绍。它的特点是快、简明，易读易记。

新闻报道　和消息的不同是它们一般都比消息详尽，篇幅也长得多。报道一般都具有新闻六个"W"的典型要素，而且重要的新闻有时候还有追踪报道甚至系列报道来不断补充事实和消息，让读者了解事态发生的新的情况。

通讯　一般指比较翔实、深层的报道。它一般要求记者到达新闻事件发生的地点亲自去调查了解，参与或观察事情发生的内容、过程，发现其结果或事情对社会的影响等等，然后写出具体的报告来告诉读者。通讯的篇幅一般比报道要长，它的内容也更加充实。

特写　一般是指对一些富有新闻价值的事件、人物或活动作较为深入的报道。除了说明事实以外，它还采用了一些文学的表达方式来加强表现力。新闻特写往往有比较强的故事性和感人的内容情节，描写也比较生动。在渲染事实和刻画人物时，特写着力于给读者深刻的印象。

报告文学　是报纸新闻中文学意味最为浓厚的一种表现形式。它有时也被认为是一种文学的体裁。报告文学的篇幅一般都较长，它是以现实生活中具有典型意义的真人真事为题材，经过文学加工而成的。报告文学允许一些艺术加工和典型化的处理，也允许一些文学语言的表现，报告文学兼有文学和新闻两方面特点。

生 词 (7.2)
Vocabulary

1. 题材 題材	tícái	（名）	题目和材料 subject matter; theme
2. 体裁 體裁	tǐcái	（名）	文学作品的表现形式 types of literature; genre
3. 版块 版塊	bǎnkuài	（名）	栏目和形式 section
4. 制约 制約	zhìyuē	（动）	控制 control; condition
5. 修饰语 修飾語	xiūshìyǔ	（名）	描写性的词语 modifier
6. 朴实 樸實	pǔshí	（形）	真实简单 plain; simple; guileless
7. 虚构 虛構	xūgòu	（动）	不真实的，创作的 fabricate; make up
8. 夸张 夸張	kuāzhāng	（形）	夸大的 exaggerate; overdraw
9. 排斥 排斥	páichì	（动）	不欢迎，推开 blackball; exclude; repulsion
10. 核心 核心	héxīn	（名）	中心 core; kernel; nubbin
11. 言简意赅 言簡意賅	yán jiǎn yì gāi	（习语）	简单明白 concise and comprehensive
12. 详尽 詳盡	xiángjìn	（形）	清楚全面 at large
13. 系列 系列	xìliè	（名）	一组的 series; spectrum
14. 翔实 翔實	xiángshí	（形）	详细实在的 full and accurate
15. 渲染 渲染	xuànrǎn	（动）	夸张描写的 give full play
16. 刻画 刻畫	kèhuà	（动）	深刻描写 depict; portray
17. 浓厚 濃厚	nónghòu	（形）	深的、浓的 denseness

练习题

一 选择题

1. 一般来说,新闻的 _____ 决定了它的写作风格和特点。

    a. 语言　　　　　　　　b. 体裁　　　　　　　　c. 题材

2. 新闻的体裁有它统一的风格,它不同于文学作品,它最重要的特点是:

    a. 务实　　　　　　　　b. 风格漂亮　　　　　　c. 容易读

3. 新闻要绝对忠于 _____ ,不能有任何的虚构和夸张。

    a. 报纸　　　　　　　　b. 文学　　　　　　　　c. 事实

4. 消息是一种简单、客观的事实报道。它的特点是:

    a. 充实　　　　　　　　b. 快、简明　　　　　　c. 报道深入

5. 特写是指对一些有新闻价值的事件、人物和活动作较为深入的报道。它的特点是:

    a. 故事性强、感人　　　b. 及时、翔实　　　　　c. 夸张、渲染

二 填充题

1. 在阅读报纸上的新闻时,我们往往会发现,新闻的 _____ 和它的表现形式即 _____ 之间是有密切的关系的。

2. 新闻题材,大致上可分为 _____ 、 _____ 、 _____ 、 _____ 、 _____ 及 _____ 等几大版块。

3. 新闻的体裁有它统一的风格,它不同于文学作品,新闻最主要的特点是 _____ 。新闻绝对要 _____ ,不能有任何的 _____ 、 _____ 和 _____ 的成分。

4. 报告文学是报纸新闻中 _____ 最为浓厚的一种表现形式。它有时也被认为是一种 _____ 的体裁。

三 思考题

1. 新闻写作时它的题材和体裁之间有什么样的关系?

2. 新闻的题材有哪几大类?

3. 新闻体裁最重要的特点是什么?新闻能不能使用文学的手段?

4. 举例谈谈新闻体裁写作时各种不同文体的关系。

5. 写作新闻消息时应该注意哪些特点?

6. 写作新闻报道时应该注意哪些特点?

7. 写作新闻通讯时应该注意哪些特点?

8. 写作新闻特写时应该注意哪些特点?

9. 写作报告文学时应该注意哪些特点?

第八章　报纸上的新闻(三)

风格和文体介绍：　**INTRODUCTION OF THE WRITING STYLE**

　　体育新闻是中文报纸的一个重要的内容。不管是中国内地还是港台或者是海外的中文报纸，都要分出专门的版面和栏目来介绍体育新闻和消息。它是读者喜闻乐见的一个版面。

　　本篇是中国内地的一篇新闻。我们可以看出，这儿报道的体育新闻不仅仅是体育，而且有爱国和政治的意义。特别是报道国际体育新闻或大型的国际比赛的情况时，读者的关心除了项目本身的胜负以外，还有"为国争光"的内容。在这篇报道中，中国赢了。文章除了报道赢了以外，还详细报道了怎样赢和里面的曲折故事。这篇新闻稿有描写、有悬念、有故事性，一波三折，能够吸引读者。

　　这是一种开门见山(倒金字塔)的写法。先报告结果，然后再一一道来，引人入胜。

得到的不仅是一枚金牌

—— 奥运会随笔之六

　　五星红旗，我为你骄傲。今晚，大杨扬不负众望，一举夺得女子 500 米短道速滑冠军，结束了冬季奥运会金牌与我无缘的历史，五星红旗升得很高，让每个在场的中国人都焕发着情不自禁的喜悦。

　　梦想，变成了现实。

　　这枚金牌，无论对谁都太重要了。全国人民期待着它，这是新春伊始最好的礼物；征战盐湖城的中国体育代表团期待着它，这是一个很好的开始；当地华人华侨期待着它，这让他们扬眉吐气。

　　比赛前，我们到盐湖城边上一家中餐馆用餐，这家自助餐小店的老板娘很有个性，别人逗她，你们中国拿了几块金牌？她会不假思索地回答：五块！这确实是一种期待，能不能得到这些金牌，已变成一种象征，一种能力和尊严的象征。

　　杨扬小小年纪，就担负起了回答这份期待的重任。到盐湖城来，她哪一天不在想拿金牌,哪一天不在提醒自己不要使国人失望!求之切,结果想过了头,成了思想包袱。高水平的比赛,最怕运动员背着思想包袱上场。这就是为什么在1500米比赛中,杨扬名落孙山的"病根"。

　　今天的杨扬,一上场就冲,与前天判若两人。首先开始的3000米接力预赛,中国姑娘气势若虹,拿下了小组第一,顺利进入决赛。500米小组赛和决赛,杨扬都是动若脱兔,一路领先。前天的"假杨扬"何以又变成了今天的"真杨扬"? 起关键作用的,是日前那次拨动心弦的谈心。中国体育代表团的带队领导,曾是沙场老将的袁伟民、李富荣,用过来人的切身体会,平抚她们焦躁的心绪,倾听她们的心声,帮助她们挖掉"想赢怕输"的"病根"。想赢,想到了不能输的地步,把自己预先摆在了冠军的位置上,那怎么能找到"冲"和"拼"的感觉! 正如大杨扬含着泪剖析思想时所说的:"欲望太强,面子太重,就放不开。"

生　词 (8.1)
Vocabulary

1. 速滑	sùhuá	(动短)	快速的滑雪	
速滑			speed ski	
2. 无缘	wúyuán	(动)	没有机会	
無緣			not destined to	
3. 焕发	huànfā	(动)	爆发出来	
煥發			coruscate; coruscation	
4. 情不自禁	qíng bú zì jīn	(习语)	无法控制情感	
情不自禁			let oneself go	
5. 伊始	yīshǐ	(形)	开始	
伊始			beginning	
6. 扬眉吐气	yáng méi tǔ qì	(习语)	形容被压抑的心情得到舒展而	
揚眉吐氣			快活如意	
			hold one's head high	
7. 自助餐	zìzhùcān	(名)	自己服务的用餐方式	
自助餐			buffet dinner	
8. 不假思索	bù jiǎ sīsuǒ	(习语)	不用思考	
不假思索			without thinking; hand	
9. 象征	xiàngzhēng	(名)	隐喻的符号	
象征			symbolize; emblematize;	
			indicate	
10. 担负	dānfù	(动)	承担	
擔負			shoulder; take on	

11. 重任	zhòngrèn	（名）	重要的任务
重任			important task
12. 提醒	tí xǐng	（动）	从旁边指点,促使注意
提醒			remind; put in mind of; awoke
13. 包袱	bāofu	（名）	负担
包袱			burden; cloth wrappers; a bundle wrapped in cloth
14. 名落孙山	míng luò Sūn Shān	（成）	考试失利
名落孫山			fall in a competitive examination
15. 判若两人	pàn ruò liǎng rén	（习语）	好像完全不同的两个人
判若兩人			totally like different person
16. 预赛	yùsài	（名）	决赛之前进行的比赛
預賽			preliminary contest; try out
17. 气势若虹	qì shì ruò hóng	（习语）	非常有气魄和力量
氣勢若虹			vigorous
18. 动若脱兔	dòng ruò tuō tù	（成）	跑得很快
動若脫兔			run like a rabbit
19. 心弦	xīnxián	（名）	心
心弦			heartstring
20. 沙场老将	shāchǎng lǎo jiàng	（习语）	有经验的选手
沙場老將			old hand of the battlefield
21. 过来人	guòláirén	（名）	有经验的人
過來人			an experienced person
22. 抚平	fǔpíng	（动）	安慰
撫平			comfort
23. 焦躁	jiāozào	（形）	着急
焦躁			fuss; peeve
24. 倾听	qīngtīng	（动）	认真听
傾聽			give ear to; give audience to; hearken
25. 剖析	pōuxī	（动）	仔细分析
剖析			anatomy; take apart
26. 欲望	yùwàng	（名）	强烈的愿望
欲望			desire; appetite; lust

报刊惯用语汇及表述模式

1. "一举 V 得"

"举"在这儿表示行动、举动,在这儿有"一下子"的意思。这个句式表示用全力来获得某种希望得到的东西,迅速得到了成功。例如:

(1) 今晚,大杨扬不负众望,一举夺得女子 500 米短道速滑冠军,结束了冬季奥运会金牌与我无缘的历史。

(2) 为了这场比赛他整整练习了三个月。工夫不负苦心人,这次他果然一举获得了比赛第一名。

2. "结束了……的历史"

这个句型是一种象征性的表达。意思是把一种过去的状况改变了。这种用法的目的是一种强调。例如:

(1) 今晚,大杨扬不负众望,一举夺得女子 500 米短道速滑冠军,结束了冬季奥运会金牌与我无缘的历史。

(2) 他们成功地造出了第一架大型的飞机,结束了过去只能靠进口这种飞机来满足市场需要的历史。

3. "哪一天不…… 哪一天不…… "(排比句)

"哪一天不"的意思是"没有一天不、天天都"。这是一种用反问的句式来表达肯定意思的句型。连用两个的排比形式是一种强调,用来表达一种非常强烈的感情。例如:

(1) 杨扬小小年纪,就担负起了回答这份期待的重任。到盐湖城来,她哪一天不在想拿金牌,哪一天不在提醒自己不要使国人失望!

(2) 在生病的这些日子里,他哪一天不想重新站起来,哪一天不想重新回到工作的地方! 可是,病痛在天天折磨着他。

4. "何以"

这是一个反问的句式结构。意思是"为什么"。这种句式一般并不是一种真正的问句,因此也不要求回答。回答一般都在前后文中表达出来了。例如:

(1) 前天的"假杨扬"何以又变成了今天的"真杨扬"? 起关键作用的,是日前那次拨动心弦的谈心。

(2) 如果他不是用自己整个身心爱着她,他何以能够承受着那么多的情感的折磨和无尽的等待?

5. "正如……所V……"

这种句型表示一种正面陈述的结论,这个结论是用一定的事实来证明的。例如:

(1) 正如大杨扬含着泪剖析思想时所说的:"那时欲望太强,面子太重,就放不开。"

(2) 在考试前的两个星期他忙于参加各种各样的晚会,根本没时间好好复习。结果正如老师所担心的那样,他这次考试没有考好。

小 词 典
跟本文有关的背景资料及术语介绍

1. 冬季奥运会

冬季奥运会是一项最大的国际性的体育运动会之一,简称冬奥会。它是奥林匹克运动会的重要组成部分。冬季奥运会每4年一届,根据"奥林匹克章程"规定,只有至少在25个国家或地区和3大洲中广泛开展的运动项目才可列入冬季奥运会的比赛项目。现在,冬季奥运会的主要项目有冰球、滑冰、滑雪、雪橇和现代冬季两项等。

2. 袁伟民

中国国家体育总局局长,中国奥委会副主席。曾经担任中国国家女子排球队总教练,指导中国女排连续获得世界冠军。经常带领中国国家队参加大型的国际性比赛,有着丰富的指挥经验和领导能力。

3. 李富荣

中国国家体育总局训练局副局长,著名乒乓球运动员。李富荣多次在国际比赛中为中国获得大奖,有着丰富的比赛经验。后来担任体育教练并多次率领中国体育代表团参加大型的国际运动会。

练 习 题

一 根据课文内容填空

这篇文章谈了中国运动员杨扬夺得金牌的故事。这枚金牌对人们那么重要的原因是

A:_____

B:_____

C:_____

D:_____

杨扬在第一天得到金牌了吗?为什么?请说明。

A:_____

B:_____

杨扬在第二天得到金牌了吗?为什么?请说明。

A:_____

B:_____

二 选择正确的答案

1. 杨扬赢得了金牌,结束了冬季奥运会与中国无缘的历史,她感到非常_____。

　　不负众望　　　　　　　　骄傲　　　　　　　　梦想

2. 中国体育代表团得到了重要的一枚金牌,中国人感到了_____。

　　扬眉吐气　　　　　　　　新春伊始　　　　　　期待

3. 因为感到了_____杨扬_____了。

　　压力/名落孙山　　　　　　期待/失望　　　　　　重任/包袱

4. 杨扬的故事告诉我们,如果有_____,太要_____,在比赛时就很难成功。

　　象征/希望　　　　　　　　面子/包袱　　　　　　包袱/面子

三　请根据课文判断正误

1. 杨扬在比赛第一天就一举夺得了一块女子 500 米速滑冠军金牌。（　　）

2. 全国人民都认为中国体育代表团应该夺得五块金牌。（　　）

3. 因为杨扬太希望夺得金牌反而失去了金牌（　　）

4. 杨扬的"病根"是压力太大、思想包袱太重。（　　）

5. 因为杨扬的领导跟她谈心，解决了思想问题，她夺得了冠军。（　　）

四　解释句子划线部分的意思

1. 今晚，大杨扬<u>不负众望</u>，一举夺得女子 500 米短道速滑冠军，结束了冬季奥运会金牌与中国<u>无缘</u>的历史。
   （　　　　　　　／　　　　　　　　）

2. 她哪一天不提醒自己不要使国人失望！<u>盼至深，求之切</u>，结果想过了头，成了思想<u>包袱</u>。
   （　　　　　　　／　　　　　　　　）

3. 前天的<u>"假杨扬"</u>何以又变成了今天的<u>"真杨扬"</u>？起关键作用的，是日前那次拨动心弦的谈心。
   （　　　　　　　　　　　　　　　　）

4. 大杨扬含着泪剖析思想时说："欲望太强，<u>面子太重</u>，就放不开。"
   （　　　　　　　　　　　　）

五　根据课文内容讨论和回答问题

1. 为什么杨扬的 500 米女子短道速滑冠军金牌对中国人那么重要？

2. 金牌能让中国人扬眉吐气吗？中国人为什么那么重视国际性的体育运动？

3. 杨扬第一次比赛为什么失败了？她有了什么样的"病根"？

4. 杨扬的领导为什么说：把自己预先摆到了冠军的位置上，那怎么能找到冲和拼的感觉？你是怎样理解这句话的？

> 风格和文体介绍:　INTRODUCTION OF THE WRITING STYLE
>
> 　　健康是人人关心的题目。这类新闻有着广大的读者。中文报纸除了着重报道有关医药健康的新闻以外,还常常开设专门的栏目来刊登文章。这篇文章采用了醒目的副标题来总结全文的观点,吸引读者的注意。此外,整个文章采用了分条分段的写法,举例真实可信,论述道理明确,富有指导意义。
>
> 　　由于减肥的话题受到了越来越多的读者的注意,而且成了影响人们社会生活的一大问题,所以这篇文章摆事实、讲道理,特别是引用了一些医药科学的观点,体现了报纸关心社会的功能。这篇文章的特点是通俗易懂,亲切而且有说服力。

小心减肥、减肥,越减越肥

　　我国目前约有 7000 万人受到肥胖的困扰,在一些大城市,每 12 个人中就有一个胖子

　　减肥不仅仅只是为了美容,减肥是为了健康,是一种医疗行为,必须遵循安全第一的原则

◇　跟着广告减肥。广告讲什么减肥方法好就用什么方法减肥;或跟在别人后边仿照,自己拿不定主意,频频更改减肥方法,往往越减越肥。

◇　凑热闹减肥。如某女大学生宿舍中共有 4 人,其中 3 人在努力减肥。另一位也凑热闹跟着来减肥,她没有任何心理准备,只凭一时的兴趣,一时的热情,免不了以减肥的失败而告终。

◇　凭感情用事来减肥。有些人根本不胖,如照照镜子觉得对自己的形象不满意,特别在临出国前希望达到自我感觉良好的形象,急急忙忙来要求快速减肥。欲速则不达,常常减肥失败。个别人为了达到快速减肥的目的,甚而敢冒风险,不顾健康,采用禁食或吃极少食物的方法,直至发生了厌食症才后悔莫及。

◇　选定不切合实际的减肥目标,希望在极短时间内达到自己理想的目标,实现理想就终止了减肥,往往会出现越减越肥的现象。

◇　求神拜物,求算命先生来减肥,有人轻信游医的世代相传秘方来减肥,有人挑选昂贵减肥品来减肥,认为贵就是好,洋的减肥品就是好货。

◇　当减肥见效后就满足了,马上恢复了原先不合理的生活习惯,于是肥胖又发,也有人在开始减肥的一个月内疗效明显,此后不够明显甚而停止不前时,便认为减肥无效,又恢复了老的生活习惯,于是又复肥了。

◇　秘密减肥得不到家人的同意和协助也往往要失败。

◇　长期使用激素或精神安定剂的人,也往往失败。

◇　缺乏决心与恒心,强调工作忙,学习紧张,三天打鱼两天晒网式的间断减肥,也往往失败。

◇　认为服减肥药后可以始终吃饱吃好不节食了,他们盲目相信广告语,相信药,不采取综合的减肥措施,失败也就难免了。

要使减肥成功同时不反弹,那么一定要采取适合自身特点的个体化的综合措施:

1. 要对科学减肥树立起信心、诚心、决心、恒心与耐心。

2. 要在保证营养的前提下适当节食,早餐可吃饱,中餐 8 成饱,晚餐 6—7 成饱,饥时吃黄瓜、冬瓜、番茄、梨等。

3. 要在保证健康的基础上逐渐增加运动量,使每次有氧运动在半小时以上。

4. 改变早餐不吃、晚餐丰盛等不合理的生活习惯。

5. 选择卫生部批准的减肥药物和减肥制剂。

生　词 *(8.2)*
Vocabulary

1. 困扰 困擾	kùnrǎo	(形)	困难和烦恼 harassment; puzzle; bothered
2. 仿照 倣照	fǎngzhào	(动)	按照 imitate; copy
3. 频频 頻頻	pínpín	(副)	连续不断地 frequency; frequently
4. 告终 告終	gào zhōng	(动)	宣布结束 out of hand
5. 厌食症 厭食癥	yànshízhèng	(名)	疾病名称 anorexia; off one's feed
6. 秘方 秘方	mìfāng	(名)	不公开的有显著医疗效果的药方 secret recipe
7. 疗效 療效	liáoxiào	(名)	治疗的效果 curative effect
8. 甚而 甚而	shènér	(副)	甚至…… so far as to
9. 恒心 恆心	héngxīn	(名)	坚持的决心 perseverance

10. 难免 難免	nánmiǎn	（副）	很难避免 hard to avoid
11. 反弹 反彈	fǎntán	（动／名）	压弹簧后，弹簧向相反的方向 弹回，比喻回升 rebound
12. 制剂 製劑	zhìjì	（名）	药品形式 preparation

报刊惯用语汇及表述模式

1. "遵循……原则，……"

"遵循"是遵守和"按照"的意思。这个句式表示要按照一定的规则、方法，来做某件事或采取某种行动。例如：

(1) 减肥是为了健康，是一种医疗行为，必须遵循安全第一的原则。

(2) 到了一个新的国家，你必须了解这个国家的法规，遵循当地的法律政策。

2. "……，免不了……"

"免"是避免、回避的意思。"免不了"表示无法回避。这个句型往往预示一些必然的结果，提醒人们注意。例如：

(1) 没有足够的心理准备就只凭一时兴趣盲目减肥，免不了要以失败告终。

(2) 她身体本来就不好，下这么大的雨她不打伞就出去，淋了雨免不了又要生病。

3. "为了达到……目的"

这种句型表示一种企图或是目的，下面的句子会表示将要采取的行动。例如：

(1) 为了达到快速减肥的目的，个别人甚至不顾健康，采用禁食的方法。

(2) 为了达到出国留学的目的，他在大学学习的时间几乎全部都花在了准备考托福上面了。

4. "甚而……"

"甚而"是"甚至"的意思,表示一种极端或超出常规的情况。这种句式一般有强调作用,一般表示对"甚而"后面的行为不赞成。例如:

(1) 有的人为了达到快速减肥的目的,甚而敢冒风险,不顾健康,直到后来生了病才后悔莫及。
(2) 为了得到这份工作,很多人到处奔走,甚而请客收礼走后门。这种现象使得很多人感到不满。

5. "……,直至……"

"至"是"到"的意思。"直至"表示一种过分或者极端的情况。"直至"后面一般是不好的情况。例如:

(1) 很多人为了减肥不顾一切,采用了很多不正确的方法,直至最后得了重病甚至失去了生命才认识到犯了大错。
(2) 他平时做事从来不听别人的劝告,只喜欢按照自己的方法做,直至最后出了严重问题才感到害怕了。

6. "……,于是……"

"于是"的意思是"接着""在这样的情况下"。这种句型表示后一件事接着前一件事,后一件事是由前一件事引起的。例如:

(1) 有人看到减肥见效后就满足了,马上恢复了原先不合理的生活习惯,于是肥胖又发了。
(2) 有人开始减肥时效果明显,以后不太明显时就以为无效,又恢复了老的生活习惯,于是又复肥了。

7. "在……前提下 V……"

这是一个条件句型。"前提"是事物发生或发展的先决条件。这个句型表示必须有这样的条件,下面的情况才可能发生。例如:

(1) 要在保证营养的前提下适当节食,才能大多减肥和健康的目的。
(2) 他才刚刚学开车学了三次,必须在有人辅导他驾驶的前提下到街上开,才能保证安全。

8. "在……基础上 V……"

这种句型表示必须有一种基本的条件，在这个条件的支持下或在具备这种可能的情况时做出下面的行为比较得当。例如：

(1) 在保证健康的基础上减肥才是一种正确的选择。
(2) 我们只有在对安全有保证的基础上才能够去学游泳，如果没有安全保证，会出危险的。

小 词 典
跟本文有关的背景资料及术语介绍

1. 减肥

因为身体肥胖或超过了有关标准而采取的通过医学、物理、食物或锻炼的方式来消减体重的方法。

2. 美容

使容貌美丽。指采用医学、物理、保健和护理等方法使自己美丽。现代美容的内容包括很多方面。有针对身体、容貌、皮肤、五官和个别器官的各种美容技术和方法。

3. 禁食

"禁"是禁止的意思。禁食就是不吃东西。禁食可能因为很多原因，有医疗原因、宗教原因，还有一种是为了减肥和美容的原因而不吃东西。这种方法从古就有，在今天仍然被人们采用。

4. 厌食症

"厌"是讨厌的意思。厌食是指讨厌吃东西。"症"指病。厌食症是一种病。主要表现在食欲不振，消化不良，身体不适等方面。据介绍，有的厌食症是因为长期节制饮食或不合理的饮食习惯引起的。厌食症严重的一定要得到医生的治疗，否则会产生危险。

5. 秘方

"秘"是指不公开的,私下收藏的。"方"在这儿指药方。秘方在这儿指有显著医疗效果而不公开的药方。这种药方大多都存在在民间,因为保存这种秘方的人不愿意公开它或把它们发表出来。而且这种秘方一般都是在自己家庭内部流传,所以常常也叫做"祖传秘方"。秘方虽然有的很有效,但也有人用秘方的名义骗人,所以有人使用它时有贬义。

练习题

一　根据词性搭配划线连词

遵循	理想	缺乏	措施
达到	习惯	盲目	相信
实现	困扰	采取	失败
受到	原则	难免	信心
恢复	目的	树立	恒心

二　根据课文内容选词填空

1. 这个城市中有五分之一的人受到了空气污染的 ＿＿＿＿＿＿ ,很多人都生病了。

   （困扰　　麻烦　　风险）

2. 她喜欢模仿别人,学任何东西都是看到别人做就做,只是根据一时的兴趣,结果 ＿＿＿＿＿＿ 最后什么都没学会。

   （原来　　免不了　　最终）

3. 今年冬天天气很不正常,我提醒他要注意穿衣服,可是他从来不听,＿＿＿＿ ＿＿＿＿ 后来得了一场大病才感到后悔。

   （直至　　始终　　原来）

4. 他本来想七月去中国,可是六月份的飞机票大减价,＿＿＿＿＿＿ 他就决定六月去中国了。

   （于是　　然而　　甚而）

5. 他听别人说什么好就买什么,往往一个月的工资半个月就花光,原因就在于他总是 ＿＿＿＿＿＿ 地相信别人。

   （容易　　始终　　盲目）

三　用指定的词语完成句子

1. 虽然我们热爱和平,但是 _____。(遵循)

2. 虽然法国服装的式样不错,但是如果全世界 _____
_____。(仿照)

3. 你先别着急,再仔细想一想, _____
_____。(欲速则不达)

4. 他学中文已经学了三年了。他觉得自己的中文已经不错了, _____
_____。(于是)

5. 他考试以前从来不好好复习, _____
_____。(难免)

6. 中国政府认为,台湾问题要 _____
_____ 才能讨论。(在……前提下)

四　判断划线部分,并予解释

1. 减肥不仅仅只是为了美容,减肥是为了健康,它必须遵循安全第一的原则。
   指容易使自己变得好看,或是指 _____

2. 凑热闹减肥。如某女大学生宿舍共有 4 人,其中 3 人在努力减肥,另一位
   也在凑热闹跟着减肥。
   指因为天气热,太拥挤,或是指 _____

3. 个别人为了达到快速减肥的目的,甚而敢冒风险,不顾健康直到后来生了
   大病才后悔。
   指"非常",或是指 _____

4. 缺乏决心与恒心,强调工作忙、学习紧张,三天打鱼两天晒网式的间断减
   肥也往往失败。
   指不顾天气好坏,或是指 _____

五　按照正确顺序组合下列句子

1. A. 照照镜子对自己的形象不满意了
   B. 有的人本来不需要减肥
   C. 就急急忙忙去吃药减肥
   1) _____　　2) _____　　3) _____

2. A. 直至得了非常严重的大病才停止减肥
   B. 有人为了达到快速减肥的目的,乱吃各种药
   C. 根本不听医生的话
   1) _____　　2) _____　　3) _____

3. A. 就匆匆忙忙买来了钢琴想学

　　B. 后来免不了以把钢琴卖掉告终

　　C. 他从来就不喜欢音乐

　　D. 但是常常听到别人喜欢谈论歌剧

　　　1)　　　　　2)　　　　　3)　　　　　4)

4. A. 往往就会觉得自己越学越不会

　　B. 每天盲目地练习

　　C. 如果你没有学习语言的正确的方法

　　　1)　　　　　2)　　　　　3)

5. A. 你就必须天天努力练习

　　B. 不管你多么聪明

　　C. 要想学好一种外语

　　D. 不然免不了以失败告终

　　　1)　　　　　2)　　　　　3)　　　　　4)

六　写作练习

1. 这是一篇报道事实的新闻稿,它在写作上和前面的文章有什么不同?

2. 作者是怎样报道事实和有关内容的?

3. 医药类的新闻往往都富有指导性意义,作者在这儿是怎样表达这样的观点的?

4. 这篇新闻作者采用了简单分段分条的表达方式,这样写作有什么好处?

5. 根据你了解的情况和你熟悉的本国报纸上报道的新闻、统计数字,能否写出一篇这样的文章(如介绍减肥、失业、疾病、交通事故统计等)?

七　课堂讨论题

1. 你熟悉减肥这个话题吗?你,或你的同学、朋友等有没有减肥的?用的是什么样的方法? 成功吗?

2. 你认为人们需要不需要减肥? 什么样的人需要减肥?

3. 你认为应该怎样减肥?除了这篇文章的说法外,你听说过什么好的方法?

4. 你对各种减肥广告有什么看法? 你觉得应该不应该相信广告? 为什么?

5. 你认为我们课文建议的几条减肥方法有没有道理? 你愿意试试吗?

风格和文体介绍：　INTRODUCTION OF THE WRITING STYLE

　　这是一篇夹叙夹议的论说性的新闻。它以事实为依据,强调论题的严重性,希望引起读者的关心。

　　本文的一个中心目的是告诫读者不要盲目减肥,减肥不当会发生危险,它的重点在于介绍减肥与医疗、减肥与医药的关系。除了强调上述关系以外,作者介绍了一些药物的危害性。这个题目比较专业和抽象,但由于前面例子和论说的比较充分,下面的专业性论述也会引起读者的兴趣和留心。这样,这篇新闻的目的就达到了。

减肥是一种医疗行为

　　最近,本市有一位 18 岁的少女因盲目服用某种减肥保健品进行减肥,结果发生了猝死的惨剧。减肥猝死虽然是个例,但是,市场上减肥产品良莠不齐,甚至某些产品还含有违禁药物, 再加上目前随便购买和使用减肥药品及减肥保健品的现象非常普遍,多数肥胖者不把肥胖当成病,更不把减肥视作医疗行为,在选择药品前不问成分和药理,也不向医生咨询,有的还盲目加大剂量,所以,因减肥不当而发生中毒,猝死也就不稀奇了。

　　其实,早在 1997 年世界卫生组织就已宣布,肥胖可视为一种代谢综合症,是一类慢性病的总称。在经济发达的国家或地区, 肥胖病的严重程度仅次于艾滋病、高血压、糖尿病和肿瘤。据保守估计,我国目前有 7000 万人受到肥胖病的困扰。在一些大城市,每 12 个人中有一个胖子,而且肥胖常常伴有许多与肥胖相关的疾病,如高血压、高血脂、糖尿病等等。因此,减肥绝不仅仅是为了美容,减肥是为了健康,是一种医疗行为,但减肥必须遵循安全第一的原则。

　　到医院由医生来指导减肥,除了指导患者合理使用减肥药物、监控并调整减重计划、控制与肥胖相关危险因素外,还可以得到饮食和运动的专业指导,并为下一代建立良好的生活方式。

　　目前市场上盛行的减肥药物主要分两大类:中枢神经作用药物和非中枢神经作用药物。在我国,前者以芬氟拉明和西步曲明最为常见,其中芬氟拉明因有可能引发心脏膜疾病,早在 1997 年就在美国被全面禁止使用;西步曲明则可能引起血压升高、心率加快。因此使用中枢神经作用的药物应当遵从医生指导,同时要定期检测心跳和血压的波动,有心血管和中风史的人更应慎用。至于非神经中枢药物奥利司他,主要是作用于胃肠道,阻断部分膳食脂肪的吸收,其不良反应基本为胃肠道反应。

某些减肥保健品的吹牛广告词：

诱导脂肪分解,哪里脂肪多了,就把它转化能量消耗掉
脂肪溶解后可随小便排出
脂肪燃烧的催化剂
体重下降不多,腰围却明显缩小
洗脸可以瘦,见好就要收
脂肪传送带,脂肪燃烧器

减肥治疗"五个一"

写好一本日记
控制一顿晚饭
快走一公里路
选好一种治疗
作好一年准备

生 词 (8.3)
Vocabulary

1. 盲目 盲目	mángmù	(形)	没有目的的,不明确的 blindness
2. 猝死 猝死	cùsǐ	(动)	突然死亡 sudden death
3. 良莠不齐 良莠不齊	liáng yǒu bù qí	(习语)	好的和坏的混在一起 the good and bad are intermingled
4. 违禁 違禁	wéijìn	(动)	违反禁令 violate a ban
5. 代谢 代謝	dàixiè	(名)	变化演进 metabolize
6. 监控 監控	jiānkòng	(动)	监督和控制 supervise and control
7. 中枢 中樞	zhōngshū	(名)	中央的,起决定作用的 backbone; centrum; nerve centre
8. 诱导 誘導	yòudǎo	(动)	引诱和引导 abduction; inducement
9. 脂肪 脂肪	zhīfáng	(名)	肥肉,油脂 fat; fattiness
10. 催化剂 催化劑	cuīhuàjì	(名)	使尽快发生变化的药品 activator; catalyzer; katalyst

浏览测试
Reading For Main Ideas

这篇文章谈论了减肥跟医疗相关的三个问题。其中第二个问题我们已经为你提供,请你用其他两个句子来总结出另外两个主要内容:

第一个内容:

_____。

第二个内容:
世界卫生组织认为肥胖是一种病,目前我国有很多人患有肥胖病。

第三个内容:

_____。

阅读细节
Reading For Details

* 细读下面的回答并圈出正确的结论。
* 和你的同学比较、讨论,看看谁的答案对。
  1. 本市发生少女猝死的惨剧的原因是:
     ◇ 减肥产品良莠不齐。
     ◇ 多数肥胖者不把肥胖当成病。
     ◇ 不咨询医生,盲目减肥。

  2. 世界卫生组织宣布,肥胖是一种慢性病的总称,它:
     ◇ 在经济发达的国家和地区非常严重。
     ◇ 是据一种保守的估计。
     ◇ 决不仅仅是为了美容。

  3. 这篇文章指导肥胖病患者最好到医院由医生指导减肥是因为:
     ◇ 这样减肥减得比较快。
     ◇ 这样减肥比较有利于美容。
     ◇ 这样减肥比较健康、安全。

4. 现在市场上的减肥药物有中枢神经和非中枢神经两种作用药物,其中:
   ◇　中枢神经药物比较危险。
   ◇　中枢神经药物比较有效。
   ◇　中枢神经药物作用于肠胃道。

深度阅读
Reading Between The Lines

• 和你的同学讨论下列问题,并写出你们的答案。

1. 这篇文章谈论了减肥和医疗的关系问题。它从哪些方面说明了减肥者必须把减肥看成医疗行为的原则?

   _____

   _____

2. 世界卫生组织为什么宣布肥胖是一种疾病?肥胖在哪些方面影响人们的生活健康?

   _____

   _____

3. 现在市场上流行的是哪些减肥药物? 它们有哪些危险? 你觉得除了药物以外,减肥还应该有什么别的好的方法?

   _____

   _____

泛读篇

风格和文体介绍： INTRODUCTION OF THE WRITING STYLE

这篇文章的题目就很吸引人。亲切、口语化,还有些神秘。

下面的小标题就严肃而且让人感到严重了。文章开头以问句入手,自问自答,写得很巧妙,也很引人注意。它首先介绍了一个新名词"第三态",说得通俗易懂,但是让人感到可怕。接着介绍第三态对人们的危害。这种看上去不是病的病应该得到广大读者的重视。然后用大量的数据和例子来说明道理,让人们学会如何预防和对付它。

整篇文章鲜明、有力,道理也讲得很明白,是一篇好的新闻报道。

第三态在向你招手

据统计,全球 57 亿人中,约有半数人口处于没有疾病却感觉身体不舒服的"第三状态"。60% 的中国人,即七亿左右的中国人处于第三状态。

上海 6000 位无症状的"健康人"中,名副其实的健康者只有 27.2%,72.8% 的人处于第三态。

您知道现代社会中最可怕的是什么?是第三态,即我们通常所说的亚健康。

据调查,全世界约有 60% 的人类正在遭受第三态的折磨。而更可怕的是,我们每个人都会面临第三态症状。它像一把钝刀,缓慢而残忍地割裂我们的躯体和生活。

那么,什么是第三态呢?我们常常会听到以下的感叹:"我没有病,但时常觉得自己很虚弱"、"我经常没来由地发火,看什么都不顺眼"、"我觉得我的生活乱糟糟"、"我好像再努力也不能获得满意的生活"、"我实在太累了,活得真没意思"……很可能,您自己也会不时有类似的感受。

这种体验之所以如此普遍,不是没有道理的。因为最新科学研究发现,人类中 60% 的人都处于一种奇怪的状态。他们在一般情况下能正常学习、工作 、生活,

但显得生活质量差、工作效率低、极易疲劳,同时也可能伴有食欲不振、失眠 健忘、心绪不宁、精神萎靡、焦虑忧郁、性功能减退等表现。从现代临床医学看,其病理改变及各种生化检查结果尚不足以作为明确诊断为某种疾病的依据, 即从医学上无法确诊为某种病患。与此同时,这种状态虽然与心理病患有类似表现,但其严重程度往往不能构成心理医学范围的神经官能症。现代医学将这种介于健康与疾病之间的生理功能低下的状态称作"第三态"。正如苏联科学家 Breekman 教授所提出的,在人体健康与疾病态之间存在着一种第三态(the third state),也称诱发病状态(licit illness state), 这是人体处于非病非健康,有可能趋向疾病的状态,在很大程度上是某种慢性疾病的潜伏期。

据资料统计,全球 57 亿人口中,约有半数人口处于没有疾病却感觉身体并不健康的"第三态"。中国的医学工作者经过研究,也在最近宣布:60%的中国人,即七亿左右的中国人处于第三态。比如在前几年,上海市卫生局国际医学交流中心曾为 6000 位无症状的"健康人"作了全面系统检查,发现名副其实的健康者只有 27.2%,72.8% 的人处于并非健康的第三态、同时检测出各种肺病、心血管病、糖尿病及脂肪肝等 360 多人,占 17.5%。《健康报》则载文指出,我国有 85%的企业管理者处于"第三态",或患有一些本可避免的疾病。

据我国卫生部对十个城市上班族的调查,处于第三态的人占 48%,其中沿海城市高于内地城市,脑力劳动者高于体力劳动者,中年人高于青年人。在北京,一份追踪 10 年的知识分子健康调查报告也显示了同样令人担忧的结果:清华大学 2056 名教职员工体检发现 35.2% 的人患病;北京大学 30 岁到 60 岁的中年知识分子,每年有 20 到 30 人英年早逝;中国科学院自动化所 616 人体检,有 513 人出现异常;中国科学院计算机所 90%的女性有各种不适症状;中国科学院数学所各级知识分子中有 71.7%的人有高脂血症。由此可见,第三态已严重地威胁着现代人的身心健康,它是现代人未老先衰的密码。

第三态不是疾病,是出现难以用某一种病予以解释的综合症状。因此,目前国内外尚无统一的诊断标准。据悉,从今年 11 月起,中华医学会等单位将在上海举办"关爱自己,关注生命第三态健康自测"活动,并将组织各个领域的专家,开展第三态的专题研究,制定第三态诊断标准及评价指标体系等。研究第三态的目的之一就是要使 40—60 岁这一阶段的衰老速度放慢,提高身体素质,延长有效的工作年龄,改善生活质量。

生 词 (8.4)
Vocabulary

1.	亚 亞	yà	（形）	第二的 second; sub-
2.	割裂 割裂	gēliè	（动）	把不应该分开的东西分开 dissever
3.	食欲 食慾	shíyù	（名）	吃饭的愿望 appetite; belly; orexis
4.	失眠 失眠	shī mián	（动）	夜里睡不着或醒后不能再入睡 insomnia
5.	健忘 健忘	jiànwàng	（形）	容易忘事,一种疾病 have a bad memory; forgettery
6.	心绪 心緒	xīnxù	（名）	心情 frame of mind; vein
7.	萎靡 萎靡	wěimǐ	（形）	精神不好 sag
8.	官能症 官能癥	guānnéngzhèng	（名）	功能性的疾病 functional disease
9.	诱发 誘發	yòufā	（动）	导致发生(疾病) place a premium on
10.	潜伏期 潛伏期	qiánfúqī	（名）	病毒或细菌侵入人体后至发病前的时期 delitescence; latent period
11.	英年早逝 英年早逝	yīngnián zǎo shì	（习语）	在年轻时去世 die in the brilliant year
12.	体检 體檢	tǐjiǎn	（动）	检查身体 check up; physical examination
13.	症状 症狀	zhèngzhuàng	（名）	疾病的情况 symptom
14.	未老先衰 未老先衰	wèi lǎo xiān shuāi	（习语）	年纪还轻但已经开始老化 prematurely senile

浏览测试
Reading For Main Ideas

这篇文章谈了下面一些主要的内容。第一个内容我们已经为你提供,请你写出其他两个句子来总结出另外两个主要内容:

第一个内容:
第三态是在现代社会威胁我们健康的一种情况。

第二个内容:

_____。

第三个内容:

_____。

阅读细节
Reading For Details

- 细读下面的回答并圈出正确的结论。
- 和你的同学比较、讨论,看看谁的答案对。

　　1. "第三态"是一种 _____ 的状态:
　　　　◇　缓慢而残忍
　　　　◇　严重的疾病
　　　　◇　亚健康

　　2. 全世界大约有 _____ 的人口处于"第三态"。
　　　　◇　60%
　　　　◇　6000 位
　　　　◇　72.8%

　　3. 卫生部的调查显示 _____ 容易患有"第三态"症状:
　　　　◇　脑力劳动者 / 中年人
　　　　◇　体力劳动者 / 中年人
　　　　◇　脑力劳动者 / 青年人

4. 对于"第三态"症状,目前:
   ◇   已经有了治疗的方法
   ◇   还没有统一诊断的标准
   ◇   还找不到得病的原因

深度阅读
Reading Between The Lines

• 和你的同学讨论下列问题,并写出你们的答案。

1. 什么是"第三态"? 为什么全世界人口中"第三态"患者那么多?

_____

2. 和一般疾病相比,"第三态"有什么不同处和可怕之处?

_____

3. 为什么中国沿海城市、脑力劳动者和中年人更容易成为"第三态"患者?

_____

• 请在字典上查出下面一些常见病的名称,并讨论它们和健康的联系。

偏头痛 _____	神经衰弱 _____
失眠症 _____	高 血 压 _____
脑溢血 _____	中 风 _____
颈椎炎 _____	脑 炎 _____
肺 炎 _____	胸 膜 炎 _____
心脏病 _____	肾 炎 _____
糖尿病 _____	感 冒 _____
肠胃炎 _____	肝 炎 _____
关节炎 _____	过 敏 症 _____

风格和文体介绍： INTRODUCTION OF THE WRITING STYLE

　　社会性新闻的一个重要功能就是暴露社会问题,引起人们的注意,从而改善社会环境和提高人们的社会素质。社会性新闻表扬好的,批评坏的。这篇新闻是这方面的一个代表。

　　整篇文章介绍了一个违反社会道德和影响人们身体健康的坏事。这件事是一个市民报告的。记者来到现场进行采访报道。这篇报道的题目非常鲜明,引人留心。首先记者描写环境,以呼应题目。为了给人深刻印象,作者在这儿花了不少笔墨。接着作者介绍了这儿的历史,然后详细说明了事情的原委,提醒人们注意。记者不是法官,但他们用自己的笔主持公道。这种社会批判很重要。如果这些坏人坏事再得不到改正,法律就会制裁他们了。

　　这类新闻注重描写和纪实。整个文章写得比较客观、可信,平铺直叙但也有议论。

臭水沟旁磨豆腐　厕所后边烤扒鸡
成寿寺一伙儿外地人私开作坊加工食品

　　昨天,家住丰台区成寿寺的王女士给本报打来电话反映,在成寿寺的一条臭水沟旁有人临沟建起了豆腐坊,不远的厕所后边成了扒鸡坊,那里的环境又脏又臭,生产的豆腐和扒鸡却在附近的市场和小超市中出售。

　　笔者闻讯马上赶到丰台区成寿寺一带去看个究竟,来到这里,只见臭水沟有两米多宽,两岸湿湿的,污水的臭味很远就能闻到;污水中飘浮着废物垃圾,看了让人直倒胃口。就是在这样的一条臭水沟旁边,临沟露头筑起了三个灶台,灶台上放着三口大锅及支架。在三口大锅的北侧紧靠臭水沟的位置,笔者还看见两个盛满豆腐渣的铁桶,脏兮兮的,令人恶心。

　　据附近居民刘老太讲,臭水沟自从她嫁到这儿时就有了,已经六七十年了,从前水很清,现在成了臭水沟。尽管每年开春都有人来清淤,可总是有些不自觉的人往里乱扔乱倒剩菜剩饭垃圾废物等,加上外地人在此居住特别多,致使沟水越来越混浊,而且,夏季雨水一多,沟中雨水涨满沟面,脏水横流,居住在沟两侧的住户都无法出门。据在此居住的王女士讲,由于这里距离农贸市场和集贸市场很近,一些外地来京人员,租下一些破民房,在此做生意。临沟的这个豆腐坊是今年4月份新建的,生产的豆腐就近在农贸市场上出售,如果是批发,很可能会流入一些超市。知道内情的人,很少买,但也有些不知道内情的就经常购买。恐怕他们知道这些豆腐是在臭水沟旁做出来的,也就一定不会购买了。

　　在距离臭水沟不远处的一个又脏又乱的厕所后边,笔者在王女士的引领下,找到了那个傻子扒鸡生产坊。强忍着冲鼻的恶臭,笔者走近细看,只见扒鸡坊是一个邻厕砖砌的简易小屋,靠臭水沟的一面,有三个排污孔,鸡血、鸡毛、煮鸡水、鸡内脏、鸡粪等赃物顺着那里排出,流入臭水沟。从墙的缝隙往里看,里面黑黑的,看不大清楚,一股难闻的鸡粪味飘出来。这些生产出来的傻子扒鸡,除就近在市场上低价出售外,也批发给一些小超市,不用说卫生合格证身体健康证和营业执照等、证照,就连基本的用水也不干净。在这种条件下生产的扒鸡卖给消费者,真不知道这些只知道赚钱的老板是怎么想的。

生　词 *(8.5)*
Vocabulary

1. 坊 坊	fáng	(名)	工作车间 workshop; mill; lane
2. 倒胃口 倒胃口	dǎo wèikǒu	(动短)	没有食欲 spoil one's appetite
3. 灶台 竈臺	zàotái	(名)	炉子旁边 hearth; stove
4. ……兮兮 ……兮兮	...xīxī	(语气)	描写语气词 vivid description
5. 恶心 噁心	ěxīn	(形)	让人想呕吐 naupathia; nausea
6. 清淤 清淤	qīngyū	(动短)	清除河里的脏泥 to clean the silt
7. 混浊 混濁	hùnzhuó	(形)	肮脏不清洁 thickness; turbidity; turbines
8. 强忍 強忍	qiáng rěn	(动短)	努力忍住 to bear with a big effort
9. 恶臭 惡臭	èchòu	(形)	让人恶心的臭味 effluvium; foul; malodor
10. 缝隙 縫隙	fèngxì	(名)	裂缝、空隙 aperture; gap; lacune

浏览测试
Reading For Main Ideas

　　这篇文章描写了一则重要的社会新闻,揭露了一些不良的社会现象。它通过记者的实地采访、环境描写和对事实的报道批评了坏人坏事。我们已经为你提供了第二个部分的内容,请你写出其他两个句子来总结出另外两个部分的主要内容:

第一个内容:

_____。

第二个内容:
通过环境描写来引起读者的关心和注意。

第三个内容:

_____。

阅读细节
Reading For Details

- 细读下面的回答并圈出正确的结论。
- 和你的同学比较、讨论,看看谁的答案对。
  1. 作者是通过下面的方法得到消息去采访的:
     - ◇　看到了脏乱的环境
     - ◇　买到了不干净的食品
     - ◇　有人报告情况

  2. 记者赶到地方以后,找到了打电话的 _____ 了解情况。
     - ◇　刘老太
     - ◇　王女士
     - ◇　外地人

  3. 这个豆腐坊做出的豆腐主要是卖给 _____ 。
     - ◇　不知道内情的人
     - ◇　知道内情的人
     - ◇　附近的农贸市场

深度阅读
Reading Between The Lines

- 和你的同学讨论下列问题,并写出你们的答案。

1. 臭水沟为什么已经六七十年了,不能治理好?

_____

2. 为什么有人在这么不干净的环境下制造食品?

_____

3. 在这么脏的环境下做出的食品,为什么还会有人买?

_____

速读练习　在速读练习中你不必查字典,也不必认识课文中的每一个字。如果除了提供的词汇你还有生词,你可以根据上下文来猜测生词的意思,试着读懂课文的内容。这种练习的目的是让你忽略细节,争取读懂文章的主要内容。

杨威扬威
—— 记体操男子新"全能王"

悉尼奥运会体操全能银牌得主杨威今晚终于加冕九运会体操"全能王"。前天,在九运会男子体操团体决赛中,正是杨威在单杠上不慎落下,使得由国家队队员组成的湖北队意外地丢掉了这块金牌,杨威当时心里非常难受。

在今晚的全能决赛中,杨威走出了前天失利的阴影,不仅每项动作都做得干净、漂亮,而且是全场最精神抖擞的选手;每项比赛结束后,他都要高举右臂,用力挥一下拳头。挂上沉甸甸的金牌,杨威感慨地说:"前天晚上我的心情差到极点。但经过了很多大赛,我想只要一天的时间我肯定会振作起来。"当被问及比赛时有没有压力?杨威也说的很坦率:"这两天连睡觉时都感到压力。但是,我认为一直想到压力,迟早会被压死,而我不会。"

今年21岁的杨威,5岁进湖北省仙桃市业余体校,10岁进湖北队,16岁被选入国家队。目前,他是我国男子体操主力阵容中的一名全能型选手,自由体操、吊环是他的强项。国家体操队总教练黄玉斌一直说,继李小双之后,能够担当"全能王"重担的非杨威莫属。而杨威今晚也发出了誓言:"现在我正是体操比赛的黄金年龄,我要像李小双那样,在奥运会上拿到全能金牌!"

《文汇报》2001/11/17

生　词 (8.6)
Vocabulary

1. 全能	quánnéng	(形)	一种体操项目的名称
全能			almightiness; omnipotence
2. 银牌	yínpái	(名)	第二名奖励
银牌			silver medal

3. 加冕 加冕	jiā miǎn	（动）	君主即位的仪式 coronate
4. 决赛 決賽	juésài	（名）	最后的比赛 fight-off; final; playdown
5. 单杠 單杠	dāngàng	（名）	体操器械 horizontal bar
6. 不慎 不慎	búshèn	（形）	不小心 incautious
7. 失利 失利	shī lì	（动）	失败 give ground
8. 精神抖擞 精神抖擻	jīngshén dǒu sǒu	（习语）	精神高昂 in high spirits; in excellent form
9. 感慨 感慨	gǎnkǎi	（形）	心情激动 sigh with emotion
10. 振作 振作	zhènzuò	（动）	使精神旺盛,情绪高涨,奋发 perk; pluck up; re-collect
11. 坦率 坦率	tǎnshuài	（形）	坦白真情 freedom; frankness; plain dealing
12. 阵容 陣容	zhènróng	（名）	作战队伍的外貌 lineup
13. 自由体操 自由體操	zìyóu tǐcāo	（名）	体育项目名称 free exercise
14. 吊环 吊環	diàohuán	（名）	体育器械 flying rings; stationary rings; the swing ring
15. 强项 強項	qiángxiàng	（名）	有优势的地方 indomitable; forte

练习题

一 请根据课文判断正误

1. 杨威是悉尼奥运会体操比赛的"全能王"。（   ）

2. 湖北体操队是由国家队运动员组成的。（   ）

3. 杨威第一次比赛失败了,所以第二次比赛时心情差到了极点。（   ）

4. 虽然杨威夺得了金牌,但他在比赛中仍然有压力。（   ）

5. 杨威从五岁时就开始练习体操了。（   ）

二 请根据课文回答下列问题

1. 杨威在悉尼奥运会时的名次是第几？
2. 杨威是怎样对待压力的？他为什么会振作起来？
3. 杨威是什么时候进入国家队的？他在哪些项目上最出色？
4. 对自己的未来,杨威有哪些希望和梦想？

九运枪挑金牌　六朝元老落泪

11时44分,王义夫蹲在地上慢慢地整理着枪械,记者团团围拢上来。男子十米气手枪比赛刚刚结束,在一场坚韧的追击战中,王义夫后来居上,拿到了众人瞩目的九运开幕后的首枚金牌。

抬起脸的时候,王义夫已是热泪奔涌。"赢得今天的比赛,是20多年射击生涯中最让我激动的事情。"这位成名已久的奥运冠军轻轻地说道。

从1974年至今,王义夫已经参加了六届全运会,他自己戏称这是个很难被超越的"记录"。像他这样的老将、名将,要一直保持良好的竞技能力和比赛激情,面临的问题是相当复杂的。王义夫和妻子张秋萍现在都是清华大学的学生,王义夫读的是经济管理专业。王义夫觉得:"读大学能给我们带来持久的活力,也有利于更好理解、面对整个生活。"而在"整个生活"里,王义夫一如既往地把射击作为最重要的焦点。"我参加了六次全运会,但奥运会只参加了五届,至少应该努力再打一届吧。当然如果能一直保持状态,我还想打到2008年北京奥运会呢!"他半开玩笑地说。

生词 (8.7)
Vocabulary

1. 坚韧 堅韌	jiānrèn	（形）	坚强结实 diligency; tenacity	
2. 后来居上 後來居上	hòu lái jū shàng	（习语）	落后变成先进 the latecomers surpass the formers	
3. 瞩目 矚目	zhǔmù	（形）	注目 fix eyes on; focus attention upon	
4. 枚 枚	méi	（量）	量词 measure word	
5. 竞技 競技	jìngjì	（形）	体育项目名称 athletics; sports	
6. 持久 持久	chíjiǔ	（形）	时间长 long haul; perdure; permanence	

练习题

一　请根据课文判断正误

1. 因为没有得到金牌,所以王义夫流泪了。(　　)
2. 在这场比赛刚开始,王义夫是落后的。(　　)
3. 王义夫从 1974 年到现在,已经参加了六届奥运会了。(　　)
4. 王义夫认为读大学对他的事业和生活都有好处。(　　)

二　请根据课文回答下列问题

1. 王义夫为什么会哭?作者为什么说这场比赛是"坚韧的追击战"?
2. 王义夫为什么戏称自己的纪录很难被超过?
3. 王义夫认为在他的生活中什么最重要?
4. 王义夫对自己有什么希望?他为什么"半开玩笑地说"?

速读篇

速读练习 在速读练习中你不必查字典,也不必认识课文中的每一个字。如果除了提供的词汇你还有生词,你可以根据上下文来猜测生词的意思,试着读懂课文的内容。这种练习的目的是让你忽略细节,争取读懂文章的主要内容。

吃花美容无科学依据

鲜花虽然美丽,但吃花是否能够带来美丽呢?

哈尔滨市道里区妇女李某,近日因突发高血压及严重内分泌失调住进了医院。医生询问并经检查证实,李某近期为了美容而服用了玫瑰花、菊花和红花,这三种花瓣是使其得病的主要原因。据了解,像李某这样因吃花美容而得病的患者不断增多。她们中有的人以干花泡水饮用,有的则将多种花瓣用水煎服,而最终引起下腹疼痛或湿疹等其他症状,与美容的目的背道而驰。

吃花是否对人有好处?专家的解释是:花可以分为有益无害的,如菊花等;有毒的,如芍药花、臭球花等;应对症下药的,如月季花、荷花、金银花、槐花等;另外还有一些既无害又无益的观赏花。至于如今在女性中流行的"吃花就能美容"的理论,专家认为完全没有科学根据。弄不好还会对身体有害。以李某为例,她所食用的红花属应对症下药的花,如食用不当就会引起妇女病或心脑血管疾病,甚至因此丧命。

生 词 (8.8)
Vocabulary

1. 煎服 煎服	jiān fú	(动短)	煮并食用 drink after boiling
2. 背道而驰 背道而驰	bèi dào ér chí	(习语)	和自己的愿望相反 run counter to; run in the opposite direction

练习题

一 请根据课文判断正误

1. 李某觉得吃花能够使她变得像花一样好看。（   ）

2. 李某因为吃花得了很严重的病。（   ）

3. 专家认为,用吃花的方法来美容没有科学根据。（   ）

4. 有的花有毒,吃了对身体有害。（   ）

5. 有的花吃了能危及人的生命。（   ）

二 请根据课文回答下列问题

1. 人们为什么要吃花? 花跟美容有什么关系?

2. 吃了花以后,李某出现了哪些问题?

3. 专家对吃花美容有什么看法?

4. 专家认为,什么花能吃?

5. 专家为什么认为"吃花就能美容"没有科学根据?

速读篇

速读练习　在速读练习中你不必查字典,也不必认识课文中的每一个字。如果除了提供的词汇你还有生词,你可以根据上下文来猜测生词的意思,试着读懂课文的内容。这种练习的目的是让你忽略细节,争取读懂文章的主要内容。

小偷逃跑落河溺毙　农民被控杀人保释

[本报长沙讯]　湖南三位农民,2月底在临湘市桃林乡追赶一名小偷时,小偷慌不择路掉进河里遇溺死亡,三位农民被当地公安局以"间接杀人罪"立案拘留,虽然检察院16日认为三人犯罪事实不清、证据不足不予逮捕,但三人仍需保释候审。

湖南大学法学院教授段启俊表示,三名当事人捉小偷是见义勇为之举,虽有不及时救人和隐瞒不报错误,但三人无犯罪意图,所以应该是意外事件较恰当。

生 词 (8.9)
Vocabulary

1. 慌不择路 慌不擇路	huāng bù zé lù	(习语)	着急不顾道路 hurry and not look around
2. 拘留 拘留	jūliú	(动)	根据法律把人关押起来 detention; custody
3. 溺 溺	nì	(动)	淹没在水里 drown
4. 逮捕 逮捕	dàibǔ	(动)	根据法律把罪犯管制起来 arrest; arrestment
5. 保释 保釋	bǎoshì	(动)	有条件地释放 bail; bailment
6. 见义勇为 見義勇爲	jiàn yì yǒng wéi	(习语)	见到正义的事就勇敢地去做 ready to help others for a just cause

练习题

一　**请根据课文判断正误**

1. 小偷是怎么死的?当地公安局为什么说农民有罪?
2. 检察院对这个问题有什么看法,为什么?
3. 湖南法学院教授对这个问题是怎样看待的?
4. 你对这个问题是怎样看的?请你谈谈你的想法。

第九章　报纸上的新闻（四）

由于历史和政治、社会等原因,香港和台湾的中文报纸和中国内地的中文报纸在风格和表达上有一些不同,这种不同主要表现在内容和形式上。

在内容上,香港和台湾的中文报纸不像中国内地的报纸那样重视和强调政治新闻和国家大事、国家领导人的行踪等有关方面的内容而是更加关心经济、贸易、社会新闻以及和老百姓的趣味比较贴近的新闻。它们比较强调通俗性和趣味性,特别是对一些商品信息、消费类新闻、房地产、股票等内容报道较详细,同时它们也留心一些老百姓喜欢阅读的软性新闻和有趣的社会新闻。

在形式上,香港和台湾的报纸在表达方式上更多地保留了一些传统的语言习惯,比如它们有着更多的文言化的句法、词汇和表达方式,而内地的报纸则比较口语化和喜欢用白话文写作。在语言上,港台的报纸更喜欢用一些比较书面的词汇,喜欢用成语、熟语和相关性表达方式,喜欢引用诗句等。特别是在标题上港台的报纸喜欢使用对仗、谐音、拈连的修辞方法来传达生动有趣的效果(我们在第三章已经论述)。另外,在使用语言上,港台的报纸有时候也喜欢采用一些当地的方言。这些是在我们阅读和学习这类报纸时应该特别留心的。

精读篇

风格和文体介绍: INTRODUCTION OF THE WRITING STYLE

这是一篇香港报纸上的新闻,它报道的题目是老百姓都关心的。压力人人有,但不是每个人都知道怎样对付它。这样,这篇报道当然会引起读者的兴趣。

在文章开始,首先谈了两个非常极端的例子,让人们认识到问题的严重性。这种写法比较有力。接着报告香港人生活压力在世界的前列。这样的事实又一次提醒人们,如果是香港读者,当然会感兴趣继续读下去,即使不是香港读者,这种典型性的例子也让你有理由读下去。这是这篇报道写作成功的地方。此外,这篇报道喜欢用例子来说明问题,使文章生动、增加直观效果和可信度。在语言风格上,我们可以看到它比较喜欢应用文言,词汇也多用书面语表达。同时,我们留心到此文在语言应用上也有一些方言的表达方式。

港人减压千姿百态

过去几天,香港接连发生两宗中学生不堪学业压力而自杀身亡的惨剧。最近的一宗是24日报章所载,20岁的新移民洪姓会考生23日反锁家中自缢。他的

死与家境清贫、功课压力大有关。据报章报道，他死前就向家人倾诉："读书读得好头痛。"另一宗惨剧发生在上周二凌晨，16 岁应届女会考生在向父母发出"读书好辛苦，生存亦好辛苦"短信遗言后，在筲箕湾住所拥抱玩具娃娃从 11 层寓所跳楼。

香港人的生活压力长期以来排在世界大城市前列，曾有资料说，港人过马路步履之快，全球数一数二，另一个可以匹配的城市是东京。此言不虚。在香港过红绿灯路口，就不难感受到摩肩接踵的紧迫情形。步履匆匆，是现代都市人忙碌的一个标志，也是巨大生活压力的无声流露。港人的压力，据研究多数来自工作，包括学习。不少人就感叹大部分时间都花在做不完的工作上，心身俱累。在银行工作的阿美就诉说日子过得很累，她每天所要做的是在柜台站足 6 小时，还得时时保持最佳状态，面露笑意，处理一个接着一个的业务。她在北区居住，到港岛上班需要三度转车，单程就是个把小时。

在家里悠闲地煮一顿佳肴从容地品味，腾出大段时间静静地欣赏音乐等等，这些平常的生活，对不少港人来说竟然是奢望。很多人家都道：吃完晚饭，洗完澡，稍坐一会儿，差不多就到午夜了。

香港人压力较其他地方大，固然与高度城市化的生活环境有关，而竞争加剧是一个重要的因素。香港岭南大学前不久针对行政及经理人员的一项调查就发现，有接近一半的人自称时常受到压力的困扰。

物竞天择，适者生存。港人面对着很大的生活压力，同时也自然而然地形成了不少排解压力、保持身心健康的好方法，方法之多，千奇百怪，也算是应付环境的良策。其中最独特、最有名的是借漫画书解压，有人认为这是香港文化的一个内涵，但确实与减压动机有很大关系。漫画书为港地老少喜爱，在电梯间，在地铁车厢里，随处可见手捧漫画书看得入神的人，他们时而会忍俊不禁，嘿然一笑，惊动旁人却若无其事。至于习惯使用电脑者，排解压力的方法更是因人而异，套路多多。一位传媒工作者，就别出心裁地在自己电脑屏幕上养一只宠物大黑熊，偶然间它会突然跳出吼叫，嚷着要香蕉吃，并做出各种怪趣动作逗笑主人，令主人在笑声中减压。至于名人，也有独特的减压法子，咏诗就是其中之一。报载，电讯盈科副主席张永霖就喜欢背诗减压，喜欢"世事无穷做到老时学到老，人生有几得宽怀处且宽怀"。律政司司长梁爱诗遭谩骂时，也爱以杜甫诗句"尔曹身与名俱灭，不废江河万古流"自解。

生　词 (9.1)
Vocabulary

1. 宗 宗	zōng	(量)	量词 measure word	
2. 会考 會考	huìkǎo	(名)	统一的考试 national examination for college admission	
3. 自缢 自縊	zìyì	(动短)	上吊自杀 hang oneself	
4. 应届 應屆	yìngjiè	(形)	当年的毕业生 graduates of the year	
5. 步履 步履	bùlǚ	(名)	步子、步伐 step	
6. 匹配 匹配	pǐpèi	(动)	配合成对 matching	
7. 摩肩接踵 摩肩接踵	mó jiān jiē zhǒng	(习语)	形容人多 jostle each other in a crowd	
8. 最佳 最佳	zuìjiā	(形)	最好的 the best	
9. 奢望 奢望	shēwàng	(名)	过高的希望 extravagant hopes; wild wished	
10. 加剧 加劇	jiājù	(动)	加深严重的程度 prick up	
11. 物竞天择 物競天擇	wù jìng tiān zé	(习语)	符合自然的、有竞争力的 evolution by nature choice	
12. 良策 良策	liángcè	(名)	好的计划 good plan	
13. 解压 解壓	jiěyā	(动短)	减轻压力 decompression	
14. 忍俊不禁 忍俊不禁	rěn jùn bù jīn	(习语)	忍不住想笑 cannot help laughing	
15. 若无其事 若無其事	ruò wú qí shì	(习语)	跟没事一样 as if nothing happened; calmly	
16. 别出心裁 別出心裁	bié chū xīncái	(习语)	想法新奇 try to be unique	
17. 咏诗 詠詩	yǒngshī	(动短)	吟唱诗词 chant a poem	

| 18. 宽怀 | kuān huái | （动短） | 轻松、愉快心胸 |
| 宽懷 | | | relax |

报刊惯用语汇及表述模式

1. "不堪……压力，VO"

堪：能忍受。这样的句型表示因为不能忍受某种压力而做出了某种行动，前面是介绍原因，为了强调后面的事实。这是一种因果句。例如：

(1) 过去几天，香港接连发生两宗中学生不堪学业压力自杀身亡的惨剧。

(2) 由于不堪家庭生活困难的压力，他离家出走当兵了。没想到，过了四十年，他回来时已经成了一个有名的富商。

2. "排在……前列"

排：按照顺序摆放。排在前列就是摆在最前面的地方，说明位置比较突出、处在显著的地位。这是一种强调句式。例如：

(1) 香港人的生活压力长期以来排在世界大城市前列，曾有资料说，港人过马路步履之快，全球数一数二。

(2) 法国巴黎被称为"花都"，它是一个时髦的城市。巴黎的服装设计长期以来一直被排在世界服装设计业的前列。

3. "……固然与……有关"

"固然"：表示承认上面的事实，以便引起下面的转折性的表述。这种句式一般表达一种让步状态，它也强调后面表达的因素。例如：

(1) 香港人压力较其他地方大，固然与高度城市化的生活环境有关，而竞争加剧是一个重要的因素。

(2) 他喜欢这个电影固然与这个电影的故事动人有关，但是他特别喜欢这个电影的两个主角也是一个重要的因素。

4. "……，至于……"

表示要提到另一件事。这种句型有时是为了转换一个话题，但转换后的话题一般都跟前面的内容有关系。有时候有一种让步的意思。例如：

(1) 在电梯间,在地铁车厢里,随处可见手捧漫画书看得入神的人,他们时而会忍俊不禁,嘿然一笑,惊动旁人却若无其事。至于习惯使用电脑者,排解压力的方法更是因人而异,套路多多。

(2) 一位传媒工作者,就别出心裁地在自己电脑屏幕上养一只宠物大黑熊,它会做出各种怪趣动作逗笑主人,令主人在笑声中减压。至于名人,也有独特的减压法子。

小 词 典
跟本文有关的背景资料及术语介绍

1. 会考

"会"是集合、聚集的意思,会考就是所有考生集合在一起进行统一的入学考试。由于大陆、香港和台湾的人口比较多,大学相对比较少,每年高中毕业生报考大学的统一考试是一场最大的考验。因为有机会考上和被录取的希望比较小,所以会考是学生们的噩梦。

2. 物竞天择,适者生存

"竞"是竞争的意思。"择"是选择,天是自然和社会。"适"是指适应。这句有名的话是英国生物社会学家达尔文说的。它的意思是说每一种东西要想生存下去就必须接受自然和社会的选择,只有适应生活和经受得住考验的才能够生存下去。

3. 尔曹身与名俱灭,不废江河万古流

这是中国唐代著名诗人杜甫写的一个名句。"尔曹"的意思是指"你们这些人"。"俱"的意思是"都"。"废"在这儿的意思是"停止"和"中止"的意思。整个诗句的意思是说很多人的名字和生命都会灭亡,他们不能阻止江河继续向前流去。诗人的意思是让人们不必在乎别人对自己的评价,要敢于自己走自己的路。

练习题

一 根据词性搭配划线连词

不堪	清贫	受到	音乐
家境	前列	随处	可见
保持	业务	应付	品味
排在	压力	欣赏	环境
处理	状态	从容	困扰

二 根据课文内容选词填空

1. 香港人的生活压力长期以来一直排在世界大城市的_____。

   (面前   前列   里头)

2. 在家里自己做点菜品味或欣赏一下音乐,对香港人来说竟然是_____。

   (奢望   希望   压力)

3. 香港人压力较其他地方大,_____与高度城市化的生活环境有关,
   而竞争加剧是一个重要的因素。

   (因此   始终   固然)

4. 港人面对着很大的生活压力,同时也_____地形成了不少排解压
   力、保持身心健康的好方法。

   (物竞天择 自然而然 忍俊不禁)

5. 一位传媒工作者,就_____地在自己电脑屏幕上养一只宠物大黑
   熊,偶然间它会突然跳出吼叫,嚷着要香蕉吃,令主人在笑声中减压。

   (若无其事 别出心裁 因人而异)

三 用指定的词语完成句子

1. 今年春天的这场流行病,据说_____。 (与……有关)

2. 虽然这些年美国的失业率一直很高,可是_____
   _____。(排在……前列)

3. 对我来说,这个夏天能够_____
   _____。(奢望)

4. 他这些年一直不会用电脑,_____
   _____。(固然跟……有关,……)

5. 随着逐渐适应_____
   _____。(自然而然)

6. 虽然他总是喜欢＿＿＿＿＿＿＿＿＿＿＿＿＿＿＿＿

＿＿＿＿＿＿＿＿＿＿＿＿＿＿＿＿＿＿＿＿＿。（别出心裁）

四　判断画线部分,并予解释

1. 过去几天,香港接连发生两宗中学生不堪学业压力而自杀身亡的惨剧。

   指在不喜欢,或是指＿＿＿＿＿＿＿＿＿＿＿

2. 曾有资料说,港人过马路步履之快,全球数一数二,另一个可以匹配的城市是东京。此言不虚。

   指这句话不虚伪,或是指＿＿＿＿＿＿＿＿＿

3. 物竞天择,适者生存。港人面对着很大的生活压力,同时也自然而然地形成了不少排解压力、保持身心健康的好方法。

   指应该选择适当的生活方式,或是指＿＿＿＿＿＿

4. 至于习惯使用电脑者,排解压力的方法更是因人而异,套路多多。

   指每个人都很奇怪,或是指＿＿＿＿＿＿＿＿＿

五　按照正确顺序组合下列句子

1. A. 也是巨大生活压力的无声流露

   B. 港人的压力,据研究多数来自工作,包括学习

   C. 履匆匆,是现代都市人忙碌的一个标志

   1)　　　　2)　　　　3)

2. A. 腾出大段时间静静地欣赏音乐等等

   B. 这些平常的生活,对不少港人来说竟然是奢望

   C. 在家里悠闲地煮一顿佳肴从容地品味

   1)　　　　2)　　　　3)

3. A. 她每天所要做的是在柜台站足 6 小时,还得时时保持最佳状态

   B. 在银行工作的阿美就诉说日子过得很累

   C. 她在北区居住,到港岛上班需要三度转车

   D. 一程就是个把小时

   1)　　　　2)　　　　3)　　　　4)

4. A. 而竞争加剧是一个重要的因素

   B. 固然与高度城市化的生活环境有关

   C. 香港人压力较其他地方大

   1)　　　　2)　　　　3)

5. A. 港人面对着很大的生活压力

   B. 方法之多,千奇百怪,也算是应付环境的良策

   C. 也发明了不少排解压力、保持身心健康的好方法

   1)　　　　2)　　　　3)

六 写作练习

1. 细读课文,进一步理解这类新闻报道文体写作的基本特点。

2. 作者是怎样描写香港人面临的压力和怎样对付压力的?

3. 作者为什么在开头要举例子? 这对于读者理解本文有什么好处?

4. 这篇文章不长,但作者说了很多实例,而且说了五个人的故事。你认为介绍这些事对于读者理解本文的内容有什么帮助?

5. 请用三句话来写出这篇文章的中心思想。

6. 请你写一篇报道同学们学习、毕业、找工作压力或其他方面压力的短文。

七 课堂讨论题

1. 本文的作者是怎样看待香港人的压力和香港人对压力的态度的?

2. 香港人为什么有那么多的压力? 这篇文章说了哪些原因?

3. 本文作者为什么说"物竞天择,适者生存"? 你同意吗?

4. 谈谈香港人用什么办法来排出压力。

5. 你平时的生活有没有压力? 谈谈你是怎样对待压力的。

泛读篇

风格和文体介绍：　INTRODUCTION OF THE WRITING STYLE

　　从标题上可以看出，这仍然是一篇台湾的新闻。"当"一般是指抵押，这儿表述的是辞退或解雇的意思，不太准确，但这类新闻的题目有时候追求吸引人，往往对其他不太顾及。

　　这篇报道的内容比较丰富，谈了台湾一些高等学校普遍存在的问题，这些问题的确值得重视。但是，就像文章结尾部分说的，仅仅依靠学生们的评估也不一定符合客观的标准。

　　在新闻报道后面又加上了一则最新消息，这也是港台报刊的一种风格。它可以把一些题目近似的新闻放在一起报道，比较容易处理一些相近的主题。

　　这篇报道的内容比较新颖，题目有争议，范围也比较广泛，是篇值得一读的新闻。

教学评估　台大学生当掉十多位教授

　　[本报台北电]　有愈来愈多的大学，把学生填写的教学评鉴作为教师升等、晋薪，甚至是否续聘的参考，得分高的教授可以获得额外的"考绩奖金"，也有不少教师因此被"淘汰"。据指出，台大已有十多位教授由于评量成绩差提早办理退休。

　　台大从 1997 学年开始实施教学评量，必修课以及超过 10 人的选修课都要接受评量，为了让学生自由表达意见，评量问卷还开放非选择题目让学生发挥，作为优良教师选拔的依据。

　　淡江大学则是台湾最早实施教师教学评量的学校。淡大教务长傅锡壬表示，该校每年评鉴成绩倒数 15 名内的兼任教师，一律不续聘。评鉴太差的专任老师，则可能缩短聘期、不晋薪或强制参加改善教学技巧的工作坊。

　　中央、辅大等学校也把教学评量作为教师升等、出国进修的参考，由于大学教授审核区分为教学、研究、服务三项目，其中学生的评量意见就占整体教师评量分数的三分之一，教学评量成绩不理想的教师，还必须写检讨报告。

　　政大则采取温和作法，负责人关尚仁表示，本学期开始把评量成绩作为优良教师评选的重要标准。每 30 名教师产生一位优良教师，颁发奖状和奖金 3 万元，鼓励教师提升教学水准。

　　不过，师大主任王希平认为，学生替教授打分未必客观，例如过去学生流传师大教育系有三把刀，暗示教育系有三位严格的教

授,每年总要当掉一半的学生,虽然大家怨连连,却也成为学生收获最多的课程,因此目前师大只有少数科系采取教学评量。

[**本报台北廿四日电**] 捧着一本"万年笔记"、上课照本宣科,这种情形在各大学陆续实施教师教学评量以后已不复见;相反的,一向打别人分数的大学教授,也开始担心有一天会被学生"当"掉。有教授感叹,为了要表现自己具有"竞争力",现在有的教师也要懂得讨好学生了。

北部某私立大学一名年轻教师表示,他刚开始任教时,就有系上教授提醒他教学评量的重要,若要受到学生欢迎有三大条件,就是:分数给得"甜"、上课多讲笑话,还要对学生的缺席睁一只眼闭一只眼。

生 词 (9.2)
Vocabulary

1. 当	dāng	(动)	除掉,下去	
當			down	
2. 晋薪	jìnxīn	(动短)	提高工资	
晉薪			raising salary	
3. 续聘	xùpìn	(动短)	继续聘任	
續聘			continue hiring	
4. 额外	éwài	(形)	超出规定范围或数量的	
額外			extra; superfluity	
5. 淘汰	táotài	(动)	去掉、裁去	
淘汰			eliminate through selection or contest; fall into disuse; wash out	
6. 兼任	jiānrèn	(动)	在本职之外担任的	
兼任			part time; pluralism	
7. 专任	zhuānrèn	(动)	专门担任的	
專任			professional	
8. 工作坊	gōngzuòfáng	(名)	训练班	
工作坊			workshop	
9. 照本宣科	zhào běn xuān kē	(习语)	没有创造性	
照本宣科			repeat what the book says	
10. 讨好	tǎo hǎo	(动)	巴结人	
討好			apple-polish; blandish	

浏览测试
Reading For Main Ideas

这篇文章介绍了台湾大学学生对老师教学评议的情况，而且介绍了这种方法对其他学校的影响。这篇文章也评论了这样做的一些好处和坏处，提出了一些相反的意见。全文可以分为三个部分。我们已经为你提供了第三个部分的内容，请你写出其他两个句子来总结出另外两个部分的主要内容：

第一个内容：

_____ 。

第二个内容：

_____ 。

第三个内容：
学生给老师打分有一定的坏处，会让一部分老师放松严格要求，讨好学生。

阅读细节
Reading For Details

· 细读下面的回答并圈出正确的结论。
· 和你的同学比较、讨论，看看谁的答案对。
   1. 台湾有些大学把学生对老师教学的评估作为参考，来决定对老师的：
      ◇ 提早办理退休
      ◇ 长工资、升级
      ◇ 得分高低

   2. 在淡江大学，每年学生评鉴倒数 15 名内的兼任教师会：
      ◇ 不被续聘
      ◇ 缩短续聘
      ◇ 强制参加工作坊

   3. 有些大学要求学生教学评量不好的教师：
      ◇ 出国进修
      ◇ 写检讨报告
      ◇ 上必修课

4. 但是有的学校不赞成完全按照学生的评量来看待老师,因为:
   ◇ 上课照本宣科
   ◇ 睁一只眼闭一只眼
   ◇ 打分数未必客观

深度阅读
Reading Between the Lines

• 和你的同学讨论下列问题,并写出你们的答案。

1. 按照大学生的教学评鉴来评价老师的教学有什么好处?有什么坏处?

_____

2. 对于学生评鉴水平不高的老师不同的学校各自采用什么不同的办法?

_____

3. 为什么师大主任对学生评鉴有不同看法?

_____

4. 你认为怎样的老师是好老师?老师要讨好学生来显示"竞争力"吗?

_____

风格和文体介绍：　INTRODUCTION OF THE WRITING STYLE

　　这篇报道是香港新闻，这是一篇描写人物的报道。因为报道的主人是位名人，文章的开头就先介绍了他的情况。文章开头除了谈作为学者的主人公外，还专门提到了"赢钱"，使我们看出香港新闻的趣味性和特色。

　　接着报道时间、地点、人物和事件，注重描写了主人公的风采和态度，作者注意了很多细节，描写很感人，这是本文的可取之处。

　　下面一篇连续报道补足了主人公的身世和传奇故事，呼应了轰动一时的电影故事，同时也从侧面介绍了主人公的经历，和前面的文章互相补充。有时候，这样把两篇文章衔接起来从不同角度报道的效果非常突出有力。

诺贝尔经济学奖得主纳许　风靡港大

　　[香港讯]　据《苹果日报》报道，数学天才，又是精神病人，但却获诺贝尔经济学奖，因电影《美丽心灵》（港译《有你终生美丽》，*A Beautiful Mind*）而为港人熟悉的博弈论大师约翰·纳许（John Nash），18 日在香港大学公开演讲，大谈透过博弈论赢钱的秘诀，吸引逾 1500 名师生到场。这位殿堂级学者表现谦逊，被问到博弈论是否最伟大的理论时，他说："神才会知道"。

　　纳许 18 日的讲学题目为《研究经正规非合作行动模式之游戏合作》，港大安排在黄丽松讲堂举行，由于想一睹纳许风采者众多，校方安排在另外三个讲堂转播演讲，四个讲堂均座无虚席，连放在黄丽松讲堂外作现场转播的投影机旁，数十人席地而坐，大家聚精会神倾听纳许讲学。

　　纳许在港大校长徐立之陪同下抵达讲堂，这位诺贝尔奖得主表现随和，身穿整齐西装外套，结上图案领带，加上一头白发及瘦削身形，颇有学者风范。

　　纳许在约四百名师生掌声中登上讲台，他登台后即拿出笔记放在投影机上讲学，他的笔记特色是字体既密且细，从由传统打字机打成的笔记可知，这些密密麻麻的笔记，都是他研究多年的心血结晶。

　　讲学历时大约一个多小时，其间纳许非常专注，没有太多小动作或身体语言。讲学结束后是答问环节，面对满堂师生，纳许初时显得颇紧张，不时紧握双手及拨弄衣服,有人问他为何由化学工程转读数学,他笑言是受其他数学家影响才转读数学。

有学生问纳许,博弈论是否最伟大的理论,他谦逊地说:"有很多科学家或数学家,也不知道什么是最好的理论,我也不知道,神才会知道。"

纳许这次是应港大邀请来港访问,他 20 日会与学生真情对话及参加学术研讨会。18 日旁听讲学的学生均说,深受纳许风采折服,并说他勇于面对疾病的勇气,值得学习。

[香港讯] 据《苹果日报》报道,以纳许大半生传奇经历改编而成的电影《美丽心灵》女主角伴陪有病的丈夫数十年,情义教人动容,现实中纳许由一名数学天才,变成精神分裂患者,奇迹康复后竟取得诺贝尔奖,经历比电影情节更富戏剧性。

纳许事业得意,爱情上亦有个长相厮守的伴侣。他与妻子爱丽霞(Alicia)在麻省理工认识,在 1957 年纳许事业如日中天之际结婚,婚后不久便传出喜讯,但当两人满怀希望准备迎接小生命时,厄运竟悄悄地降临,纳许开始陷入精神分裂状态,行为异常,性情变得孤僻,由于不能专心研究,他惟有辞去教职,其间更丢下妻儿,远走到欧洲游荡了几年。

1962 年两人离婚,不过爱丽霞没有离开纳许,默默照顾他,而奇迹终于出现,80 年代纳许病情好转,开始恢复研究并学电脑。纳许逐渐康复,其研究再被注视,1985 年诺贝尔奖评审委员会曾考虑是否适合颁奖给他,但到 1994 年,纳许才正式获奖,而他与爱丽霞在 2001 年初再婚。

生 词 (9.3)
Vocabulary

1. 博弈论 博弈論	bóyìlùn	(名)	一种数学和经济理论 opreational research
2. 风采 風采	fēngcǎi	(名)	风格和神采 elegant demeanour; mien
3. 座无虚席 座無虚席	zuò wú xū xí	(习语)	没有空着的座位 no empty seat; full house
4. 投影机 投影機	tóuyǐngjī	(名)	把图片和文字放大到幕或墙上的机器 overhead projecter

5. 聚精会神 聚精會神	jù jīng huì shén	(习语)	把精神集中起来 gather oneself together; self-absorption
6. 瘦削 瘦削	shòuxuē	(形)	身材比较瘦 bony, very thin
7. 结晶 結晶	jiéjīng	(名)	经过提炼得到的精华品 crystal; rime
8. 专注 專注	zhuānzhù	(形)	关心和集中精力 be absorbed in; devote one's mind to
9. 折服 折服	zhéfú	(动)	信服，对……服气 be convinced; be filled with admiration
10. 康复 康復	kāngfù	(动)	恢复健康 get well; recovered; healing
11. 厮守 厮守	sīshǒu	(动)	和……守在一起 adhere to
12. 如日中天 如日中天	rú rì zhōng tiān	(习语)	名誉或事业达到了最旺盛的时候 at the summit of one's power
13. 厄运 厄運	èyùn	(名)	不好的运气 doom
14. 精神分裂 精神分裂	jīngshén fēnliè	(名)	精神上的疾病 schizophrenia
15. 孤僻 孤僻	gūpì	(形)	性格怪，不同人合作 unsociable and eccentric

浏览测试
Reading For Main Ideas

　　前面的文章介绍了主人公纳许的事迹。二篇报道可以分为三个部分。我们已经为你提供了其中的一个部分的内容，请你写出其他两个句子来总结出另外两个部分的主要内容：

第一个内容：
<u>报道纳许在香港大学讲演和他受到欢迎的情况。</u>

第二个内容：

_____ 。

第三个内容：

_____ 。

阅读细节
Reading For Details

- 细读下面的回答并圈出正确的结论。
- 和你的同学比较、讨论，看看谁的答案对。

1. 纳许得到了诺贝尔经济学奖是因为：
   - ◇ 他是精神分裂患者
   - ◇ 电影《美丽心灵》
   - ◇ 博弈论

2. 纳许在香港大学讲演的题目是：
   - ◇ "研究经正规非合作行动模式之游戏合作"
   - ◇ "透过博弈论赢钱的秘诀"
   - ◇ 《美丽心灵》

3. 从谈话中我们知道，纳许原来学习的专业是：
   - ◇ 博弈论
   - ◇ 电脑研究
   - ◇ 化学工程

4. 纳许的妻子受到人们的赞美是因为她：
   - ◇ 等待奇迹
   - ◇ 忠于爱情
   - ◇ 喜欢数学

深度阅读
Reading Between the Lines

- 和你的同学讨论下列问题,并写出你们的答案。

1. 纳许为什么受到香港大学生的热爱？他一生的经历对学生们有什么启发？

   _____

2. 纳许是怎么评价自己的研究的？

   _____

3. 你看过电影《美丽心灵》(A Beautiful Mind) 吗？为什么文章中说纳许的经历"比电影情节更富戏剧性"？

   _____

速读练习　在速读练习中你不必查字典,也不必认识课文中的每一个字。如果除了提供的词汇你还有生词,你可以根据上下文来猜测生词的意思,试着读懂课文的内容。这种练习的目的是让你忽略细节,争取读懂文章的主要内容。

台湾人取名五十年变化

[本报台北 19 日讯]　据台北报道,随着时代的变化,台湾人为新生儿取名已发生变化。据台北市民政局统计,新生儿取名排行榜上,一些诗情画意的名字最受欢迎。

从去年台北新生儿取名的比率统计看,男孩子取的最多的名字是"冠廷",第二名是"冠霖"、第三名是"哲玮";而女孩子的名字,第一名"佳颖"、第二名 "品妤",第三名"思妤"。这六个名字是如今台北人最喜欢取的。名字一直是时代的缩影。

在日本统治时期,台湾人一方面因为知识水平普遍不高,一方面也宿命地认为取不雅之名好养活,趋吉避凶。因此,那时候取的名字常可见到"阔嘴"、"阿土"、"木火"等男性名字,而女性因没有地位,叫做"招弟"、"罔市"的常可听到。台湾光复初期,台湾人开始对下一代有了更多的期许,于是"添财"、"俊男"、"聪明"等名字纷纷出笼,而女孩子则多数命名为"春花"、"美娇"、"秀枝"之类。

20 世纪 60 年代之后,长达 20 多年的时间里,琼瑶小说大大影响了台湾人的命名,书桓、依萍这样脱胎自言情小说的名字,在台湾年轻人中依然不少。无论是哪一个时代,无论取名的流行内容发生什么变化,台湾人为新生儿取名请命理师算笔画的习俗却一直未变。据说,荣登前几名的名字,如"冠廷"、"佳颖"按命理学的说法都是比较好的。

另外一项有趣的趋势是,台湾人改名字的也愈来愈多,从 1998 年的 12294 件到去年 16432 件,增加了 34%。看来,取个自己喜欢的名字,愈来愈受台湾人的重视。

[练习]　请查字典,看看台湾人起名字喜欢用的字的意思。

生　词 (9.4)
Vocabulary

1. 排行榜	páihángbǎng	（名）	表示名次的告示
排行榜			ranking board
2. 诗情画意	shī qíng huà yì	（习语）	美丽的意境
詩情畫意			poetic meaning

3. 比率 比率	bǐlǜ	(名)	比值 rate; percentage	
4. 宿命 宿命	sùmìng	(名 / 形)	一切服从命运的观念 foreordination	
5. 趋吉避凶 趨吉避凶	qū jí bì xiōng	(习语)	追求好的躲避坏的 to meet fortune and avoid misfortune	
6. 光复 光復	guāngfù	(动)	恢复,收回 recover	
7. 期许 期許	qīxǔ	(名)	希望和许诺 hope; expectation	
8. 出笼 出籠	chū lóng	(动短)	出来(贬义) appear; come out of a cage	
9. 脱胎 脫胎	tuō tāi	(动短)	从……出来 be born out of	

练习题

一 请根据课文判断正误

1. 台湾人给孩子取名跟时代有关,也跟他们的文化水平有关。(   )
2. 日本人统治的时代,台湾人喜欢起不好听的名字。(   )
3. 六十年代的台湾人喜欢根据小说人物取名。(   )
4. 光复时代,台湾人喜欢起一些听起来吉利的名字。(   )
5. 今天的台湾人喜欢按照民政局的统计取名字。(   )

二 请根据课文回答下列问题

1. 为什么本文说"名字一直是时代的缩影"?
2. 一个人的名字和命运有没有关系?
3. 为什么台湾人在日本统治时代喜欢宿命的名字?
4. 为什么台湾人一直有为新生儿请取名命理师算笔画的习俗?
5. 近年来为什么台湾人改名字的愈来愈多?

速读篇

速读练习　在速读练习中你不必查字典,也不必认识课文中的每一个字。如果除了提供的词汇你还有生词,你可以根据上下文来猜测生词的意思,试着读懂课文的内容。这种练习的目的是让你忽略细节,争取读懂文章的主要内容。

澳门航空客机遭"诈"弹威胁

[本报澳门廿四日电]　一架澳门飞台北客机 23 日晚间在澳门机场等待起飞之际,一名声称持有炸弹的台湾乘客表示要劫机,结果迅速被机组人员制伏。机长也立即将飞机调头返回停机坪,一名邱姓台湾女乘客鼻部意外受伤送医,所幸无大碍。

澳门保安司长张国华 24 日凌晨举行记者会,简短交代事件经过及相关资料。他说,班机因延误起飞,正在跑道上滑行时,机上一群台湾乘客忽然鼓噪,其中有一名突然站起来大叫身上有炸弹,他要下机,吓得身旁的人纷纷走避。机组人员随后将这名乘客制伏。被捕乘客是叶玖昌,29 岁,被捕时情绪激动。

张国华表示,警方经初步侦讯后,尚未得知叶玖昌的动机。研判他疑似"起飞期间情绪产生波动而干扰飞行",警方仍在调查,并未决定对他提出何种控诉。

由于事发时,叶玖昌声称身上有炸弹,因此澳门警方派遣大批警察、军火专家及谈判专家到现场协助处理。

被"劫"的澳航 NX612 班机原订于 23 日晚间 9 时 45 分飞往台北,但稍有延迟。不料叶玖昌突然声称身上有炸弹,结果被机组人员制伏。澳门警方稍后疏散机上所有乘客,让军火专家登机搜查可疑物品。

事发时,机上有 162 名乘客。

有消息指出,叶玖昌可能是因为不满飞机延迟起飞,加上有醉意,因此声称身上有炸弹,以宣泄不满。

但警方稍后称叶玖昌并无饮酒,怀疑他只是情绪失控。

航空公司已安排旅客搭机赴台,于 24 日凌晨 2 时 40 分抵达中正机场。

这是澳门国际机场于 1995 年启用以来,首次发生的客机"炸弹疑案"。

诈弹客移送澳门检方

[**本报澳门讯**]　澳门国际机场客机 23 日晚发生假炸弹恐吓事件,29 岁的台湾籍嫌犯叶玖昌被扣查一夜后,24 日由澳门司警当局移送当地检察院处理,暂未起诉。

澳门司警当局建议检察院将这名男子送医院接受检查, 以确定他是否患有精神病。

澳门司警发言人徐一平 24 日说,如果这名台湾男子没有精神病,将以妨害运输安全罪正式起诉。按澳门法律,这项罪名的刑期,最低 3 年,最高 10 年。

叶玖昌在台湾的家属 24 日已经赶到澳门,嫌犯据称是一名在大陆读书的台生。

生　词 (9.5)
Vocabulary

1. 劫机 劫機	jié jī	(动短)	为了罪恶的目的而用暴力手段强迫 飞机按照自己的愿望飞行 hijack; skyjack
2. 制伏 制伏	zhìfú	(动)	用强力使服从 subdue
3. 延误 延誤	yánwù	(动)	耽搁时间,使不能按时完成 dally over; morra
4. 鼓噪 鼓噪	gǔzào	(动)	没有秩序的叫喊 clamour; make an uproar
5. 侦讯 偵訊	zhēnxùn	(动短)	侦察和审问 investigate and interrogate
6. 研判 研判	yánpàn	(动短)	研究和判断 research and judge
7. 宣泄 宣泄	xuānxiè	(动)	发散,强烈地表达 catharsis
8. 失控 失控	shīkòng	(动)	失去控制 lose control of; run away

9. 嫌犯	xiánfàn	（名）	可能犯罪的人
嫌犯			suspect
10. 扣查	kòuchá	（动短）	扣押下来审查
扣查			hold and detain
11. 精神病	jīngshénbìng	（名）	神经系统或精神上的疾病
精神病			lunacy; psychopaths; psychosis
12. 刑期	xíngqī	（名）	在监狱里服刑的时间
刑期			term of imprisonment

练习题

一　请根据课文判断正误

1. 虽然这位台湾乘客想劫机,可是他没有成功。（　　　）
2. 因为这班飞机延误了起飞,造成了一些人的不满。（　　　）
3. 因为有人要劫机,这架本来延误的飞机又延误了。（　　　）
4. 想劫机的人是因为喝醉了酒,所以带了炸弹。（　　　）
5. 如果说自己身上有炸弹的人被确定没有精神病,他会受到法律惩罚。
　　（　　　）

二　请根据课文回答下列问题

1. 被"劫机"的飞机是从哪儿发往哪儿去的?
2. "劫机者"为什么要称自己身上有炸弹?
3. "劫机者"称有炸弹时飞机上的人是怎样反应的? 警方是怎样反应的?
4. "劫机者"要面临什么样的处罚?

第十章　报纸上的新闻（五）

精读篇

> **风格和文体介绍：INTRODUCTION OF THE WRITING STYLE**
>
> 　　此文的题目内容非常明确，代表了作者的观点。为了充分展开自己的观点，作者下面只好举了一系列的例子。其实作者题目起得那么鲜明有某种目的是为了吸引读者。
>
> 　　看作者写的事实，他也谈了很多台生课业很好的例子。吸引读者，是港台报纸时时留心的一大重要任务。
>
> 　　文章开头，作者先笼统地谈了大背景。然后把台生和大陆学生比较，接着举一些比较突出的例子，最后总结。
>
> 　　文章谈了台生和大陆学生不同的地方。由于作者对台生的总体背景比较熟悉，所以整个文章比较有说服力。

台生留学大陆　课业多不专注

[本报北京电]　台湾学生到大陆求学的人数越来越多，由于成长背景不同，台湾学生和大陆当地学生在生活、学习和对未来的期盼上，多少都有些差异。但即使如此，两岸学子在校园中的互动，依然相当良好。

　　课堂上台湾学生较大陆学生"含蓄"，大陆学生发言很踊跃，台湾学生自叹弗如。台湾学生若勇于表达自己的观点，大陆学生也会全力倾听；一旦有所矛盾，部分大陆学生会委婉地表达不同看法，不致发生激辩。

　　在生活上，台湾学生大多比较安逸，有很大原因是父母经济能力强，零用钱多，但外务也多。多数住校的大陆学生，生活圈就在宿舍、教室、食堂间打转，连学校外围的路名也不清楚，只知道如何到长途车站的路。但台湾学生就不同，才到校两个月，学校附近好吃、好玩的店大概都已摸得一清二楚。

　　台湾学生越来越多，也良莠不齐，已有老师对台湾学生的行径摇头。一位收了许多台湾学生的博士生导师即对人表示，他的压力越来越大，因为许多不用功的台湾学生拖累了学校形象，让他和系所不得不减收台湾学生名额。还有一位资深的博士生导师听到台湾学生就头痛，在课堂上公开批评，"开题报告（论文选题报告）居然只有两张纸,要我们如何审查?"

　　也有老师肯定台湾学生的表现,复旦大学一位老师即说,他感觉台湾学生很聪明,常能举一反三,表达不同意见,竞争力不输当地学生。一位台湾硕士生因为表现不错,最近代表复旦大学与吉林大学进行交流访问。还有一位关姓博士生,因为表现出众,系所还请她为大陆同学演讲一门课。

　　多数的台湾学生喜欢聚在一起,大陆学生较难打入他们的社群,视之为外人。不过,也有的台湾学生充分融入大陆学生社群中,受到大陆同学的欢迎。有的台湾学生不全是单纯念书,本身还兼差维生。目前复旦国际政治系博士班,有民进党国会议员助理与人合开公司,有人帮杂志写稿赚外快;还有台湾学生看好学校附近的店面,准备集资募股,开店赚钱。

　　台湾学生对很会念书的大陆学生十分佩服,但对未来的人生抉择与大陆学生有着不同的想法。

　　一般来说,在大陆的名校,用功的好学生的确很多,他们都知道,惟有念书、成绩好、考托福、出国留学,或在大陆取得好职位,才能改善生活和自己的未来。但在许多台湾学生,尤其是已有工作经验的博士生和硕士生那儿,心中想的是如何谋取更好的生活、赚取更多的钱,求学只是其中一种方式,而不是像大陆学生,把念好书当成惟一手段,这也是两岸学生求学价值观最大的不同之处。

生　词 (10.1)
Vocabulary

1. 踊跃	yǒngyuè	(形)	情绪热烈,争先恐后	
踊躍			eagerly; enthusiastically	
2. 弗	fú	(副)	不	
弗			no; not	
3. 委婉	wěiwǎn	(形)	说话在不失本意的情况下温和而曲折	
委婉			circumbendibus	
4. 安逸	ānyì	(形)	安静舒适	
安逸			at ease; coziness; ease	
5. 居然	jūrán	(副)	没想到的	
居然			unexpectedly; to one's surprise; going so far as to	
6. 兼差	jiānchāi	(动短)	兼职	
兼差			side job; moonlighting	
7. 募股	mù gǔ	(动短)	征集股金	
募股			collect sharing; recruit stocks	

| 8. 抉择 | juézé | （动） | 选择 |
| 抉擇 | | | choice |

报刊惯用语汇及表述模式

1. "即使……依然……"

这是一种条件句型，表示假设满足了前面的条件，后面的情况仍然不能完成。总的句型功能是否定或肯定，但都不受前面条件的控制。例如：

(1) 台湾学生和大陆学生在生活、学习和对未来的期盼上有很多的差异。但即使如此，两岸学子的互动依然良好。

(2) 他的性格就是这样，他说过不愿意做了，你即使给他再好的条件他依然不会去做。你别强求他了。

2. "……一旦……"

表示不确定的时间或"要是有一天"。这种句型一般表示一种假设状态，但对假设的情况有一个基本的回答。例如：

(1) 台湾学生如果用于表达自己的观点，大陆学生也会全力倾听；一旦有了矛盾他们也会委婉地表达不同的看法，不致发生激辩。

(2) 她已经准备好了，一旦他向她求婚，她马上就告诉所有的亲友，准备下半年结婚。

3. "居然……"

表示出乎意料，想不到的一件意外的事。这种句型往往表达一种感到奇怪和不可能的事情。口气一般比较强烈。例如：

(1) 这位老师非常生气，在课堂上公开批评说，"有的学生博士论文开题报告居然只有两叶纸，要我们如何审察？"

(2) 昨天我简直气坏了，没想到老刘居然向我求婚！真是癞蛤蟆想吃天鹅肉。

4. "不输……"

"输"是表示弱的意思。这个句型表示"不比……差"。例如：

(1) 有的老师感觉台湾学生很聪明，常能举一反三，表达不同意见，竞争力不输当地学生。

(2) 你别看他个子小，他的力气并不小。不信你试试看，他干起活儿来不输于你。

5. "视……为……"

这个句型是一种类比的句型,表示把 A 看成 B。例如:

(1) 多数台湾来的学生喜欢聚在一起,大陆学生很难打入他们的社群,视之为外国人。

(2) 虽然她才嫁到这个家庭不到两年,但她很快就受到了大家的欢迎。公公婆婆都视她为亲生女儿,弟弟妹妹们也都非常尊敬她。

6. "惟有……才能……"

这是一种比较强烈的条件句型,表示只有这样才能达到后面的结果。这是一个必须具有的条件。例如:

(1) 他们都知道,惟有念书、成绩好、考托福、留学美国或在大陆取得好的职位,才能改善生活和自己的未来。

(2) 要想学好中文的写作,你惟有多读多练才能做好。你最好先看一些比较容易懂的小说,开始练习写写日记,好吗?

小 词 典
跟本文有关的背景资料及术语介绍

1. 台生

台生指台湾学生。随着大陆和台湾关系的不断发展,近年来有不少台湾学生到大陆去求学。这些学生在大陆被简称做"台生"。

2. 复旦大学

中国的一所著名大学。它是全国重点大学,坐落在上海,享誉海内外。复旦大学创建于 1905 年,现在有 17 个学院,71 个系,在校学生 36100 人。

3. 考托福

"托福"是 TOEFL 的中文简称。托福是美国大学对外国学生留学美国英语水平测试的一种考试,由于它比较客观和权威,美国大部分大学和其他英语国家往往依据它来衡量外国学生的英语能力,作为是否录取的一个标准。考托福是中国大学生到欧美国家留学的一个基本要求,很多在校学生把考好托福当成是一个重要的努力方向。

练 习 题

一　根据词性搭配画线连词

发言	激辩	集资	倾听
表现	访问	取得	批评
交流	出众	全力	生活
发生	观点	改善	募股
表达	踊跃	公开	职位

二　根据课文内容选词填空

1. 台湾学生到大陆求学的人数越来越多,由于成长背景不同,台湾学生和大陆当地学生在生活、学习和对未来的＿＿＿＿＿＿上,多少都有些差异。

    (希望　　　期盼　　　企图)

2. 如果台湾学生勇于表达自己的观点,大陆学生也会全力倾听;一旦有所矛盾,部分大陆学生会＿＿＿＿＿＿＿＿地表达不同看法。

    (不断　　　明白　　　委婉)

3. 台湾学生才到校两个月,学校附近好吃、好玩的店都已＿＿＿＿＿＿得一清二楚。

    (研究　　　收悉　　　摸)

4. 一位博士生导师即对人表示,他的压力越来越大,因为许多不用功的台湾学生＿＿＿＿＿＿＿＿了学校形象。

    (拖累　　　侮辱　　　居然)

5. 台湾学生对很会念书的大陆学生十分＿＿＿＿＿＿＿＿,但对未来的人生抉择与大陆学生有着不同的想法。

    (不满　　　佩服　　　嫉妒)

三　用指定的词语完成句子

1. 在这次中国经济问题讨论会上＿＿＿＿＿＿＿＿＿＿。(踊跃)
2. 虽然近年来中美关系上不断发生一些问题,＿＿＿＿＿＿＿＿

    ＿＿＿＿＿＿＿＿＿＿。(依然)

3. 大家对这个问题已经有了充分的考虑和准备,＿＿＿＿＿＿＿

    ＿＿＿＿＿＿＿＿＿＿。(一旦)

4. 这次大考他没有参加,老师和同学都在为他着急＿＿＿＿＿＿

    ＿＿＿＿＿＿＿＿＿＿。(居然)

5. 虽然这个日本人已经在中国生活了二十年了，_____
_____。(视……为……)

四 判断画线部分，并予解释

1. 台湾学生和大陆当地学生在生活、学习和对未来的期盼上，多少都有些差异。但即使如此，两岸学子在校园中的互动，依然相当良好。
   指有很多不同的地方，或是指_____

2. 课堂上台湾学生较大陆学生"含蓄"，大陆学生发言很踊跃，台湾学生就自叹弗如。指 A. "觉得比不过他们"，或是指 B. "不能跟他们相比"。
   指生气或不高兴，或是指_____

3. 在生活上，台湾学生大多比较安逸，有很大原因是父母经济能力强，零用钱多，但外务也多。
   指出外工作，或是指_____

4. 复旦大学一位老师即说，他感觉台湾学生很聪明，常常能举一反三，表达不同意见，竞争力不输当地学生。
   指很快地同意或反对老师的观点，或是指_____

5. 一般来说，大陆的名校，用功的好学生的确很多，他们都知道，惟有念书、成绩好、考托福、留学美国，或在大陆取得好职位，才能改善生活和自己的未来。
   指"只要"，或是指_____

五 按照正确顺序组合下列句子

1. A. 多少都有些差异
   B. 由于成长背景不同
   C. 台湾学生和当地学生在生活、学习和对未来的期盼上
   　1)　　　　2)　　　　　3)

2. A. 台湾学生自叹弗如
   B. 课堂上台湾学生较大陆学生"含蓄"
   C. 大陆学生发言很踊跃
   　1)　　　　2)　　　　　3)

3. A. 零用钱多
   B. 有很大原因是父母经济能力强
   C. 但外务也多
   D. 在生活上，台湾学生大多比较安逸
   　1)　　　　2)　　　　　3)　　　　　4)

4. A. 他的压力越来越大

　　B. 因为许多不用功的台湾学生拖累了学校形象

　　C. 一位收了许多台湾学生的博士生导师即对人表示

　　D. 让他和系所不得不减收台湾学生名额

　　　1)　　　　　2)　　　　　3)

5. A. 大陆学生较难打入他们的社群

　　B. 视之为外国人

　　C. 多数的台湾学生喜欢聚在一起

　　　1)　　　　　2)　　　　　3)

六　写作练习

1. 细读课文,谈谈这类带比较性的新闻文体写作的基本特点。

2. 作者是怎样使用材料来表述自己的看法的?他用了哪些例子?这些例子说明了什么?

3. 请用三句话来写出这篇文章的中心思想。

4. 再次细读课文,看看作者是如何根据材料来表述自己的结论的。你觉得这些结论有说服力吗?谈谈读者在读报时是怎样接受作者的观点的?

5. 写一篇短文,谈谈不同国家同学之间大家对学习的看法和不同意见。

七　课堂讨论题

1. 台湾学生和大陆学生在表达思想上有什么不同?

2. 在生活和经济状况上,台湾学生和大陆学生有什么不一样?

3. 谈谈台湾在大陆读书的学生中比较优秀的和不好的例子。你对他们有什么看法?

5. 为什么大陆学生认为读书好才是一切,而台湾学生把谋取更好的生活和赚取更多的钱看得最重要?

6. 对比台湾和大陆的观念,你喜欢哪种求学观?为什么?

泛读篇

风格和文体介绍： INTRODUCTION OF THE WRITING STYLE

这篇文章的标题有着很鲜明的褒贬之义。读完标题，我们就明白了文章内容的一半。"白领"一般比较富裕，而称为"贫民"文章题目比较有新意和吸引力。

接着作者以个案入手，介绍了白领贫民的基本情况和他们的生活哲学。然后探讨他们为什么会有这样的生活态度。整篇文章写得轻松自然，但它提出的问题并不轻松，值得人们认真思考。在文章结尾，作者还把大陆情况和台湾情况进行了比较，深化和突出了主题。

大陆"白领贫民"今朝有酒今朝醉

住在北京、今年 22 岁的小刘在人人羡慕的外商公司工作，薪水多，每天打扮得光鲜亮丽。可是，她很苦恼每个月的薪水都不够花，小刘是大陆众多"白领贫民"的一员。

大陆称为"白领贫民"或"新贫民"的一群人，在台湾被称为"月光族"（每月所赚的钱都花光光的族群）。这群以 30 岁以下年轻人为主族群，最大特点是：月入数千元人民币，单身，拥有高学历，不用养家，不用买房子，每个月收入全部花光，银行没有一毛存款。

信奉"今朝有酒今朝醉"生活哲学的"白领贫民"，从不为明天忧虑，而且认为"今天的烦恼都够多了，还管明天干什么？明天自有明天的烦恼"；"辛苦工作就是为了赚钱，有钱当然要花得无拘无束"。

他们对于异样眼光不以为意，反而觉得那些为柴米油盐辛苦半天，却又舍不得花的人"非常奇怪"。

"白领贫民"主要从事的工作是网路、作家、演员、金融、媒体、广告、旅游、模特儿、美容、高级秘书、律师、公关等。一位住上海、月收入近万元人民币的小陈说，既然不用养家，只要不影响别人，钱要怎么花有什么不可以？"要趁年轻，玩得动，吃得下时，尽情享受，不要亏待自己。"

家住北京的小吴是新闻工作者，每月收入六千多人民币。近 30 岁还没有男朋友，于是"要多疼爱自己一点"，吃的、用的、玩的，上健身房、美容院，都要求最好的享受。当然，代价就是当个"白领贫民"。

追求格调、时尚、品牌与个性，是"白领贫民"的消费习性。使用名牌香水、抽进口烟，买上千元的衬衫或上万元的名牌西装，对"白领贫民"来说，要的只是花

上万元的名牌西装,对"白领贫民"来说,要的只是花钱获得快乐感。

正因为"白领贫民"赚越多、花越多,因此如果见到他们上半个月吃香喝辣,下半个月却到处"蹭饭"(跟熟识的人聚在一起让人请吃饭),不用诧异。

与台湾"月光族"相比,大陆的"白领贫民"受消费习惯与大陆金融机制发展限制,大多使用现金交易,没钱时就向银行贷款。台湾"月光族"刷爆信用卡的情况在大陆并不多见。只是,两岸的"白领贫民"仍有共同的特性,就是没有钱或还不起债时,父母是最佳靠山。

生 词 (10.2)
Vocabulary

1. 异样 異樣	yìyàng	(形)	奇怪的、不寻常的 difference
2. 公关 公關	gōngguān	(名)	公共关系 public relations
3. 亏待 虧待	kuīdài	(动)	不公平,对人不好 treat unfairly
4. 健身房 健身房	jiànshēnfáng	(名)	锻炼身体的场所 gymnasium; palaestra
5. 美容院 美容院	měiróngyuàn	(名)	美容打扮的商店 beauty parlor
6. 诧异 詫異	chàyì	(形)	非常奇怪 surprise
7. 刷卡 刷卡	shuā kǎ	(动短)	用信用卡消费 to use credit card

浏览测试
Reading For Main Ideas

这篇文章谈了三个主要的内容。第一个内容我们已经为你提供,请你写出其他两个句子来总结出另外两个主要内容:

第一个内容:
什么样的人是白领贫民。

第二个内容：

_____。

第三个内容：

_____。

阅读细节
Reading For Details

- 细读下面的回答并圈出正确的结论。
- 和你的同学比较、讨论，看看谁的答案对。

1. 白领贫民每个月的薪水都不够花是因为他们：
   ◇ 工资太低
   ◇ 拥有高学历
   ◇ 信奉"今朝有酒今朝醉"

2. 别人用不同的眼光看待白领贫民，他们：
   ◇ 非常生气
   ◇ 无拘无束
   ◇ 不以为然

3. 白领贫民认为：
   ◇ 不要亏待自己
   ◇ 要努力工作
   ◇ 不要管别人的事

4. 白领贫民的消费习性是：
   ◇ 花钱获得快乐感
   ◇ 下半月"蹭饭"
   ◇ 父母是靠山

深度阅读
Reading Between the Lines

- 和你的同学讨论下列问题,并写出你们的答案。

1. 白领贫民都是些什么人? 他们为什么要当白领贫民?

_____

2. 白领贫民对待生活是一种什么样的态度? 你怎么看待他们的生活态度?

_____

3. 为什么大陆和台湾有白领贫民? 你所在的国家有没有白领贫民?

_____

认识"新穷人"

从一位做社工的朋友那里听到一个新名词，那就是"新穷人"。

所谓的"新穷人"和一般人提起的穷人，最大的不同点，就是这一小撮人有意无意地选择不工作，宁可失业也十分不愿意放下架子，接受职位比较低的工作。如果不是看到报纸上的新闻，又得到朋友的第一手资料，我真的不敢相信社会上竟然有这样一种人。

故事之一：一名失业的女工，接受了技能训练之后，原本有机会到一家熟食中心当售货员，挣钱来补贴家用。谁知道该女工不肯接受这份工作，理由是做售货员太没有面子！

故事之二：某人因为入不敷出要求有关部门救济。他原本是一名高薪的技工，但被公司裁员后找到的工作薪金只有原来的三分之一。他笑着拒绝了：他告诉部门的负责人，目前的薪水仅够支付他一个月的手机费用！

反观香港，人们的适应力就强得多。记得几个月前，看过香港的一个纪录片，内容是描述一些普通市民，面对经济不景气的困境，如何调适自己的生活。其中一个片段叙述一名高层经理在大幅度减薪之后，如何以平和的心态过日子。该经理在减薪前，早餐一定上茶楼，上班一定乘的士；每隔一两个月就添置西装，一年出国旅游两次。

在大幅度减薪之后，他平静地接受现实，调整了生活方式，早餐以面包餬口，上班以公车代步，添置新衣和出国旅游则暂时放弃。

前几天，在一大型商场碰到了老同学，大家多年不见，一见面他就兴奋地告诉我，他在这里租了一个卖猪杂汤的摊位。而该同学曾经当过大公司的经理，现在他也怡然自得地当起小贩。看他在摊上利落地操作，相信他一定自得其乐。

大丈夫，能屈能伸，更何况当小贩本来就是不错的职业。俗话说得好，"人穷志不能穷"。职业不分贵贱，只要平心静气地面对现实，行行都能出状元。

生词 (10.3)
Vocabulary

1. 撮 撮	cuō	（量）	量词 a measure word; gather; gather up
2. 熟食 熟食	shúshí	（名）	制熟的食品 cooked food
3. 入不敷出 入不敷出	rù bù fū chū	（习语）	收入不够消费 expenditures exceed income; unable to make ends meet
4. 裁员 裁员	cáiyuán	（动）	去掉一部分工作人员 reduce the stafftrimmer
5. 餬口 餬口	húkǒu	（动短）	维持最低的生活 make a living
6. 怡然自得 怡然自得	yí rán zì dé	（习语）	心情舒服地生活 mellowness and self satisfied
7. 能屈能伸 能屈能伸	néng qū néng shēn	（习语）	能享福也能受苦 know how to deal with all kind of situations
8. 状元 状元	zhuàngyuan	（名）	考试第一名 the very best; number one scholar

练习题

一 请根据课文判断正误

1. 新穷人找不到工作,所以比较穷。（   ）
2. 新穷人因为太要面子,往往看不起钱少的工作。（   ）
3. 香港人比起新穷人来说,更能适应环境。（   ）
4. 一个人只有能适应环境,才会幸福。（   ）

二 请根据课文回答下列问题

1. "新穷人"和一般的穷人有些什么不同? 为什么?
2. 新穷人为什么放不下架子,接受职位比较低的工作?
3. 文章中说的女工和技工为什么拒绝新工作? 他们拒绝的理由一样吗?
4. 香港高层经理是怎么对待减薪的?
5. 作者是怎样谈起自己的老同学的,你认为这个老同学的人生态度怎样?

速读练习　在速读练习中你不必查字典，也不必认识课文中的每一个字。如果除了提供的词汇你还有生词，你可以根据上下文来猜测生词的意思，试着读懂课文的内容。这种练习的目的是让你忽略细节，争取读懂文章的主要内容。

医生吓死病人　港府下令彻查

伊莉莎白医院医生可能是在向病人解释手术风险时言论不当，当场"吓死"病人的事件，引起了卫生福利及食物局的关注，局长杨永强表明会跟进调查是否有医生失误。死者家属则促请院方尽快调查事件及公开结果，还死者一个公道。伊莉莎白医院发言人拒绝回应何时公布调查结果，及被指"吓死"病人的心脏外科主管何国强医生是否会被暂时停职。

卫生福利及食物局长杨永强8日出席一个电台节目时表示，此次事件属个别事件，当局会将事件交死亡原因法庭调查，而医院方面也会调查是否涉及医生沟通失职，以便作适当处理。他指出，目前医学院设有培训学生如何与病人沟通的课程，而这类课程对治疗过程很重要。

医院管理局主席梁智鸿8日出席香港医疗论坛筹款晚会时表示，暂时不宜对此事作评论，他相信医生工作没有问题，不需要停职。

他又说，医管局一向有训练员工如何向病人解释病情，如病人心情不好，医护人员说话应小心，并要在病人知情权及为免影响病人心情之间做出平衡。

伊莉莎白医院怀疑"吓死"病人的事件8日曝光后，引起广泛关注。传媒欲透过伊莉莎白医院联络被投诉的何国强医生时，遭职员拒绝接通电话，该院发言人也拒绝回答调查何时能完成及是否会公布结果这类的问题。

死者李继祖外甥女谈小姐表示，公开事件并非想索要赔偿或要医生公开道歉，而是希望借这个事件警惕其他医生，要留意专业操守及病人感受。

她表示家人并不打算采取法律行动或做出任何投诉，但希望院方尽快完成调查及公布结果，还死者一个公道。对于死者的身后事，她表示仍未确定出殡日期及地点。

生 词 (10.4)
Vocabulary

1. 福利 福利	fúlì	（名）	照顾补助措施 material benefit; welfare	
2. 促请 促请	cùqǐng	（动短）	督促请求 promote; urge	
3. 涉及 涉及	shèjí	（动）	跟……有关系 related to; touch upon; deal with	
4. 曝光 曝光	bào guāng	（动）	显露出来,让人知道 exposal	
5. 操守 操守	cāoshǒu	（名）	行为品格 personal integrity	
6. 投诉 投诉	tóusù	（动）	报告不好的行为 write to state/request	
7. 出殡 出殡	chū bìn	（动短）	葬礼 hold a funeral procession; funeral	

练 习 题

一 请根据课文判断正误

1. 因为医生"吓"死了病人,医生失去了工作。(　　)
2. 卫生福利及食物局长认为医生有失误。(　　)
3. 院和卫生福利及食物局长认为这个事情应该交法庭调查。(　　)
4. 现在医学院有专门的课程,教医生怎样跟病人交流。(　　)
5. 死者的亲戚表示,医生应该赔偿和公开道歉。(　　)

二 请根据课文回答下列问题

1. 为什么会出现医生吓死病人的事件? 对这个问题,医院的说法是什么?
2. 卫生当局的负责人在谈论这个事件时,他们的口气有什么不同?
3. 医院管理局负责人认为应该怎样处理跟病人交流的问题?
4. 这件"吓死"病人的事件发生后,媒体和医院是怎样对待的?
5. 死者的家属为什么要公开这件事情,他们的目的是什么?

速读篇

速读练习　在速读练习中你不必查字典,也不必认识课文中的每一个字。如果除了提供的词汇你还有生词,你可以根据上下文来猜测生词的意思,试着读懂课文的内容。

加拿大机场安检发现一女腹中留有手术器械

[据新华社电]　加拿大广播公司 16 日报道,一名加拿大妇女在机场接受金属探测器检查时,发现腹中留有一件外科手术器械。这个意外的收获帮她找到长时间腹痛的症结。

今年 10 月,这位妇女在加拿大中部萨斯喀彻温省的机场准备乘坐国内航班,当她经过金属监测器时,机器发出警报声音,但当时保安在她身上仔细搜查也没有发现任何金属物品。

过了几天,在接受 X 光检查之后,这名妇女才发现是腹中一件长 30 厘米、宽 6 厘米的外科手术牵引器在"作祟"。原来,今年夏天,她曾经在雷吉娜的一家医院做手术,由于医生疏忽大意、丢三落四,造成她术后经常莫名腹痛。目前,这名妇女已经向为她主刀的外科医生和雷吉娜地区的卫生部门提起诉讼。

生　词 (10.5)
Vocabulary

1. 探测器	tàncèqì	(名)	检查特殊材料的仪器
探测			detector; explorer
2. 作祟	zuòsuì	(动短)	坏人或坏的思想意识捣乱,妨
作祟			碍事情顺利进行
			haunt

练 习 题

一　请根据课文判断正误

1. 这位妇女坐飞机时动过手术。(　　)

2. 因为身上有金属,所以这位妇女不能通过飞机场检查。(　　)

3. 坐完飞机后,这名妇女又去动了手术。(　　)

4. 这名妇女决定要把不负责任的医生告上法庭。(　　)

二 请根据课文回答下列问题

　　1. 记者报道这个事件的目的是什么？

　　2. 作者是怎样描写这一个具有戏剧性的事件的？

　　3. 遗留在病人体内的东西这么大，这次事件暴露了一些什么样的问题？

　　4. 这仅仅是一场事故吗？你认为应该怎样处理这样的问题？

第十一章　报纸上的新闻（海外篇）

精读篇

风格和文体介绍：**INTRODUCTION OF THE WRITING STYLE**

　　这篇报道的题目和内容本身比较奇怪，所以它吸引人。这篇新闻报道了一种新的社会现象，由于现象本身比较反常，所以作者重点进行了报道和评说。

　　为了突出重点，作者给文章起了小标题。读者可以在最短的时间里了解全文的大意。在文章最前面，作者先解题。对文章进行总的评述。接着举例说明细节。整篇文章写得比较具体、生动，而且介绍了一些人们不知道的情况，有着比较强的新闻性。

　　这样的新闻报道虽然比较平铺直叙，但由于题材本身有新意，报道也比较全面，所以还是容易得到读者的关注。

日本流行离婚典礼　比结婚典礼还热闹

　　近几年，日本的离婚率一直很高，每年平均有 28 万对夫妇离婚，而且年年都创新高，平均不到两分钟就有一对夫妇离婚。由于离婚的人越来越多，日本人不仅对离婚不再大惊小怪，离婚的经历也不再被视为负面的因素。这两年，在年轻人中间还开始流行"离婚典礼"。此外，由于日本女性在离婚后往往要处理许多善后事务，如改回原来的姓氏等，还有身心适应方面的问题，因此有人提出，既然结婚的人有法定婚假，离婚的人为何就不能有"离婚假"呢？

离婚照上两人背靠背

　　前不久，日本一位在汽车公司工作的 26 岁男性与妻子举行了"离婚典礼"。他们发出的请帖是两人背对背微笑的照片，宣布"我们离婚了"，然后招待亲朋好友参加自己的离婚典礼。他们在典礼中表示："我们两人的结婚像是同性朋友住在一起一样，性关系也很平淡，没有激情。而且我们两人都不想要孩子，因此两人分手并不会觉得失去什么。"

离婚典礼比结婚热闹

　　在日本，年轻人的婚礼都十分简朴，连一些著名的演艺界明星也不例外。可能只有新郎和新娘两人和双方家人参加，仪式也非常简单。相比之下，离婚典礼倒显得更隆重。离婚者不仅大张旗鼓地发请帖，而且还大办宴席。当然宴席不是安排在结婚时的大饭店，而是和好友们常常聚餐的餐厅等，也有人回到大学的餐厅。有时他们一次邀请上百人,将宴会办得像学生时代的集会一般。在离婚典礼中致词的亲朋好友往往表示祝贺和羡慕之意,因为结婚等于被判处终身徒刑,所以羡慕快乐离婚的人重获自由。

卡拉 OK 中有离婚曲

日本的卡拉 OK 中也有许多表现离婚后心情的歌曲,如"分手的杉树","分手后依然喜爱的人"等。大家经常会在餐后唱唱这样的歌。当然,离婚典礼要办得大家都满意也得遵循许多原则,比如双方要心平气和,不能互相攻击,不能提起不愉快的经历等。

最后一幕是退还戒指

典礼结束时, 双方还会像在结婚典礼上一样, 向双方的父母献上一朵花。但是这时说出来的话却变成:"爸爸妈妈,很对不起,我们离婚了,但这并不是坏事。"也有的父母或是亲戚拒绝参加这种离婚典礼,尤其是年龄在 60 岁以上的老人。他们无法认可离婚,更不用说是离婚典礼了。

离婚典礼的最后一幕是双方都把戒指取下来。这种落幕的方式让人觉得有点儿凄凉。但无论如何,参加典礼的人都有了不少收获。他们至少可以从中学习到:不适于结婚的人不能轻易办理结婚登记,没有协调性与忍耐的人终将分道扬镳。

办手续去离婚学校咨询

东京一个家族心理研究所开设有一所离婚学校。研究所所长池内美表示,有不少女性都为离婚善后手续而前来咨询。结婚时自己愿意选择夫姓,离婚后也可自愿选择用那边的姓。如果要改回婚前旧姓的话,那自然会有烦琐的手续。所以不管怎么说,结婚和离婚都不是一件小事。

生 词 *(11.1)*
Vocabulary

1. 善后 善後	shànhòu	(动)	妥善地料理和解决事情发生以后遗留的问题 deal with problems arising from an accident
2. 简朴 簡樸	jiǎnpǔ	(形)	简单朴素 simplicity

3. 请帖	qǐngtiě	（名）	邀请卡
请帖			invitation
4. 徒刑	túxíng	（名）	在监狱的服刑期
徒刑			imprisonment
5. 分道扬镳	fēn dào yáng biāo	（习语）	分手
分道揚鑣			part company; echo going own way

报刊惯用语汇及表述模式

1. "不仅不……也不……"

这种句型是一种强调句型,表示对两种情况的否定。它和"既……又……"句型相似,但"既……又……"可用于肯定句。例如:

(1) 近年来由于离婚的人越来越多,日本人不仅对离婚不再大惊小怪,离婚的经历也不再被视为负面的因素。

(2) 这个人真不懂礼貌,别人帮了他的忙。他不仅不感谢,连客气的话也不说一句。

2. "既然……为何……?"

这种句型表示对前一种状况的认定,然后对后一种状况提出看法。这种看法不是正面表述,而是用反问的句式来完成的。例如:

(1) 有人提出,既然结婚的人有法定婚假,离婚的人为何就不能有"离婚假"呢?

(2) 这件事既然他已经向你认错了,你为何就不能宽容一些呢?你应该向前看,不必再计较小事了。

3. "相比之下,……"

这个句型表示一种比较。它特别强调突出一种比较后的结果。它主要强调的部分是句子的下半部分。例如:

(1) 日本人的结婚仪式一般都比较简单,相比之下,离婚典礼倒显得隆重。

(2) 我的朋友最近买了新汽车,相比之下,我的汽车就显得太老太旧了。

4. "……，当然……"

这种句型是强调表达一种必须承认和遵守的条件。这种条件是实现前面的情况的基础。放在后面说，其实是一种特意的强调。例如：

(1) 离婚典礼有时也唱唱歌，显得轻松。当然，这种典礼要办得大家都满意也得遵循很多原则。

(2) 这件事他最后还是答应会帮忙了。当然我也为此做出了不少努力，我答应他以后如果他有求于我，我也会尽全力帮助的。

小词典
跟本文有关的背景资料及术语介绍

1. 离婚率

离婚率指离婚个案在全部人口中所占的比率。由于社会的发展和现代家庭结构的变化，离婚成了现代都市生活的一个比较普遍的现象。这种现象在西方尤其普遍。过去在亚洲离婚现象较少，近几十年来，亚洲的离婚率也变得越来越高。

2. 终身徒刑

"徒刑"是指一种剥夺犯人自由的一种惩罚。分为有期徒刑和无期徒刑两种。有期徒刑一般有一个时间长度，如五年、十年，满了刑期就可以获得自由；无期徒刑也叫终身徒刑，是没有期限的，只要犯人活着，他就处在被惩罚的时间内，也叫终身监禁。这儿是用"终身徒刑"来讽刺那些对婚姻不满意的人觉得一生都是在受苦。

3. 卡拉 OK

20 世纪 70 年代中期由日本发明的一种音响设备，日语是"无人乐队"的意思。它可以供人欣赏机器内预先录制的音乐，还可以供人在该机的伴奏下演唱。这种情况的发生在文艺、体育和大学等地方比较多。

练习题

一 根据课文内容填空

这篇文章谈了日本人现代文化观念上的一些变化，这种变化和人们现代的社会生活有关。请你根据课文的内容写出日本人对于结婚和离婚在观念有什么不同的变化：

1. 过去的看法：
   A. _____
   B. _____
   C. _____

2. 现在的看法：
   A. _____
   B. _____

3. 离婚典礼和结婚典礼的相同和不同：
   A. _____
   B. _____
   C. _____
   D. _____

二 选择正确的答案

1. 由于离婚的人越来越多,日本人对离婚不再感到_____。
   A. 负面的因素　　B. 不好意思　　　C. 大惊小怪
2. 有人认为,结婚有假期,离婚也应该_____。
   A. 有离婚假　　　B. 举行典礼　　　C. 越来越多
3. 在日本,有一件事很奇怪,那就是离婚典礼比结婚还要_____。
   A. 简单　　　　　B. 隆重　　　　　C. 办宴席
4. 日本人的离婚宴席往往办在_____。
   A. 大饭店　　　　B. 常聚会的餐厅　C. 结婚时的饭店

三 请根据课文判断正误

1. 在日本,离婚常常被人们看不起。（　　　）
2. 日本人离婚现在有"离婚假"。（　　　）

3. 在日本,有人因为性关系平淡而离婚。(　　　)

4. 本人的离婚典礼有时候比结婚典礼隆重。(　　　)

5. 在日本,有的人羡慕别人离婚。(　　　)

6. 由于觉得丢脸,离婚者的父母往往不愿意参加离婚典礼。(　　　)

四　解释句子画线部分的意思

1. 近几年,日本的离婚率一直很高,每年平均有 28 万对夫妇离婚,而且年年都<u>创新高</u>,平均不到两分钟就有一对夫妇离婚。

　　(　　　　　　　　　　　　　　　　　　　　　)

2. 日本年轻人的婚礼都十分简朴,仪式也非常简单。相比之下,离婚典礼倒显得更隆重。离婚者不仅<u>大张旗鼓</u>地发请帖,而且还大办宴席。

　　(　　　　　　　　　　　　　　　　　　　　　)

3. 在离婚典礼中致词的亲朋好友往往表示祝贺和羡慕之意,因为<u>结婚等于被判处终身徒刑</u>,所以羡慕快乐离婚的人重获自由。

　　(　　　　　　　　　　　　　　　　　　　　　)

4. 离婚典礼要办得大家都满意也得<u>遵循许多原则</u>,比如双方要心平气和,不能互相攻击,不能提起不愉快的经历等。

　　(　　　　　　　　　　　　　　　　　　　　　)

五　根据课文内容讨论和回答问题

1. 现代的日本人为什么接受了离婚现象？离婚在现在的日本为什么这么流行？

2. 日本的结婚典礼和离婚典礼有什么不同,为什么？

3. 你认为日本的离婚典礼方式好不好？为什么？

4. 在你们国家离婚的人多吗？你对离婚有什么看法？

风格和文体介绍： INTRODUCTION OF THE WRITING STYLE

　　这篇报道的题目本身就比较让人难忘，所以读者一定有兴趣读下去。但毕竟，这是一个让人不愉快的题目，不宜过分地渲染。

　　在文章开头，作者先谈了法国自杀问题的严重性。接着对法国的自杀问题进行了比较全面的总体报道。最后强调预防的必要和重要性。从而呼应标题。

　　这篇新闻和报道灾难以及其他需要慎重处理的新闻一样，虽然事情新奇，但报道和描写的手法要客观而富有同情心，同时，还要突出正面的内容。这种新闻的风格要求客观、准确和实事求是。

法国订本周为自杀预防周

　　[本报台北讯] 据此间中国时报发自法国的报道指出，鉴于法国自杀人数是欧洲之最，每年有一万一千人自杀死亡，也就是说，每十万人当中有 19 人自杀，法国政府宣布本周为全国自杀预防周，让民众意识到问题的严重性并呼吁民众共同遏制自杀现象。

　　报道指出，十年来，法国每年的自杀死亡人数都在一万到一万一千人之间，男性自杀死亡人数高于女性三倍，失业者的自杀率高于就业者8.5倍，单身的自杀率则高于有配偶者两倍，住在法国北部和西部不列塔尼半岛的居民自杀率也高于南方居民。至于自杀的方式，将近三分之一的人采取上吊自杀方式，使用枪刀武器类则有25%，溺水自杀者占8%，由于男性使用的方式都较为暴力，所以自杀成功的几率也高于女性。

　　报道称，每年的自杀死亡人数呈稳定趋势，但隐藏在这个数字下却有着让人忧心的变化，一是曾经尝试过自杀的人数，十年以来从每年的四万人上升到每年的六万人；二是法国年轻人的自杀现象有增长趋势。25岁到34岁年龄层占首位，15岁至24岁的年轻人居其后，这两个年龄层的年轻人第一死亡率是交通事故，第二原因则是自杀，而每年因自杀而死亡的人数将近八百到九百人，多以服药或割腕的方式；三是15岁以下的青少年中，尝试自杀或发生过自杀行为的人越来越多。根据统计，11岁至19岁的年轻人中有7%尝试过自杀，而他们当中有三分之一的人都一而再、再而三地重复尝试。

生 词 (11.2)
Vocabulary

1.	鉴于 鉴於	jiànyú	(动)	根据 herein; whereas
2.	自杀 自殺	zìshā	(动短)	自己结束自己的生命 suicide; self-destruction; lay
3.	遏制 遏制	èzhì	(动)	阻止、控制 keep within limits
4.	溺水 溺水	nìshuǐ	(动短)	淹没在水里 drown

浏览测试
Reading For Main Ideas

这篇文章报道了法国人生活中一个不正常的情况。全文可以分为三个部分内容。我们已经为你提供了第一个部分的内容,请你写出其他两个句子来总结出另外两个部分的主要内容:

第一个内容:
法国政府对法国人自杀的现象非常担心,希望全国人民防止它的发生。

第二个内容:
_____。

第三个内容:
_____。

阅读细节
Reading For Details

· 细读下面的回答并圈出正确的结论。
· 和你的同学比较、讨论,看看谁的答案对。

1. 法国每年大约有＿＿＿＿＿＿＿自杀。
    ◇ 一万一千人
    ◇ 十万人
    ◇ 十九人

2. 法国自杀者中，＿＿＿＿＿＿＿的死亡人数最多。
    ◇ 女性／单身／失业者
    ◇ 性／失业者／单身
    ◇ 男性／失业／有配偶

3. 法国人自杀采用最多的方式是＿＿＿＿＿＿＿。
    ◇ 上吊自杀
    ◇ 枪刀武器
    ◇ 溺水

4. 近年来法国人自杀情况最让人担心的变化是＿＿＿＿＿＿＿。
    ◇ 失业者增多
    ◇ 青年人增多
    ◇ 女性增多

深度阅读
Reading Between the Lines

和你的同学讨论下列问题，并写出你们的答案。

1. 法国政府为什么要宣布一个星期为"自杀预防周"？你觉得这样做有用吗？
   ＿＿＿＿＿＿＿＿＿＿＿＿＿＿＿＿＿＿＿＿＿＿＿＿＿＿

2. 为什么在法国男性自杀者高于女性？
   ＿＿＿＿＿＿＿＿＿＿＿＿＿＿＿＿＿＿＿＿＿＿＿＿＿＿

3. 法国近年来自杀趋势有着什么样的让人忧心的变化？
   ＿＿＿＿＿＿＿＿＿＿＿＿＿＿＿＿＿＿＿＿＿＿＿＿＿＿

4. 在法国青少年中，有什么情况造成的死亡比自杀还可怕？
   ＿＿＿＿＿＿＿＿＿＿＿＿＿＿＿＿＿＿＿＿＿＿＿＿＿＿

风格和文体介绍： INTRODUCTION OF THE WRITING STYLE

这篇新闻的题目看上去就像是一种主观的评论。但不幸的是，这儿说的是客观事实。文章从一个调查结论开始，谈了一些令人感到吃惊的情况。由于情况本身让人不能相信，所以越是证明它的细节真实就越能让读者认真读下去。这是作者热衷于报道细节的原因。

作者在这儿从强调常识入手来突出有些人的没有常识。接着讨论了一些普遍的现象，最后试图找出对这些现象的解释或答案。在文章的结尾，作者还提出了委婉的批评和建议。这篇文章本身具有新闻意义，特别是它的描写暴露了美国不为人知的一些方面，所以容易引起读者的注意。它的风格是以事实说话，特别是提供了很多数据。这样会使表达更有分量。

地理差得离谱

一半美国青年不知纽约州在哪儿

据阿根廷《号角报》今天报道，根据一项民意调查的结果，美国18岁至21岁的青年人有一半不知道纽约州在哪儿，这些学生不能指出2001年9月11日发生的恐怖袭击的州，说明他们的地理知识和对世界冲突的了解很差。

在调查中问道哪个国家曾被塔利班统治，并成为"基地"组织的基地时，美国青年的回答不令人满意。40%的美国青年对此没有任何概念，尽管2001年美国在阿富汗发动了一场历时两个月的战争，只有17%的美国青年能在地图上指出阿富汗的位置。在问到对伊拉克知道什么时，虽然布什总统发动了一场对伊拉克的战争，但87%的被调查者不能在地球平面球形图上指出萨达姆统治的这个国家。

令人吃惊的是一半的美国青年不能指出纽约州的位置，虽然那里发生过美国历史上最大的恐怖袭击案。更令人不可思议的是有11%的美国青年不知道美国在哪里。只有27%的青年知道阿根廷在世界上的位置。

罗杰组织最近为国家地理学会进行的一项调查使美国的学校和国际研究机构感到惊讶，因为学生的地理知识很贫乏，不了解世界上发生的冲突，而这些青年将成为未来的国家官员。说来也不奇怪，美国一家评定风险的公司不久前竟把布宜诺斯艾利斯放到巴西去了。

美国国家地理学会本周星期四对8个国家18岁至24岁的青年进行一项问卷调查研究，其结果是对问题回答正确的比例按顺序是德国人、意大利人、法国人、日本人、英国人和加拿大人。美国人排在倒数第二,排在最后的是墨西哥人。美国大学国际关系教授、前总统卡特世界事务顾问帕斯托尔说,"在发生震惊美国 9 月 11 日攻击之后,这一调查结果特别令人扫兴,因为我们的命运与世界其他地区相联系。这说明不少的学校对学生没有进行很好的教育。"

这项研究还表明,80%的美国学生不知道世界上正式宣布拥有核武器的 4 个国家。64%的青年学生不了解哪些国家在争夺克什米尔地区。29%的学生不知道太平洋在哪里, 尽管太平洋紧邻着美国的西海岸和占地球面积的三分之一。37%的青年学生能正确地指出英国是美国在政治上和军事上传统的朋友。一半以上的青年学生不知道印度在哪里,虽然这个国家的人口占世界人口的 17%。尽管世界上多数被调查者知道美国的人口数量, 但是三分之一的美国青年称美国的人口在 1 亿到 2 亿之间,而美国的人口实际上是 2.89 亿。华盛顿乔治大学国际事务学院的系主任哈丁试图找到对这一现象的回答。他对《号角报》记者说,他看到这一研究结果时问一位他的中国女朋友, 她对解释为什么美国青年只关心发生在他们周围的事情,这位女朋友立即回答说,那是因为他们认为他们自己就是世界。这位教授认为那些以为自己就是世界的人或者是夸大美国在世界上的位置的人觉得没有多大的必要了解别人, 这样的人在处理国际事务时早晚要吃亏。

这项调查不限于预测,它还以某种方式表明,那些掌握一种外语、出国旅行及使用因特网多的青年人的地理和世界知识上就丰富得多。在瑞典、德国和意大利至少有 70%的青年人最近 3 年来到国外旅行过,多数人会说一种外语,在瑞典会说外语的青年人占 89%。相反,在美国和墨西哥只有 20%的青年近年到国外旅行过,他们大多只会母语。

生 词 (11.3)
Vocabulary

1. 离谱 離譜	lí pǔ	(动短)	奇怪、不合情理 beyond reasonable limits; excessive
2. 酝酿 醞釀	yùnniàng	(动)	做准备工作 brew; ferment, make preparations
3. 风险 風險	fēngxiǎn	(名)	危险的可能性 risk; hazard; venture
4. 顾问 顧問	gùwèn	(名)	提供咨询者 adviser; consultant; counselor

5. 扫兴 掃興	sǎoxìng	(动)	正高兴时遇到不愉快的事情而 兴致低落 feel disappointed
6. 核武器 核武器	héwǔqì	(名)	原子武器 nuke; nuclear weapon
7. 夸大 誇大	kuādà	(动)	把事情说得超过了原有的程度 aggrandize; magnify; overdraw
8. 早晚 早晚	zǎowǎn	(副)	或早或晚 sooner or later

浏览测试
Reading For Main Ideas

这篇文章谈了美国人对世界知识的缺乏和不关心。文章中把美国青年人和其他国家的青年人进行了比较,得出了一些结论。其中第一个结论我们已经为你提供,请你写出其他两个句子来总结出另外两个结论的主要内容:

第一个内容:
美国青年的缺乏世界知识,这种情况令人担忧。

第二个内容:
_____。

第三个内容:
_____。

阅读细节
Reading For Details

· 细读下面的回答并圈出正确的结论。
· 和你的同学比较、讨论,看看谁的答案对。
    1. 美国有_____的青年人不知道纽约州在哪儿。
        ◇ 50%
        ◇ 40%
        ◇ 87%

2. 在这次美国国家地理学会组织的调查中，_____的成绩最好。
◇ 德国青年
◇ 日本青年
◇ 英国青年

3. 这项调查说明，有_____的美国学生知道哪些国家有核武器。
◇ 80%
◇ 20%
◇ 64%

4. 美国青年人地理知识差的原因是他们。
◇ 不喜欢学外语
◇ 只关心自己
◇ 不喜欢旅游

深度阅读
Reading Between the Lines

• 和你的同学讨论下列问题，并写出你们的答案。
1. 这篇文章提出了什么问题？它关心的只是地理情况吗？

_____

_____

2. 谈谈美国青年人为什么不关心世界大事。

_____

_____

3. 除了地理知识外，你认为美国人还应该关心些什么问题？为什么？

_____

_____

速读练习　在速读练习中你不必查字典,也不必认识课文中的每一个字。如果除了提供的词汇你还有生词,你可以根据上下文来猜测生词的意思,试着读懂课文的内容。这种练习的目的是让你忽略细节,争取读懂文章的主要内容。

俄国生三个孩子送房子

　　俄罗斯政府提出的办法很简单:如果你丈夫不是酒鬼,你又能在五年内生三个孩子,当地议会就帮你买一栋房子。只要你尽了生孩子的义务,无需付费,五年后就与政府两清了。

　　这套"孩子换房子"的办法今年起在俄国南部普遍贫穷的奥图宾斯克实施。其目的是企图扭转当地生育率下降的现象;这个问题如不控制,该区人口下降幅度会越来越显著。

　　这不仅仅是奥图宾斯克面临的一个特殊问题,而是整个俄罗斯都面临的情况。自苏联解体以来,艾滋病、酒精中毒和贫穷这三大原因造成了该国人口减少。

　　根据某些预测,以目前生育率推算,俄国人口将在 2050 年从 1 亿 4300 万减为 9000 万人。俄国总统普京 2002 年说,人口问题威胁到了该国的生存。

生 词 (11.4)
Vocabulary

1. 议会 議會	yìhuì	(名)	国家机构 parliament; legislative assembly
2. 解体 解體	jiě tǐ	(动)	分裂、解散 disintegrate

练 习 题

一 **请根据课文判断正误**

　1. 俄罗斯政府认为生孩子对国家有好处,应该奖励。(　　)
　2. 因为穷,很多人没有房子生孩子。(　　)
　3. 政府不奖励酒精中毒的人,即使生了三个孩子。(　　)
　4. 俄罗斯人口越来越少,政府对此非常担心。(　　)

二 请根据课文回答下列问题

1. 俄罗斯对得到奖励房子提出了什么条件？为什么要有这些条件？

2. "孩子换房子"计划的目的是什么？

3. 俄罗斯人口减少的原因是什么？

4. 为什么说"人口问题威胁着俄罗斯的生存"？

5. 你认为这个"孩子换房子"的方法好不好？它会有效吗？

速读练习　在速读练习中你不必查字典,也不必认识课文中的每一个字。如果除了提供的词汇你还有生词,你可以根据上下文来猜测生词的意思,试着读懂课文的内容。这种练习的目的是让你忽略细节,争取读懂文章的主要内容。

四成二英国佬　幻想杀死上司

英国《伦敦杂志》报道,根据一项针对英国上班族的调查发现,有四成二的上班族幻想杀死上司,有一半的人承认曾在办公室喝酒,还有一堆在上班时间看色情网页、发私人电子邮件的不务正业者。

《伦敦杂志》访问了 511 名英国上班族,得到了出人意料的结果。为了往上爬,有多达四成五的上班族不惜出卖同事、三成六的人会在履历表里"灌水(指增加不真实的内容)",更有一成三的受访者愿意以肉体作为交换条件。

多达三分之一的人曾在办公室里吸毒、将近五分之一的人曾在办公室里从事性行为,还有接近一半的人曾拿走办公室的东西。

生 词 (11.5)
Vocabulary

1. 幻想	huànxiǎng	(名)	奇怪的想像
幻想			fantasy; fancy; illusion
2. 出卖	chūmài	(动)	背叛、卖
出賣			offer for sale; sell out; betray
3. 吸毒	xī dú	(动短)	吸食毒品
吸毒			take drugs

练 习 题

一　请根据课文判断正误

1. 这项调查表示了大部分英国人工作不够努力。(　　)

2. 这项调查表示了有 42% 英国人有犯罪的想法。(　　)

3. 这项调查表示了有三分之一的英国人在办公室犯过罪。(　　)

4. 杂志对得出这样的调查结果感到很奇怪。(　　)

二　**请根据课文回答下列问题**

1. 你怎样看待这个调查结果？

2. 这份调查报告说明了什么？

3. 你认为怎样才能解决办公室里发生的一些问题？

取名如白人　求职回应多

[美联社芝加哥十四日电] 两所著名大学的教授所做的最新研究发现,拥有一个听起来像白人的名字(first name) 有助于求职,说明美国公司的聘雇过程仍然存在严重的种族歧视。

芝加哥大学商学院和麻省理工学院教授联合进行的这项研究发现,名字看来像白人的求职者,邮寄简历求职得到的回应,比名字看来像是非洲裔的求职者多50%。

这些教授们根据波士顿环球报和芝加哥论坛报上的人事广告, 邮寄了五千份求职简历,结果发现平均每10份"白人"求职者的简历就会得到一个回应——电话、回信或电子邮件。

而同等资力的"非洲裔",却要邮寄15封简历才得到一个回应。

包括芝加哥大学经济系副教授伯特兰在内的研究者表示, 此一结果只可能与名字有关。他们写道:"迄今我们的研究结果显示,聘雇过程中存在着严重的种族歧视。"

参与这项研究的教授们根据出生证挑出不同族裔常用的名字。他们使用的白人名字有奈尔(Neil)、布莱特(Brett)、葛里格(Greg)、艾米莉(Emily)、安妮(Anne) 和基尔 (Jill)。黑人名字有塔米加 (Tamika)、艾波尼 (Ebony)、艾沙(Aisha)、拉希德 (Rasheed)、卡里姆(Kareem)和泰隆(Tyrone)。

教授们所做的最新研究发现,自称坚持雇用机会原则平等的公司,对非洲裔求职者的回应并不比其他公司多。

以增加公司多元化为宗旨的组织 "联合芝加哥"(Chicago United),其主席卡洛琳·诺兹卓姆表示, 此项研究显示, 需要对聘雇者进行教育。

她说:"我们宁可相信这种现象已经改变,但这项证据显示事实并非如此。"

生　词 (11.6)
Vocabulary

1. 歧视	qíshì	（动）	看不起	
歧视			treat with bias; discrimination	
2. ……裔	...yì	（名）	后代	
……裔			descendents of...	
3. 论坛	lùntán	（名）	讨论的场所	
論壇			forum; tribune	
4. 资力	zīlì	（名）	资格	
資力			quality; qualification	

练 习 题

一　请根据课文判断正误

1. 从聘雇过程中对名字的重视可以看出美国社会的不平等现象。（　　）
2. 在美国,如果你是白人,你的名字会不利于求职。（　　）
3. 美国两所大学的研究目的是想看看父母喜欢起什么样的名字。（　　）
4. 美国在聘雇过程中存在种族歧视现象。（　　）
5. 做这项研究时,研究者用的都不是真的名字。（　　）

二　请根据课文回答下列问题

1. 研究者为什么要做这样的调查？他们想证明什么？
2. 这种只通过名字来了解人的能力的方法合理吗？为什么？
3. 在你们国家,有没有种族歧视现象？
4. 在你们国家,有没有其他形式的歧视现象？
5. 你认为应该怎样克服上面说到的不平等的现象？

示爱"点子"多多　经济且实惠

距离 2 月 14 日情人节不到 48 小时了，华尔街日报 11 日提供了丰俭由人的多种过节方式，供尚未想出如何示爱的有情人参考。

由于受到美国可能开战及经济衰退的影响，今年情人卡、女装、机票等各种情人节礼物都较以往便宜。英 国 航 空 公 司 (British Airways) 11 日推出 198 元往返英国与美国许多城市的来回机票，提供负担得起的英伦假期。

想昭告心中爱意，较不伤荷包的作法是捐一百元给美国职业篮球纽约尼克队，就可以在麦迪逊广场花园球馆(Madison Square Garden)的尼克队与洛杉矶湖人队球赛中，打出爱的字幕，而且这笔开销还能抵税。若嫌寒酸，可租小飞机在艳阳普照的海滩上空拉出"我爱你"的布幅，费用 299 元；或是请喷气式飞机 在空中喷字，10 个字母 1500 元，让心上人仿佛置身好莱坞浪漫电影中。

时时讲究身心健康的人，钻进养生休闲旅馆度个周末是不错的选择。有专人计算食物卡路里、暂时戒除咖啡因、在佛像前沉思冥想，或到温泉疗养院去放松心情，这样的享受大概一千元可以搞定。

还有更炫一点的玩法是搭乘直升机近看自由女神像，再在游艇上享用浪漫晚餐，饱览纽约迷人夜色，消费是每人 185 元。

生 词 (11.7)
Vocabulary

1. 丰俭由人 豐儉由人	fēng jiǎn yóu rén	（习语）	多花钱少花钱都可以 spend more or less up to you
2. 尚未 尚未	shàngwèi	（短语）	还没有 not yet
3. 昭告 昭告	zhāo gào	（动短）	公开告诉 proclaim publicly
4. 荷包 荷包	hébāo	（名）	钱包 wallet; pocket; small bag
5. 寒酸 寒酸	hánsuān	（形）	穷苦 wretched; poverty; stricken
6. 卡路里 卡路里	kǎlùlǐ	（名）	热量 calorie
7. 炫 炫	xuàn	（形）	晃眼 shine; brilliant

练 习 题

一　请根据课文判断正误

1. 如果你还没有想好怎样表示爱情,可以买华尔街日报送朋友。(　　)

2. 由于经济情况不好,今年的很多东西都非常便宜。(　　)

3. 如果有人付钱,可以用飞机为自己的爱做广告。(　　)

4. 有人选择度过一个轻松周末的方式来庆祝情人节。(　　)

5. 西方人认为情人节是一年中最重要的节日。(　　)

二　请根据课文回答下列问题

1. 华尔街日报提供了那么多有趣的方式,你喜欢哪一种?

2. 你们国家有没有情人节,你们是怎样度过这样的节日的?

3. 除了在情人节,在你们的文化中青年人是怎样表示他们的爱情的?

生词索引
Index

A

B

14. 保守 保守	bǎoshǒu	（形）	维持原样，思想跟不上发展 conservative	6.2
15. 保障 保障	bǎozhàng	（动）	保护(生命、财产、权利)不受侵害 ensure; guarantee; safeguard	6.2
16. 把握 把握	bǎwò	（名）	肯定的能力 assurance; certainty	3.2
17. 悖 悖	bèi	（形）	反对、相反 against	5.4
18. 备查 備查	bèichá	（动）	准备等待查考 for future reference	5.4
19. 背道而驰 背道而馳	bèi dào ér chí	（习语）	和自己的愿望相反 run counter to; run in the opposite direction	8.8
20. 被动 被動	bèidòng	（形）	不主动 passive	2.2
21. 悲痛欲绝 悲痛欲絕	bēitòng yù jué	（习语）	难过得要死 grieved to death	5.7
22. 编排 编排	biānpái	（动）	按照一定次序编辑排列 arrange; lay out	1.1
23. 标明 標明	biāomíng	（动）	指示出来 mark; indicate	1.1
24. 表率 表率	biǎoshuài	（名）	榜样、模范 model; example	5.1
25. 表意性 表意性	biǎoyìxìng	（名）	具有表达意义内容的 manifestation	1.1
26. 弊端 弊端	bìduān	（名）	坏事、缺点 disadvantages	5.2
27. 别出心裁 別出心裁	bié chū xīncái	（习语）	想法新奇 try to be unique	9.1
28. 比率 比率	bǐlǜ	（名）	比值 rate; percentage	9.4
29. 摒弃 摒棄	bìngqì	（动）	扔掉 through out; spurn; slam the door	5.4
30. 波及 波及	bōjí	（动）	牵扯到 spread to; involve	4.2
31. 博弈论 博弈論	bóyìlùn	（名）	一种数学和经济理论 operational research	9.3
32. 部 部	bù	（名）	机关 department	5.2

33. 补偿 補償	bǔcháng	（动）	偿还 compensate; equalize; expiation 5.7
34. 不法 不法	bùfǎ	（形）	不合法的、非法的 illegitimacy; iniquity 6.6
35. 不负 不負	búfù	（动）	不让……失望 not fail in one's duty, obligation, etc. 5.1
36. 不假思索 不假思索	bù jiǎ sīsuǒ	（习语）	不用思考 without thinking; offhand 8.1
37. 不禁 不禁	bùjīn	（副）	忍不住 can't help doing something 5.1
38. 不良反应 不良反應	bùliáng fǎnyìng	（名）	不好的情况 bad reaction/effection 6.6
39. 步履 步履	bùlǚ	（名）	步子、步伐 step 9.1
40. 不求甚解 不求甚解	bù qiú shèn jiě	（习语）	不求了解全部,只要懂个大概 not seek to understand things thoroughly; be content with superficial understanding 2.2
41. 不起眼儿 不起眼兒	bù qǐyǎnr	（形）	不引起注意 not easily being noticed 4.1
42. 不容 不容	bùróng	（副）	不允许 not allow 6.4
43. 不溶性 不溶性	bùróngxìng	（名）	不能溶化在液体里 infusibility 6.6
44. 不慎 不慎	búshèn	（形）	不小心 incautious 8.6
45. 部署 部署	bùshǔ	（动）	安排 deploy; depose 6.3
46. 不惜 不惜	bùxī	（副）	不怕,不在乎 not hesitate; not spare 5.6
47. 不雅 不雅	bùyǎ	（形）	不文明;不文雅 offensive; rude 1.2
48. 步骤 步驟	bùzhòu	（名）	顺序 step; procedure 2.2

C

49. 财经 財經	cáijīng	（名）	财政、经济的合称 finance and economics	1.1
50. 财源 財源	cáiyuán	（名）	财产的来源 financial resources; source of revenue	1.2
51. 裁员 裁員	cáiyuán	（动）	去掉一部分工作人员 reduce the staff; trimmer	10.3
52. 残次率 殘次率	cáncìlǜ	（名）	不合格的比例 the rate of incomplete or poor quality	5.6
53. 惨烈 慘烈	cǎnliè	（形）	非常残酷 cruel; tragic	6.1
54. 参与 參與	cānyù	（动/名）	参加 participate in	2.2
55. 参与权 參與权	cānyùquán	（名）	参加的权利 rights of participation	5.2
56. 操守 操守	cāoshǒu	（名）	行为品格 personal integrity	10.4
57. 测评 測評	cè píng	（动短）	测验和评价 measure and assess	5.2
58. 颤抖 顫抖	chàndǒu	（动）	发抖 falter; quiver; shiver	5.7
59. 阐发 闡發	chǎnfā	（动）	解释并且发挥 elucidate; explain and develop	1.2
60. 缠身 纏身	chánshēn	（动短）	被……纠缠 preoccupy; entangle	5.5
61. 产业 産業	chǎnyè	（名）	产品、工业 industry; property; domain	5.3
62. 诧异 詫異	chàyì	（形）	非常奇怪 surprise	10.2
63. 沉淀 沉澱	chéndiàn	（名）	沉到底层的物质,比喻积累, 凝聚 deposition; precipitation; sedimentation	6.1

64. 承包 承包	chéngbāo	（动）	承当责任和利益 contract (with); job	6.2
65. 成本 成本	chéngběn	（名）	花费的本钱 cost	5.1
66. 成果 成果	chéngguǒ	（名）	成绩和结果 production; harvest	5.3
67. 陈规陋习 陳規陋習	chén guī lòu xí	（习语）	老的坏习惯 old conventions and bad customs;	5.1
68. 持久 持久	chíjiǔ	（形）	时间长 long haul; perdure; permanence	8.7
69. 充分 充分	chōngfèn	（形）	足够；尽量 full; ample; abundant	1.1
70. 穿插 穿插	chuānchā	（动/名）	插在中间的 interlude	7.1
71. 出殡 出殯	chū bìn	（动短）	葬礼 hold a funeral procession; funeral	10.4
72. 处级 處級	chùjí	（名）	管理一个处或同等级别的干部 the status of being the head of a department	5.2
73. 出击 出擊	chūjī	（动）	出发去找机会 launch an attack; hit out	6.2
74. 出笼 出籠	chū lóng	（动短）	出来(贬义) appear; come out of a cage	9.4
75. 出卖 出賣	chūmài	（动）	背叛、卖 offer for sale; sell out; betray	11.5
76. 出奇制胜 出奇制勝	chū qí zhì shèng	（习语）	用巧妙的方法来取胜 defeat sb. by a surprise action	6.1
77. 出台 出臺	chū tái	（动短）	发表 come on	6.5
78. 从而 從而	cóng'ér	（连）	因此 thus; thereby	5.1
79. 篡改 篡改	cuàngǎi	（动）	不正当的修改 distort; misrepresent; falsify	3.2
80. 催化剂 催化劑	cuīhuàjì	（名）	使尽快发生变化的药品 activator; catalyzer; katalyst	8.3

81.	存活 存活	cúnhuó	(动)	生活、生存 alive; living	2.2
82.	撮 撮	cuō	(量)	量词 a measure word; gather; gather up	10.3
83.	促请 促請	cùqǐng	(动短)	督促请求 promote; urge	10.4
84.	猝死 猝死	cùsǐ	(动短)	突然死亡 sudden death	8.3
85.	促销 促銷	cùxiāo	(动/名)	帮助和促进销售 romotion	1.2

D

86.	达 達	dá	(动)	达到 reach	6.1
87.	答辩 答辯	dábiàn	(动/名)	讨论和解释自己的观点 defense; answer; reply	5.5
88.	达标 達標	dábiāo	(动)	达到标准 reach to standard; fulfil requirement	6.4
89.	大刀阔斧 大刀闊斧	dà dāo kuò fǔ	(习语)	大胆而快 bold and resolute	5.1
90.	逮捕 逮捕	dàibǔ	(动)	根据法律把罪犯管制起来 arrest; arrestment	8.9
91.	带队 帶隊	dài duì	(动短)	带领队伍 lead a group of people	6.2
92.	代理商 代理商	dàilǐshāng	(名)	替卖产品的商人 agent	5.6
93.	怠慢 怠慢	dàimàn	(形)	不热情、不礼貌 neglect; pretermission; shafting	5.7
94.	代谢 代謝	dàixiè	(名)	变化演进 metabolize	8.3
95.	大举 大舉	dàjǔ	(形)	规模很大地进入 enter with force	6.1
96.	大举进攻 大舉進攻	dà jǔ jìngōng	(习语)	大规模地强力进入 enter with force and power	6.1

97.	担保书	dānbǎoshū	（名）	保证文件	
	擔保書			assurance; surety	5.7
98.	担负	dānfù	（动）	承担	
	擔負			shoulder; take on	8.1
99.	当	dàng	（动）	除掉，下去	
	當			down	9.1
100.	单杠	dāngàng	（名）	体操器械	
	單杠			horizontal bar	8.6
101.	档次	dàngcì	（名）	规格和水平	
	檔次			ranking; level	6.2
102.	殚精竭虑	dān jīng jié lù	（习语）	用尽努力思考	
	殫精竭慮			wrack one's brains; devote entire energy and thought	5.1
103.	淡忘	dànwàng	（动）	忘记，记不起来	
	淡忘			fade from one's memory	5.7
104.	单一	dānyī	（形）	只有一（个／种）的	
	單一			singleness; singularity	6.1
105.	导读	dǎodú	（名）	指导阅读；文字介绍	
	導讀			instruct or direct reading	1.1
106.	倒过来	dào guòlái	（动短）	把顺序放反	
	倒過來			upside down; reverse	2.2
107.	倒胃口	dǎo wèikou	（动短）	没有食欲	
	倒胃口			spoil one's appetite	8.5
108.	导向	dǎoxiàng	（名）	方向	
	導向			trend	5.3
109.	导语	dǎoyǔ	（名）	介绍性的话	
	導語			introduction	5.4
110.	大肆	dàsì	（副）	没有顾忌地（多指做坏事）	
	大肆			without restraint	1.2
111.	大同小异	dà tóng xiǎo yì	（成）	大的方面相同，小的方面有点不一样	
	大同小異			largely identical but with minor differences; alike except for slight differences; very much the same	1.1
112.	大行其道	dà xíng qí dào	（习语）	进行得很顺利	
	大行其道			doing something with full energy; very successful	6.1
113.	打造	dǎzào	（动）	制造	
	打造			forge; build	5.1

114.	登记 登記	dēngjì	(动/名)	报名办结婚的手续 book in; register	5.4
115.	得体 得體	détǐ	(形)	(言语、行动等的)得当;恰当;恰如 其分 appropriate; suited to the occasion	1.2
116.	得益于 得益於	déyìyú	(动短)	从……得到好处 profit from	5.6
117.	奠定 奠定	diàndìng	(动)	建立基础 establish; settle	5.6
118.	典故 典故	diǎngù	(名)	古书或诗词上的故事等 allusion; literary quotation	3.1
119.	典型 典型	diǎnxíng	(名)	模范 representative; model; type	7.1
120.	吊环 吊環	diàohuán	(名)	体育器械 flying rings; stationary rings; the swing ring	8.6
121.	吊机 吊機	diàojī	(名)	把物品提到高处的机器 crane; hoist	6.2
122.	底气 底氣	dǐqì	(名)	心中的力量 stamina	6.5
123.	底数 底數	dǐshù	(名)	基本的事实 the truth of a matter	6.2
124.	抵御 抵禦	dǐyù	(动/名)	抵抗 resist; withstand	5.3
125.	地震 地震	dìzhèn	(名)	地球振动的灾难 earthquake	4.2
126.	抵制 抵制	dǐzhì	(动)	阻止某些事情,使不能发生作用 resist; boycott	1.2
127.	动若脱兔 動若脫兔	dòng ruò tuō tù	(习语)	跑得很快 run like a rabbit	8.1
128.	督促 督促	dūcù	(动)	监督催促 supervise and urge	5.7
129.	对口 對口	duìkǒu	(动短)	符合情况的 match with…	5.2
130.	对仗 對仗	duìzhàng	(名)	按照声音和意思把句子排列得声音 好听有意义 antithesis (in poetry/etc.)	3.2
131.	对照 對照	duìzhào	(动/名)	比较、对比 contrast; compare	2.2

| 132. | 堵塞
堵塞 | dǔsè | (动短) | 使不流通
build up; jam; stop | 6.6 |
| 133. | 独资
獨資 | dúzī | (名) | 指一个人或一方单独投资的
single-venture | 5.6 |

E

134.	恶臭 惡臭	èchòu	(形)	让人恶心的臭味 effluvium; foul; malodor	8.5
135.	额头 額頭	étóu	(名)	头的前部 forehead	2.1
136.	额外 額外	éwài	(形)	超出规定范围或数量的 extra; superfluity	9.2
137.	恶心 噁心	ěxin	(形)	让人想呕吐 naupathia; nausea	8.5
138.	厄运 厄運	èyùn	(名)	不好的运气 doom	9.3
139.	遏制 遏制	èzhì	(动)	阻止、控制 keep within limits	11.2

F

140.	发布 發佈	fābù	(动/名)	发表和宣布 publish; announce	1.1
141.	发掘 發掘	fājué	(动)	挖，发现 dig; excavation	5.6
142.	发廊 髮廊	fàláng	(名)	理发美容的商店 hair salon	5.7
143.	番 番	fān	(量)	次 a measure word	5.4
144.	翻倍 翻倍	fān bèi	(动短)	成倍数的比例 multiple times	6.1
145.	范畴 範疇	fànchóu	(名)	类型、范围 category; range	1.2
146.	泛读 泛讀	fàndú	(动/名)	随便读，读懂大意 extensive reading	2.2
147.	坊 坊	fáng	(名)	工作车间 workshop; mill; lane	8.5

148. 防范 防範	fángfàn	(动/名)	防止 keep away	5.3
149. 放弃 放棄	fàngqì	(动)	扔掉 abandon; give up	2.2
150. 访问 訪問	fǎngwèn	(动/名)	会见人或参观地方 visit	3.2
151. 仿照 倣照	fǎngzhào	(动)	按照 imitate; copy	8.2
152. 方针 方針	fāngzhēn	(名)	指导事业、学习等的根本的方向和 目标 policy; guide principle	1.1
153. 繁文缛节 繁文縟節	fán wén rù jié	(习语)	复杂的、没有必要的礼貌 unnecessary and overelaborate formalities	5.1
154. 反弹 反彈	fǎntán	(动/名)	压弹簧后,弹簧向相反的方向弹回, 比喻回升 rebound	8.2
155. 反响 反響	fǎnxiǎng	(名)	回响;反应 response; repercussion	1.2
156. 返销 返銷	fǎnxiāo	(动)	卖到生产的地方 resold by state to place of production	5.6
157. 发人深省 發人深省	fā rén shēn xǐng	(习语)	让人深刻思考 set people thinking	5.5
158. 发行 發行	fāxíng	(动/名)	发出新印刷的书刊、电影或钱币 等等 issue; publish; distribute; put on sale	1.1
159. 发行量 發行量	fāxíngliàng	(名)	报刊或货币等分析的数量 circulation	1.2
160. 肥胖 肥胖	féipàng	(形)	体重超过标准 fatness; adiposity	6.4
161. 分道扬镳 分道揚鑣	fēn dào yáng biāo	(习语)	分手 part company; echo going own way	11.1
162. 份额 份額	fèn'é	(名)	一定的比例 quotient; share	6.1
163. 风采 風采	fēngcǎi	(名)	风格和神采 elegant demeanour; mien	9.3

164.	封官许愿 封官許願	fēng guān xǔ yuàn	（习语）	预先答应和告诉别人让他做官 offer official posts and make lavish promises 5.2
165.	丰厚 豐厚	fēnghòu	（形）	丰富厚重，多 rich and generous; thick 6.1
166.	丰俭由人 豐儉由人	fēng jiǎn yóu rén	（习语）	多花钱少花钱都可以 spend more or less up to you 11.7
167.	风貌 風貌	fūngmào	（名）	情况和面貌 style and features; view; scene 3.2
168.	丰盛 豐盛	fēngshèng	（形）	多而满 rich; sumptuous 5.7
169.	缝隙 縫隙	fèngxì	（名）	裂缝、空隙 aperture; gap; lacune 8.5
170.	风险 風險	fēngxiǎn	（名）	危险的可能性 risk; hazard; venture 11.3
171.	丰衣足食 豐衣足食	fēng yī zú shí	（习语）	生活富足 have ample food and clothing 5.7
172.	风雨无阻 風雨無阻	fēngyǔ wú zǔ	（习语）	不受天气影响 in all weathers 5.7
173.	分娩 分娩	fēnmiǎn	（动）	生孩子 childbearing; childbirth 6.4
174.	弗 弗	fú	（副）	不 no; not 10.1
175.	妇联 婦聯	fùlián	（名）	中华全国妇女联合会 the All-China Women's Federation 5.4
176.	腐败 腐敗	fǔbài	（形/名）	腐烂和败坏 corrupt 5.2
177.	扶持 扶持	fúchí	（动）	帮助和支持 support 6.5
178.	福利 福利	fúlì	（名）	照顾补助措施 material benefit; welfare 10.4
179.	负面 負面	fùmiàn	（形）	反面的 negative 3.2
180.	抚平 撫平	fǔpíng	（动）	安慰 comfort 8.1

181. 复兴 復興	fùxīng	(动/名)	恢复和兴起 rebound; reconstruct; renaissance 	 5.3
182. 腐朽 腐朽	fǔxiǔ	(形)	腐烂的 molder	 5.3
183. 赋予 賦予	fùyǔ	(动)	给予 bestow on; endow with	 5.1
184. 富余 富餘	fùyu	(形)	富而有余 margin; surplus	 6.2
185. 辅助 輔助	fǔzhù	(动)	帮助 assist; supplementary; auxiliary; subsidiary	 2.1
186. 副作用 副作用	fùzuòyòng	(名)	跟随着主要作用而附带发生的 不好的作用 side effect; side-effect	 6.6

G

187. 概括 概括	gàikuò	(动/名)	把重要的内容放在一起 summarize	 2.2
188. 改写 改寫	gǎixiě	(动/名)	把一篇文章写成别的样子 adapt; rewrite	 2.2
189. 纲要 綱要	gāngyào	(名)	大纲和要点 compendium; program; outline	 6.4
190. 感慨 感慨	gǎnkǎi	(形)	心情激动 sigh with emotion	 8.6
191. 高潮 高潮	gāocháo	(名)	最高点 climax; heat	 7.1
192. 告终 告終	gào zhōng	(动)	宣布结束 out of hand	 8.2
193. 割裂 割裂	gēliè	(动)	把不应该分开的东西分开 dissever	 8.4
194. 跟踪 跟蹤	gēnzōng	(动)	跟随追踪 follow up the cent; run after; scout 	 6.2
195. 格式 格式	géshi	(名)	形式，规范 form; pattern	 2.2
196. 革新 革新	géxīn	(动)	改变成新的 reform; reformation; renovation	 7.1

197.	公德	gōngdé	（名）	公众道德	
	公德			social morality	5.4
198.	公告	gōnggào	（名）	公开的告示和通知	
	公告			announcement; proclamation	3.2
199.	公关	gōngguān	（名）	公共关系	
	公關			public relations	10.2
200.	公款	gōngkuǎn	（名）	属于国家、企业、团体的钱	
	公款			public money	5.7
201.	功利	gōnglì	（名）	名声和利益	
	功利			material gain; utility; benefit	7.1
202.	功利性	gōnglìxìng	（名）	跟利益有关的	
	功利性			utilitarianism	4.2
203.	功率	gōnglǜ	（名）	机械和能量的单位	
	功率			power	6.1
204.	共识	gòngshí	（名）	共同的看法	
	共識			commonsense; public knowledge	6.6
205.	公益性	gōngyìxìng	（名）	和公共利益有关的特性	
	公益性			public benefits; public welfare	1.2
206.	工作坊	gōngzuòfáng	（名）	训练班	
	工作坊			workshop	9.2
207.	沟通	gōutōng	（动）	交流	
	溝通			communicate	6.2
208.	怪圈	guàiquān	（名）	奇怪的循环	
	怪圈			strange circle; odd circle	6.1
209.	官方	guānfāng	（名）	政府的	
	官方			by the government; official	7.1
210.	广度	guǎngdù	（名）	事物广狭的程度	
	廣度			scope; range	1.2
211.	光复	guāngfù	（动）	恢复，收回	
	光復			recover	9.4
212.	官话	guānhuà	（名）	官腔	
	官話			official talking; good words	5.4
213.	惯例	guànlì	（名）	传统的例子	
	慣例			convention; usual practice	5.1
214.	官能症	guānnéngzhèng	（名）	功能性的疾病	
	官能癥			functional disease	8.4
215.	管束	guǎnshù	（动）	管理约束	
	管束			control; restrain	5.7

216. 挂牌执业　guà pái zhí yè　（动短）　得到允许合法地工作
     挂牌执业　　　　　　　　　　　　　　　　open business with official
     　　　　　　　　　　　　　　　　　　　　approval　　　　6.5

217. 规范　　　guīfàn　　　　（名）　　标准的
     規範　　　　　　　　　　　　　　　　　standard; norm　　2.2

218. 顾及　　　gùjí　　　　　（动）　　看到、想到
     顧及　　　　　　　　　　　　　　　　　take in account; give
     　　　　　　　　　　　　　　　　　　　consideration to　　3.2

219. 顾名思义　gù míng sī yì　（成）　　看到名字就想起意思来
     顧名思義　　　　　　　　　　　　　　　seeing the name of a thing one
     　　　　　　　　　　　　　　　　　　　thinks of its function;　just as its
     　　　　　　　　　　　　　　　　　　　name implies; as the term
     　　　　　　　　　　　　　　　　　　　suggests.　　　　2.1

220. 过来人　　guòláirén　　　（名）　　有经验的人
     過來人　　　　　　　　　　　　　　　　an experienced person　8.1

221. 过滤　　　guòlù　　　　　（动）　　筛滤
     過濾　　　　　　　　　　　　　　　　　filtrate; filtration; leach　6.6

222. 过于　　　guòyú　　　　　（形）　　太
     過於　　　　　　　　　　　　　　　　　excessively; too; unduly　5.7

223. 孤僻　　　gūpì　　　　　　（形）　　性格怪，不同人合作
     孤僻　　　　　　　　　　　　　　　　　unsociable and eccentric　9.3

224. 顾问　　　gùwèn　　　　　（名）　　提供咨询者
     顧問　　　　　　　　　　　　　　　　　adviser; consultant;
     　　　　　　　　　　　　　　　　　　　counselor　　　11.3

225. 鼓噪　　　gǔzào　　　　　（动）　　没有秩序的叫喊
     鼓譟　　　　　　　　　　　　　　　　　clamour; make an uproar　9.6

H

226. 海关　　　hǎiguān　　　　（名）　　进出口的管理部门
     海關　　　　　　　　　　　　　　　　　CIQ; custom; customhouse　6.1

227. 函授班　　hánshòubān　　　（名）　　通过通讯来教学的课程
     函授班　　　　　　　　　　　　　　　　teach by correspondence　5.5

228. 寒酸　　　hánsuān　　　　（形）　　穷苦
     寒酸　　　　　　　　　　　　　　　　　wretched; poverty; tricken　11.7

229. 含蓄　　　hánxù　　　　　（形）　　不公开的，隐藏的
     含蓄　　　　　　　　　　　　　　　　　connotation　　　5.4

230. 好奇　　　hàoqí　　　　　（形）　　感到稀奇、奇怪
     好奇　　　　　　　　　　　　　　　　　curious, full of curiosity　5.7

231. 荷包	hébāo	（名）	钱包	
	荷包			wallet; pocket; small bag	11.7
232. 衡量	héngliáng	（动）	评价和丈量	
	衡量			weight; measure; judge	4.2
233. 恒温	héngwēn	（名）	保持一样的温度	
	恆溫			constant temperature	6.5
234. 恒心	héngxīn	（名）	坚持的决心	
	恆心			perseverance	8.2
235. 核武器	héwǔqì	（名）	原子武器	
	核武器			nuke; nuclear weapon	11.3
236. 核心	héxīn	（名）	中心	
	核心			core; kernel; nubbin	7.2
237. 烘托	hōngtuō	（动/名）	写作或画画儿时用一些方法使内容突出	
	烘托			add shading around an object to make it stand out; set off by contrast	3.1
238. 弘扬	hóngyáng	（动）	发扬和提倡	
	弘扬			develop; promote	5.3
239. 后劲	hòujìn	（名）	后备力量	
	後勁			aftereffect; stamina	6.1
240. 后来居上	hòu lái jū shàng	（习语）	落后变成先进	
	後來居上			the latecomers surpass the formers	8.7
241. 划分	huàfēn	（动）	区分;把整体分成几个部分	
	劃分			delimit; differentiate	1.2
242. 花架子	huājiàzi	（习语）	形式主义的做法	
	花架子			play airs	5.1
243. 焕发	huànfā	（动）	爆发出来	
	焕發			coruscate; coruscation	8.1
244. 慌不择路	huāng bù zé lù	（习语）	着急不顾道路	
	慌不擇路			hurry and not look around	8.9
245. 幻想	huànxiǎng	（名）	奇怪的想像	
	幻想			fantasy; fancy; illusion	11.5
246. 还原	huányuán	（动）	变回原来的样子	
	還原			return to the original condition or shape; restore	2.2
247. 划算	huásuàn	（形）	合适	
	划算			be to one's profit; calculate; weigh	5.6

248.	互动	hùdòng	（动）	互相关联、互相影响	
	互動			interact; interaction	3.1
249.	回归	huíguī	（动/名）	回来	
	回歸			regress; regression	5.7
250.	会考	huìkǎo	（名）	统一的考试	
	會考			national examination for college admission	9.1
251.	回收	huíshōu	（动）	用过又拿来用	
	回收			callback; reclaim	6.6
252.	讳言	huìyán	（动）	不敢说，不愿意说	
	諱言			dare not or would not speak up	5.4
253.	餬口	húkǒu	（动短）	维持最低的生活	
	餬口			make a living	10.3
254.	互联网	hùliánwǎng	（名）	电脑网络	
	互聯網			Internet	2.2
255.	忽略	hūlüè	（动）	不注意、不重视	
	忽略			ignore; neglect; overlook; lose sight of	2.1
256.	婚外情	hūnwàiqíng	（名）	婚姻以外的情感	
	婚外情			extra-marital affair	5.4
257.	混浊	hùnzhuó	（形）	肮脏不清洁	
	混濁			thickness; turbidity; turbines	8.5
258.	获准	huòzhǔn	（动短）	得到批准	
	獲准			get approval	5.7
259.	呼吁	hūyù	（动/名）	向个人或社会申述，请求援助或主持公道	
	呼籲			appeal; appeal to; call on	5.4

J

260.	加大	jiādà	（动）	增大	
	加大			increase; enlarge	6.2
261.	加剧	jiājù	（动）	加深严重的程度	
	加劇			prick up	9.1
262.	加冕	jiā miǎn	（动短）	君主即位的仪式	
	加冕			coronate	8.6
263.	监测	jiāncè	（动）	监督测量	
	監測			monitor; supervise	6.4

264.	检察 檢察	jiǎnchá	（名）	司法控制 procuratorate	5.1
265.	兼差 兼差	jiānchāi	（动）	兼职 side job; moonlighting	10.1
266.	监督 監督	jiāndū	（动）	监视和督察 supervise; superintend	3.2
267.	监督权 監督權	jiāndūquán	（名）	监察和督促的权利 rights of supervising	5.2
268.	减肥 減肥	jiǎn féi	（动）	使身体变瘦 diet	7.1
269.	降幅 降幅	jiàngfú	（名）	下降的比例 the ratio of descend	6.1
270.	减负 減負	jiǎn fù	（动短）	减轻负担 reduce pressure; relief burden	6.3
271.	煎服 煎服	jiān fú	（动短）	煮并食用 drink after boiling	8.8
272.	降低 降低	jiàngdī	（动）	下降 low; decrease	5.1
273.	降价 降價	jiàng jià	（动短）	减低价钱 depreciate	6.1
274.	监控 監控	jiānkòng	（动）	监督和控制 supervise and control	8.3
275.	简练 簡練	jiǎnliàn	（形）	简单明白 terse; succinct	3.2
276.	简朴 簡樸	jiǎnpǔ	（形）	简单朴素 simplicity	11.1
277.	健全 健全	jiànquán	（形）	健康完全 healthiness; sanity	6.2
278.	坚韧 堅韌	jiānrèn	（形）	坚强结实 diligency; tenacity	8.7
279.	兼任 兼任	jiānrèn	（动）	在本职之外担任的 part time; pluralism	9.2
280.	尖锐 尖銳	jiānruì	（形）	矛盾激烈 sharp; keen; penetrating	3.2
281.	艰深 艱深	jiānshēn	（形）	难懂的 difficult to understand	4.2
282.	健身房 健身房	jiànshēnfáng	（名）	锻炼身体的场所 gymnasium; palaestra	10.3

283.	健忘 健忘	jiànwàng	(形)	容易忘事,一种疾病 have a bad memory; forgettery 8.4
284.	建议 建議	jiànyì	(动/名)	劝告,主张 advice; advise; make suggestions 6.6
285.	见义勇为 見義勇爲	jiàn yì yǒng wéi	(习语)	见到正义的事就勇敢地去做 ready to help others for a just cause 8.9
286.	鉴于 鑒於	jiànyú	(动)	根据 herein; whereas 11.2
287.	焦虑 焦慮	jiāolǜ	(形)	着急、担心 angst; anxiety; misgivings 5.7
288.	交纳 交納	jiāonà	(动)	付钱 pay; render 5.5
289.	焦躁 焦躁	jiāozào	(形)	着急 fuss; peeve 8.1
290.	家喻户晓 家喻戶曉	jiā yù hù xiǎo	(习语)	所有人都知道 widely known 5.6
291.	基层 基層	jīcéng	(名)	各种组织中最低的一层,跟群 众的联系最直接 grass roots 6.6
292.	竭诚 竭誠	jiéchéng	(副)	努力诚恳 wholeheartedly 5.1
293.	街道 街道	jiēdào	(名)	旁边有房子的比较宽阔的道路 street; neighborhood 5.2
294.	界定 界定	jièdìng	(动)	确定、划定 defining; give a definition 5.4
295.	截稿 截稿	jiégǎo	(动短)	停止接受新闻的时间 deadline for sending last news copy to composition room 2.2
296.	借机 借機	jiè jī	(动短)	利用机会 take the chance; take the opportunity 5.7
297.	劫机 劫機	jié jī	(动短)	为了罪恶的目的而用暴力手段 强迫飞机按照自己的愿望飞行 hijack; skyjack 9.5
298.	借鉴 借鑒	jièjiàn	(动/名)	学习和借用 use for reference 5.3

314.	静脉炎 靜脈炎	jìngmàiyán	（名）	血管疾病 phlebitis	6.6
315.	经贸 經貿	jīngmào	（名）	经济和贸易 economics and business	1.2
316.	警犬 警犬	jǐngquǎn	（名）	帮警察工作的狗 police dog; patrol dog	4.1
317.	精神病 精神病	jīngshénbìng	（名）	神经系统或精神上的疾病 lunacy; psychopaths; psychosis 9.5	
318.	精神抖擞 精神抖擻	jīngshén dǒu sǒu	（习语）	精神高昂 in high spirits; in excellent form 8.6	
319.	精神分裂 精神分裂	jīngshén fēnliè	（名）	精神上的疾病 schizophrenia	9.3
320.	精益求精 精益求精	jīng yì qiú jīng	（习语）	极端认真 keep improving	6.2
321.	禁忌 禁忌	jìnjì	（名）	医药上应避免的 no-no; taboo	6.6
322.	金融 金融	jīnróng	（名）	指货币(钱)的发行、流通,发放 贷款等经济活动 finance; banking	1.1
323.	晋升 晉陞	jìnshēng	（动）	受到提升 promote	5.2
324.	近视 近視	jìnshì	（形）	眼睛疾病 myopia; short sight	6.4
325.	尽孝道 盡孝道	jìn xiàodào	（动短）	完成孝顺的行动 to fulfil the duty of filial piety 5.7	
326.	晋薪 晉薪	jìnxīn	（动短）	提高工资 raising salary	9.2
327.	金字塔 金字塔	jīnzìtǎ	（名）	三角形 pyramid	7.1
328.	即时 即時	jíshí	（形）	马上;立刻 immediately	1.2
329.	激素 激素	jīsù	（名）	一种药物 hormone; incretion; internal secretion	6.6
330.	就业 就業	jiùyè	（动/名）	找到工作 obtain employment; take up an occupation	6.2

331. 冀望 冀望	jìwàng	(动/名)	强烈的希望 hope; look forward to	5.4
332. 激扬 激扬	jīyáng	(动)	抨击坏人坏事，奖励好人好事； 激动昂扬 emotional; passionate; enthusiastic	1.2
333. 击掌 擊掌	jīzhǎng	(动)	拍手表示高兴和支持 clap hands	5.1
334. 机制 機制	jīzhì	(名)	机体、制度 system; mechanism	6.2
335. 举 舉	jǔ	(动)	送到高处 measure word	6.2
336. 卷扬机 捲揚機	juǎnyángjī	(名)	把物品送到别处的机器 windlass	6.2
337. 卷子 卷子	juànzi	(名)	考试题目的纸 examination paper	5.2
338. 举措 舉措	jǔcuò	(名)	措施和举动 measure; step; act; move	5.1
339. 决赛 決賽	juésài	(名)	最后的比赛 fight-off; final; playdown	8.6
340. 抉择 抉擇	juézé	(动)	选择 choice	10.1
341. 角逐 角逐	juézhú	(动/命)	争斗 content; tussle	6.1
342. 居高不下 居高不下	jū gāo bú xià	(习语)	停留在很高的位置上 occupy commanding position/height	6.4
343. 鞠躬尽瘁 鞠躬盡瘁	jūgōng jìn cuì	(习语)	做出自己所有能做的 bend one's back to the task until one's dying day; have dedicated one's life to a cause	5.1
344. 聚精会神 聚精會神	jù jīng huì shén	(习语)	把精神集中起来 gather oneself together; self-absorption	9.3
345. 拘留 拘留	jūliú	(动)	根据法律把人关押起来 detention; custody	8.9
346. 均 均	jūn	(副)	平均 average	5.1

347. 拘泥 拘泥	jūnì	(动)	死板,不灵活 be a stickler for (form, etc.); rigidly adhere to (formalities, etc.) 2.1
348. 居然 居然	jūrán	(副)	没想到的 unexpectedly; to one's surprise; going so far as to 10.1
349. 沮丧 沮喪	jǔsàng	(形)	心情不好,失望 depressed; dejected 2.1
350. 举足轻重 舉足輕重	jǔ zú qīng zhòng	(成)	所处的地位重要,一举一动都 关系到大局 prove decisive; play a decisive role 1.2

K

351. 开路先锋 開路先鋒	kāi lù xiānfēng	(名)	走在前面领路的人 trailbreaker 6.5
352. 开门见山 開門見山	kāi mén jiàn shān	(成)	明白易懂的写作风格 come staight to the point; declare one's intention right at the outset 3.2
353. 开明 開明	kāimíng	(形)	开放、文明 enlightened; open-minded 5.7
354. 开宗明义 開宗明義	kāi zōng míng yì	(习语)	文章的开始说明主要的意思 make clear the purpose from the very beginning 6.5
355. 卡路里 卡路里	kǎlùlǐ	(名)	热量 calorie 11.7
356. 刊登 刊登	kāndēng	(动 / 名)	在刊物和书上发表 publish in newspaper or magazine; carry 1.1
357. 康复 康復	kāngfù	(动)	恢复健康 get well; recovered; healing 9.3
358. 抗生素 抗生素	kàngshēngsù	(名)	某些微生物或动植物所产生的 能抑制另一些微生物生长繁殖 的化学物质 antibiotics 6.5

359.	刊头 刊頭	kāntóu	（名）	标出报纸和刊物的名称、 日期等的地方 masthead of newspaper/ magazine	1.1
360.	拷贝 拷貝	kǎobèi	（动）	复制 copy	6.5
361.	考核 考核	kǎohé	（名）	考察、核查 assess; examine	6.2
362.	克服 克服	kèfú	（动／名）	用努力来解决和征服 overcome	5.2
363.	刻画 刻畫	kèhuà	（动）	深刻描写 depict; portray	7.2
364.	客流 客流	kèliú	（名）	顾客的流量 statistic of the custom	6.5
365.	啃 啃	kěn	（动）	用上牙咬 gnaw; nibble; bite	2.1
366.	恪守 恪守	kèshǒu	（动）	坚定地遵守 scrupulously abide by	5.1
367.	刻意 刻意	kèyì	（副）	用尽心思 intentionally; done on purpose 	3.2
368.	空洞 空洞	kōngdòng	（形）	没有内容 inanition	5.4
369.	扣查 扣查	kòuchá	（动短）	扣押下来审查 hold and detain	9.5
370.	夸大 誇大	kuādà	（动）	把事情说得超过了原有的程度 aggrandize; magnify; overdraw 	11.3
371.	快餐型 快餐型	kuàicānxíng	（名）	简单方便的 in form of fast-food	2.2
372.	宽怀 寬懷	kuān huái	（动短）	轻松、愉快心胸 relax	9.1
373.	夸张 夸張	kuāzhāng	（形）	夸大的 exaggerate; overdraw	7.2
374.	库存 庫存	kù cún	（动短）	仓库存的内容 repertory; stock; stockpile; storage	6.1
375.	亏待 虧待	kuīdài	（动）	不公平,对人不好 treat unfairly	10.2

376. 亏欠 虧欠	kuīqiàn	(动)	借或拿别人的东西没有归还 owe; owes	5.7
377. 捆绑 捆綁	kǔnbǎng	(动)	用绳子扎在一起 binding; seizing	5.6
378. 困境 困境	kùnjìng	(名)	困难的境况和境地 a pretty pass; how-d'ye-do; jam; puzzledom	5.4
379. 困扰 困擾	kùnrǎo	(形)	困难和烦恼 harassment; puzzle; bothered	8.2
380. 扩写 擴寫	kuòxiě	(动 / 名)	把短文章加长 expand the original writing	2.2

L

381. 来龙去脉 來龍去脈	lái lóng qù mài	(习语)	全部的经过 origin and development; cause and effect	3.2
382. 来日不多 來日不多	lái rì bù duō	(习语)	没有很多时间了 not too many in the future day	5.7
383. 滥 濫	làn	(形)	不正当的、过多的 excessive; overflow	6.6
384. 栏目 欄目	lánmù	(名)	报纸、杂志等版面上按内容性 质分成的标有名称的部分 column	1.1
385. 乐观 樂觀	lèguān	(形)	充满信心的看法 optimism; optimize	6.4
386. 累计 累計	lěijì	(动)	加起来计算 accumulative total; add up	6.2
387. 类似 類似	lèisì	(形)	相像 analogy; parallelism	5.7
388. 雷同 雷同	léitóng	(形)	不该相同而相同 echoing other; duplicate	6.1
389. 愣 愣	lèng	(副)	勉强、硬做 doggedly	5.7
390. 良策 良策	liángcè	(名)	好的计划 good plan	9.1

391.	良莠不齐 良莠不齊	liáng yǒu bù qí	（习语）	好的和坏的混在一起 the good and bad are intermingled	8.3
392.	连锁店 連鎖店	liánsuǒdiàn	（名）	系列性的销售店 multiple shop	5.6
393.	连衣裙 連衣裙	liányīqún	（名）	上下相连的裙子 one-piece dress	5.7
394.	疗程 療程	liáochéng	（名）	一个治疗的时期 period of treatment	6.5
395.	疗效 療效	liáoxiào	（名）	治疗的效果 curative effect	8.2
396.	礼宾 禮賓	lǐbīn	（动）	按一定的礼仪接待宾客 protocol	5.1
397.	力度 力度	lìdù	（名）	力量和强度 force; power; puissance	6.2
398.	立竿见影 立竿見影	lì gān jiàn yǐng	（成）	马上看到效果 get effect instantly	6.6
399.	历历在目 歷歷在目	lìlì zài mù	（习语）	像看见一样 come clearly into view	5.1
400.	临床医生 臨床醫生	línchuáng yīshēng	（名）	医院管理住院病人的医生 clinician	6.6
401.	零部件 零部件	língbùjiàn	（名）	机器的部分 parts	5.6
402.	灵魂 靈魂	línghún	（名）	比喻起指导和决定作用的因素 soul; spirit	3.2
403.	灵活 靈活	línghuó	（形）	精灵活泼 agility; flexible	7.1
404.	零头 零頭	língtóu	（名）	零碎的小钱 oddment	6.5
405.	领域 領域	lǐngyù	（名）	范围 domain; field; kingdom	5.3
406.	离谱 離譜	lí pǔ	（动短）	奇怪、不合情理 beyond reasonable limits; excessive	11.3
407.	力图 力圖	lìtú	（动）	极力谋求、打算 try hard to; strive to	1.1
408.	浏览 瀏覽	liúlǎn	（动）	大略地看 browse; glance over	2.1
409.	笼统 籠統	lǒngtǒng	（形）	缺乏具体分析,不明确;含混 in general; not specific	1.2

410. 轮 輪	lún	(动)	循环的 turn; annulus	5.2
411. 伦理 倫理	lúnlǐ	(名)	道德规范 ethic	5.4
412. 论坛 論壇	lùntán	(名)	讨论的场所 forum; tribune	11.6
413. 逻辑 邏輯	luójí	(名)	规律、条理 logic	7.1
414. 落实 落實	luòshí	(动)	执行和完成 carry out; fulfil; put into effect 	5.3
415. 落伍 落伍	luò wǔ	(动短)	掉在了后面 behind the time; drop behind; ogyism	5.5
416. 络绎不绝 絡繹不絕	luòyì bù jué	(习语)	连续不断 in an endless stream	5.5
417. 履行 履行	lǚxíng	(动)	执行 perform; fulfill; carry out	5.1

M

418. 脉络 脈絡	màiluò	(名)	重要的线索 skeleton; venation	7.1
419. 卖弄 賣弄	màinong	(动)	炫耀 show off	4.2
420. 卖淫 賣淫	mài yín	(动)	出卖肉体赚钱 bawdry; prostitute oneself; whoredom	5.7
421. 瞒 瞞	mán	(动)	隐藏 cozen; hornswoggle; jockey	5.7
422. 盲目 盲目	mángmù	(形)	没有目的的,不明确的 blindness	8.3
423. 枚 枚	méi	(量)	量词 measure word	8.7
424. 美化 美化	měihuà	(动)	使更好看、美丽 beautify; embellish	3.1
425. 媒介物 媒介物	méijièwù	(名)	使(人或事)双方发生关系的 事物 medium; intermediary	1.2

426.	每况愈下 每况愈下	měi kuàng yù xià	（成）	越来越不好 go down the drain; go from bad to worse　5.7
427.	美容 美容	měiróng	（动）	使形象更好看 improve looks; cosmetology 6.2
428.	美容院 美容院	měiróngyuàn	（名）	美容打扮的商店 beauty parlor　10.2
429.	媒体 媒體	méitǐ	（名）	广播、电视、报纸等 media　2.2
430.	描情状物 描情狀物	miáo qíng zhuàng wù	（习语）	描写人物和情况 give a vivid description of things or situation　4.2
431.	秘方 秘方	mìfāng	（名）	不公开的有显著医疗效果 的药方 secret recipe　8.2
432.	密集 密集	mìjí	（形）	数量很多地聚集在一起 concentrated; crowded together 2.1
433.	敏感 敏感	mǐngǎn	（形）	生理上和心理上对外界事物 反应很快 sensitivity; susceptivity; keenness; have q thin skin　5.4
434.	名副其实 名副其實	míng fù qí shí	（习语）	名字和实际情况一样 be worthy of the name; the name matches the reality　5.7
435.	名落孙山 名落孫山	míng luò Sūn Shān	（成）	考试失利 fall in a competitive examination 8.1
436.	名目繁多 名目繁多	míngmù fánduō	（习语）	各种各样的名称 many mann names　5.5
437.	民政局 民政局	mínzhèngjú	（名）	管理社会工作的部门 civil administration　5.2
438.	模仿 模仿	mófǎng	（动／名）	按照现成的样子做 imitate　2.2
439.	摩肩接踵 摩肩接踵	mó jiān jiē zhǒng	（习语）	形容人多，很拥挤 jostle each other in a crowd　9.1
440.	摸清 摸清	mōqīng	（动短）	研究全部情况 to search out the situation　6.2

441.	模式 模式	móshì	（名）	形式 mode; pattern	7.1
442.	谋 谋	móu	（动）	计划方法 consult; plan; plot	5.1
443.	募股 募股	mù gǔ	（动短）	征集股金 collect sharing; recruit stocks	10. 1

N

444.	难免 難免	nánmiǎn	（副）	很难避免 hard to avoid	8.2
445.	内涵 内涵	nèihán	（名）	内容 content; connotation	3.1
446.	内情 内情	nèiqíng	（名）	内部的情况 inside news	5.5
447.	能屈能伸 能屈能伸	néng qū néng shēn	（习语）	能享福也能受苦 know how to deal with all kind of situations	10.3
448.	溺 溺	nì	（动）	淹没在水里 drown	8.9
449.	拈连 拈連	niānlián	（名）	一种在写作时和文章其他部分 连合在一起的有趣的效果 adhesion	3.2
450.	柠檬 檸檬	níngméng	（名）	一种水果 lemon	5.6
451.	溺水 溺水	nìshuǐ	（动短）	淹没在水里 drown	11.2
452.	浓厚 濃厚	nónghòu	（形）	深的、浓的 denseness	7.2
453.	诺言 諾言	nuòyán	（名）	答应别人的话 promise	5.1
454.	挪用 挪用	nuóyòng	（动）	私自用公家的钱 appropriation; embezzle; impropriate	5.7

P

455.	排斥	páichì	（动）	不欢迎，推开	
	排斥			blackball; exclude; repulsion	
					7.2
456.	排行榜	páihángbǎng	（名）	表示名次的告示	
	排行榜			ranking board	9.4
457.	判若两人	pàn ruò liǎng rén	（习语）	好像完全不同的两个人	
	判若兩人			totally like different person	8.1
458.	陪读	péi dú	（动短）	伴陪读书	
	陪讀			accompany to study	5.5
459.	配伍	pèiwǔ	（动）	把两种或两种以上的药物配合	
	配伍			起来同时使用	
				be match; to company	6.6
460.	培训	péixùn	（动）	培养和训练	
	培訓			train; training	5.2
461.	烹调	pēngtiáo	（动）	炒菜做饭	
	烹調			cook	6.2
462.	偏爱	piān'ài	（动）	特别喜欢	
	偏愛			accept the face of;　favoritism;	
				preference	5.7
463.	偏偏	piānpiān	（副）	表示事实跟所希望的恰恰相反	
	偏偏			unluckily	5.7
464.	凭	píng	（动/介）	根据	
	憑			depend on; rely on	5.2
465.	平价	píngjià	（名）	公平、普通的价格	
	平價			par value; parity	6.5
466.	频频	pínpín	（副）	连续不断地	
	頻頻			frequency; frequently	8.2
467.	平铺直叙	píng pū zhí xù	（习语）	平淡的叙述	
	平鋪直叙			speak or write in a dull or flat	
				way	7.1
468.	评述	píngshù	（动/名）	评论和叙述	
	評述			comment; review	3.2
469.	匹配	pǐpèi	（动）	配合成对	
	匹配			matching	9.1
470.	颇	pō	（副/形）	很，非常	
	頗			considerably; fearfully; oblique	
					6.1

471.	破译 破譯	pòyì	(动)	识破并译出获得的未知信息 expose the truth of; interpret
				3.2
472.	朴实 樸實	pǔshí	(形)	真实简单 plain; simple; guileless 7.2
473.	剖析 剖析	pōuxī	(动)	仔细分析 anatomy; take apart 8.1

Q

474.	欠 欠	qiàn	(动)	借或拿别人的东西没有归还 owe; lack of; not enough 5.7
475.	潜伏期 潛伏期	qiánfúqī	(名)	病毒或细菌侵入人体后至发病 前的时期 delitescence; latent period
				8.4
476.	强化 强化	qiánghuà	(动)	加强 strengthen; intensify; consolidate
				3.2
477.	强忍 强忍	qiáng rěn	(动短)	努力忍住 to bear with a big effort 8.5
478.	强项 强項	qiángxiàng	(名)	有优势的地方 indomitable; forte 8.6
479.	抢眼 搶眼	qiǎngyǎn	(动短/名)	引起注意，显眼 obvious; striking the eyes 3.1
480.	前列 前列	qiánliè	(形)	最前面的一列 in the first rank 6.4
481.	签署 簽署	qiānshǔ	(动)	在重要的文件上正式签字 subscribe; affix to 5.7
482.	浅显易明 淺顯易明	qiǎn xiǎn yì míng	(习语)	明白容易懂 very clear and simple 6.2
483.	潜移默化 潛移默化	qián yí mò huà	(成)	慢慢的不明显的变化 exert a subtle influence on sb's character, thinking etc.; imperceptibly influence 3.1
484.	潜在 潛在	qiánzài	(形)	掩藏起来不容易被发现的 latency 6.1
485.	期待 期待	qīdài	(动)	期望和等待； anticipate; expect 1.1

486. 启动 啓動	qǐdòng	(动)	发动，开始工作 start-up; startup	6.3
487. 切身性 切身性	qièshēnxìng	(名)	跟个人利益有关的 personal; the characteristics of directly affecting a person	4.2
488. 迄今 迄今	qìjīn	(副)	到现在 heretofore; hereunto; hitherto 	6.2
489. 起码 起碼	qǐmǎ	(形)	最根本的，最低限度 rudimentary; elementary	3.2
490. 情不自禁 情不自禁	qíng bú zì jīn	(习语)	无法控制情感 let oneself go	8.1
491. 清查 清查	qīngchá	(动短)	彻底检查 check; uncover	5.5
492. 清廉 清廉	qīnglián	(形)	清白廉洁 check up; inspect; examine	5.1
493. 请帖 請帖	qǐngtiě	(名)	邀请卡 invitation	11.1
494. 倾听 傾聽	qīngtīng	(动)	认真听 give ear to; give audience to; hearken	8.1
495. 倾向性 傾向性	qīngxiàngxìng	(名)	喜欢或反对的态度 tendency	3.1
496. 清淤 清淤	qīngyū	(动短)	清除河里的脏泥 to clean the silt	8.5
497. 勤勉 勤勉	qínmiǎn	(形)	勤劳努力 diligent; assiduous	5.1
498. 亲昵 親昵	qīnnì	(形)	关系亲切 very intimate	5.7
499. 勤勤恳恳 勤勤懇懇	qínqín kěnkěn	(习语)	工作非常努力 very hard working	6.2
500. 侵蚀 侵蝕	qīnshí	(动/名)	侵害腐蚀 corrode; erode; eat into	5.3
501. 勤政 勤政	qínzhèng	(动短)	努力工作 work hard; dutiful	5.1
502. 歧视 歧視	qíshì	(动)	看不起 treat with bias; discrimination 	11.6
503. 气势若虹 氣勢若虹	qì shì ruò hóng	(习语)	非常有气魄和力量 vigorous	8.1

504.	囚服 囚服	qiúfú	（名）	供犯人穿的特制的衣服 prisoner's uniform	5.7
505.	奇闻 奇聞	qíwén	（名）	奇特的消息 sth. unheard of; fantastic story	4.1
506.	期许 期許	qīxǔ	（名）	希望和许诺 hope; expectation	9.4
507.	全额 全額	quán'é	（名）	全部的 all amount	5.5
508.	全方位 全方位	quánfāngwèi	（副/名）	四面八方,各个方向或位置 holistic	6.2
509.	全力 全力	quánlì	（副）	用全部的能力 with all one's effort	5.1
510.	全能 全能	quánnéng	（形）	一个体操项目的名称 almightiness; omnipotence	8.6
511.	权益 權益	quányì	（名）	权利和利益 rights and interests	5.4
512.	渠道 渠道	qúdào	（名）	水道,比喻道路 channel; ditch; trench	5.6
513.	确保 確保	quèbǎo	（动短）	明确的保证 insure	5.3
514.	确切 確切	quèqiè	（副/形）	准确、恰当、确实 accurate; proper	1.1
515.	缺陷 缺陷	quēxiàn	（形）	缺点 disfigurement; limitation	6.4
516.	缺项 缺項	quēxiàng	（名）	缺少的内容 the item lacked	7.1
517.	趋吉避凶 趨吉避凶	qū jí bì xiōng	（习语）	追求好的躲避坏的 to meet fortune and avoid misfortune	9.4
518.	取决于 取決於	qǔjuéyú	（动）	由某方面或某种情况决定 be decided by; depend on; hinge on	1.1
519.	取舍 取捨	qǔshě	（动/名）	决定要或不要 accept or reject	1.1
520.	趋之若鹜 趨之若鶩	qú zhī ruò wù	（习语）	比喻许多人争着去追逐不好的事物 scramble for	5.5

R

521.	让位 讓位	ràng wèi	(动短)	把位子给别人 abdication; give the space to <div align="right">7.1</div>
522.	人次 人次	réncì	(量)	若干人数的总和 person-time 6.2
523.	人均 人均	rénjūn	(名)	每人平均 per person 6.2
524.	忍俊不禁 忍俊不禁	rěn jùn bù jīn	(习语)	忍不住想笑 cannot help laughing 9.1
525.	人事 人事	rénshì	(名)	管理职工的部门 human resource 5.2
526.	任用 任用	rènyòng	(动)	选人担任 appoint; assign sb. to a post 5.2
527.	热中于 熱中於	rèzhōngyú	(动短)	对……非常感兴趣 be wild about; high on 5.5
528.	如日中天 如日中天	rú rì zhōng tiān	(习语)	名誉或事业达到了最旺盛的时候 at the summit of one's power <div align="right">9.3</div>
529.	入不敷出 入不敷出	rù bù fū chū	(习语)	收入不够消费 expenditures exceed income; unable to make ends meet 10.3
530.	若无其事 若無其事	ruò wú qí shì	(习语)	跟没事一样 as if nothing happened; calmly <div align="right">9.1</div>

S

531.	扫兴 掃興	sǎoxìng	(动)	正高兴时遇到不愉快的事情而兴致低落 feel disappointed 11.3
532.	僧多粥少 僧多粥少	sēng duō zhōu shǎo	(习语)	比喻人多东西少,不够分配 not enough to satisfy everyone <div align="right">6.1</div>
533.	沙场老将 沙場老將	shāchǎng lǎo jiàng	(习语)	有经验的选手 old hand of the battlefield 8.1

534.	扇 扇	shàn	（量）	量词 a measure word	5.7
535.	上岗 上崗	shàng gǎng	（动短）	得到工作 take up a job	5.2
536.	尚未 尚未	shàngwèi	（副）	还没有 not yet	11.7
537.	善后 善後	shànhòu	（动）	妥善地料理和解决事情发生以 后遗留的问题 deal with problems arising from an accident	11.1
538.	擅自 擅自	shànzì	（副）	对不在自己的职权范围以内的 事情自作主张 do sth. without authorization	5.1
539.	涉案 涉案	shè'àn	（动短）	跟案子有关 related with the case	4.1
540.	奢侈 奢侈	shēchǐ	（形）	花费大量钱财追求过分享受 luxurious; extravagant	5.1
541.	涉及 涉及	shèjí	（动）	跟……有关系 related to; touch upon; deal with	10.4
542.	深谙此道 深諳此道	shēn ān cǐ dào	（习语）	对……很熟悉 know the way very well	5.5
543.	深度 深度	shēndù	（名）	触及事物本质的程度；程度比 较深的 depth; profundity	1.2
544.	甚而 甚而	shènér	（副）	甚至…… so far as to	8.2
545.	生造 生造	shēngzào	（动短）	没有根据地编造 coin terms	3.2
546.	身临其境 身臨其境	shēn lín qí jìng	（习语）	一种亲身参与一件事的感觉 be personally on the scene	1.2
547.	奢望 奢望	shēwàng	（名）	过高的希望 extravagant hopes; wild wished	9.1
548.	试点 試點	shìdiǎn	（名）	试验的地方 experimental unit; make experiment	5.7

549.	时过境迁 時過境遷	shí guò jìng qiān	（习语）	情况发生了变化 the affair is over and the situation has changed; the incident is over and the circumstances are different　3.2
550.	实惠 實惠	shíhuì	（形）	实际的好处 boon　6.5
551.	施教 施教	shījiào	（动短）	进行教育 carry out education　5.2
552.	世界杯 世界杯	shìjièbēi	（名）	国际体育比赛 world cup　7.1
553.	拾金不昧 拾金不昧	shí jīn bú mèi	（成）	捡到东西不留下或藏起来 据为已有 not pocket the money one picks up　4.2
554.	视觉 視覺	shìjué	（名）	物体的影像被眼睛看到的感觉 visual sense; vision; sense of light　1.1
555.	失控 失控	shīkòng	（动）	失去控制 lose control of; run away　9.5
556.	失利 失利	shī lì	（动）	失败 give ground　8.6
557.	时髦 時髦	shímáo	（形/名）	新的受人注意的东西 fashionable; in fashion　3.2
558.	失眠 失眠	shī mián	（动）	夜里睡不着或醒后不能再入睡 insomnia　8.4
559.	诗情画意 詩情畫意	shī qíng huà yì	（习语）	美丽的意境 poetic meaning　9.4
560.	实施 實施	shíshī	（动/名）	实行 actualize; bring into effect; Carry into execution　5.2
561.	事态 事態	shìtài	（名）	局势,情况(多指坏的) state of affairs; situation　2.2
562.	适应 適應	shìyìng	（动）	习惯、适合 adapt; fit; suit　5.7
563.	食欲 食慾	shíyù	（名）	吃饭的愿望 appetite; belly; orexis　8.4
564.	施政 施政	shīzhèng	（动）	执行政策 administration　5.1

565.	瘦削	shòuxuē	（形）	身材比较瘦	
	瘦削			bony, very thin	9.3
566.	收益	shōuyì	（名）	生产或商业上的收入	
	收益			profit; gains; income	5.1
567.	受益者	shòuyìzhě	（名）	得到好处的人	
	受益者			beneficiary	5.7
568.	率先	shuàixiān	（副）	在前面带头	
	率先			take the lead in doing sth.	5.1
569.	刷卡	shuā kǎ	（动短）	用信用卡消费	
	刷卡			to use credit card	10.2
570.	双关语	shuāngguānyǔ	（名）	文字的表达有不同的意思	
	雙關語			pun; a phrase with double	
				meaning	3.2
571.	栓塞	shuānsè	（名）	堵住, 形成障碍	
	栓塞			embolism; embolize	6.6
572.	束缚	shùfù	（动/名）	控制和约束	
	束縛			bind up; astrict	5.7
573.	水利部	shuǐlìbù	（名）	管理河流、水库和灌溉的机构	
	水利部			irrigation works; water	
				conservancy	5.2
574.	数据	shùjù	（名）	资料和数字	
	數據			data	6.1
575.	硕士	shuòshì	（名）	有学问的人, 研究生学位	
	碩士			master	5.5
576.	熟食	shúshí	（名）	制熟的食品	
	熟食			cooked food	10.3
577.	束手无策	shù shǒu wú cè	（成）	指没有办法	
	束手無策			be at a loss what to do; feel quite	
				helpless; be at one's wit's end	
					2.2
578.	输液	shūyè	（动短）	把葡萄糖溶液、生理盐水等用	
	輸液			一定的装置通过静脉血管输送	
				到体内, 以补充体液并达到治	
				疗的目的	
				transfusion	6.6
579.	私德	sīdé	（名）	私人生活道德	
	私德			personal morality	5.4
580.	死敌	sǐdí	（名）	无论如何也不可调和的敌人	
	死敵			mortal enemy	3.2

581.	司法 司法	sīfǎ	（名）	执行法律 judicatory; judicature	7.1
582.	司局级 司局级	sījújí	（名）	管理一个司局或同等级别的 干部 the status of being the head of a big-department	5.2
583.	厮杀 廝殺	sīshā	（动短）	残酷的拼打 fight closely	6.1
584.	厮守 廝守	sīshǒu	（动短）	和……守在一起 adhere to	9.3
585.	速滑 速滑	sùhuá	（动短）	快速的滑雪 speed ski	8.1
586.	宿命 宿命	sùmìng	（名/形）	一切服从命运的观念 foreordination	9.4
587.	索然寡味 索然寡味	suǒ rán guǎ wèi	（习语）	没有意思 dull and insipid	3.1
588.	琐事 瑣事	suǒshì	（名）	小事 bagatelle; desipience	5.7
589.	琐碎 瑣碎	suǒsuì	（形）	小的,零碎的 pettiness; trivialism	7.1
590.	缩写 縮寫	suōxiě	（动/名）	把长文章改短 abbreviation; abridge	2.2
591.	索引 索引	sǒuyǐn	（动/名）	查找的目录 index	3.1
592.	素质 素質	sùzhì	（名）	基本品质 diathesis; making; stuff	6.2

T

593.	探测器 探測器	tàncèqì	（名）	检查特殊材料的仪器 detector; explorer	10.5
594.	昙花一现 曇花一現	tánhuā yí xiàn	（成）	很短的生命或偶尔见到的 flower flower briefly as the broad-leaved epiphyllum; last briefly	2.2
595.	坦率 坦率	tǎnshuài	（形）	坦白真情 freedom; frankness; plain dealing	8.6
596.	讨好 討好	tǎo hǎo	（动短）	巴结人 apple-polish; blandish	9.2

597. 套话 套話	tàohuà	（名）	套用现成的格式而没有实际内容的话 polite, conventional verbal exchanges 2.2
598. 淘汰 淘汰	táotài	（动）	去掉、裁去 eliminate through selection or contest; fall into disuse; wash out 9.2
599. 特色 特色	tèsè	（名）	事物表现出来的特殊的色彩风格等 characteristic; distinguishing feature 1.1
600. 特写 特寫	tèxiě	（名）	专门的采访报道 feature article/story 3.2
601. 特意 特意	tèyì	（副）	专为某事 especially; specially 5.7
602. 挑剔 挑剔	tiāotī	（动）	过分严格地在细节上指摘 carp at; pick; picky 5.6
603. 调整 調整	tiáozhěng	（动）	调理整顿 adjust; regulate; tune 6.3
604. 条子 條子	tiáozi	（名）	走后门的信 a brief informal note 5.2
605. 题材 題材	tícái	（名）	题目和材料 subject matter; theme 7.2
606. 体裁 體裁	tǐcái	（名）	文学作品的表现形式 types of literature; genre 7.2
607. 贴近 貼近	tiējìn	（动）	靠近 press close to 3.2
608. 提法 提法	tífǎ	（名）	说法 the way sth. is put; formulation 3.2
609. 提纲 提綱	tígāng	（名）	内容的要点 outline 2.2
610. 提纲挈领 提綱挈領	tí gāng qiè lǐng	（成）	把问题明白地提示出来 take a net by the head rope or a coat by the collar; concentrate on the main points; bring out the essentials 3.1

611.	体检 體檢	tǐjiǎn	（动短）	检查身体 check up; physical examination 8.4
612.	厅局 廳局	tíngjú	（名）	管理一个厅局或同等级别的干部 status of being the head of a mid-department 5.2
613.	体现 體現	tǐxiàn	（动/名）	表现出来 embodiment; incarnate; materialize 5.4
614.	提醒 提醒	tí xǐng	（动）	从旁边指点，促使注意 remind; put in mind of; awoke 8.1
615.	题字 題字	tí zì	（动）	为留纪念而写上的字 inscription; autograph 1.1
616.	通报 通報	tōngbào	（动/名）	通知和报告 circulate a notice 2.2
617.	统计局 統計局	tǒngjìjú	（名）	做统计工作的机关 bureau of statistics 6.4
618.	同中求异 同中求異	tóng zhōng qiú yì	（习语）	在差不多一样的地方追求不一 样来表现自己 exploring differences from similarities 1.1
619.	透露 透露	tòulù	（动）	传出消息 leak; reveal 5.2
620.	投诉 投訴	tóusù	（动）	报告不好的行为 write to state/request 10.4
621.	投影机 投影機	tóuyǐngjī	（名）	把图片和文字放大到幕或墙上 的机器 overhead projecter 9.3
622.	团聚 團聚	tuánjù	（动/名）	结合在一起 reunite; get together 5.7
623.	突出 突出	tūchū	（形）	鼓出来的；超过一般地显露 出来的 protruding; projecting; sticking out; outstanding; striking 1.2
624.	突发 突發	tūfā	（形）	突然发生的 happening suddenly 1.2
625.	推荐 推薦	tuījiàn	（动）	介绍 commend; recommend; nominate 6.2

626. 推进 推進	tuījìn	（动/名）	推动发展 advance; boost; push	5.3
627. 脱胎 脱胎	tuō tāi	（动短）	从……出来 be born out of	9.4
628. 拖延 拖延	tuōyán	（动）	落在规定时间后面 delay; drag on; hang up; hold off	5.7
629. 脱颖而出 脱穎而出	tuō yǐng ér chū	（习语）	突出出来 the point of an awl sticking out through a bag; talent showing itself	5.2
630. 徒刑 徒刑	túxíng	（名）	在监狱的服刑期 imprisonment	11.1
631. 屠宰 屠宰	túzǎi	（动）	杀死动物 butcher; slaughter	6.3

W

632. 网络 網絡	wǎngluò	（名）	网一样的关系 network; internet	5.2
633. 旺盛 旺盛	wàngshèng	（形）	有精力 bloom; flower	6.5
634. 望眼欲穿 望眼欲穿	wàng yǎn yù chuān	（习语）	很热切的盼望 looking forward to with eager expectancy	5.7
635. 顽抗 頑抗	wánkàng	（动/名）	顽固的抵抗 stubbornly resist	4.1
636. 违禁 違禁	wéijìn	（动）	违反禁令 violate a ban	8.3
637. 未老先衰 未老先衰	wèi lǎo xiān shuāi	（习语）	年纪还轻但已经开始老化 premature ly senile	8.4
638. 微粒 微粒	wēilì	（名）	微小的颗粒 atom; mote; particulate	6.6
639. 惟利是图 惟利是圖	wéi lì shì tú	（成）	只要有利益就想尽一切办法去 得到 seeking profits by all means	1.2
640. 委靡 委靡	wěimǐ	（形）	精神不好 sag	8.4

641. 威士忌 威士忌	wēishìjì	（名）	一种用大麦、黑麦制成的酒 whisky	5.6
642. 委托 委託	wěituō	（动）	请人代办 consign; devolve; entrust	5.6
643. 委婉 **委婉**	wěiwǎn	（形）	说话在不失本意的情况下 温和而曲折 circumbendibus	10.1
644. 文凭 文憑	wénpíng	（名）	毕业证书 diploma	5.5
645. 稳妥 穩妥	wěntuǒ	（形）	稳当，可靠 reliable; safe	5.7
646. 物竞天择 物競天擇	wù jìng tiān zé	（习语）	符合自然的、有竞争力的 evolution by nature choice	9.1
647. 乌龙茶 烏龍茶	wūlóngchá	（名）	中国南方的一种茶 Oolong	5.6
648. 无穷 無窮	wúqióng	（形）	没有尽头 infinite; endless; boundless; inexhaustible	5.1
649. 务实 **務實**	wùshí	（动）	注重实际 deal with concrete matters relating to work	5.1
650. 无异于 無異於	wúyìyú	（动短）	跟……没有不同 not different from; the same as	3.2
651. 毋庸讳言 毋庸諱言	wúyōng huì yán	（习语）	不必瞒着不说 no need for reticence	5.1
652. 无缘 無緣	wúyuán	（动）	没有机会 not destined to	8.1

X

653. 系 系	xì	（名）	牵挂 tie; fasten	5.1
654. 暇 暇	xiá	（名）	空闲的时间 free time leisure	5.5
655. 下降 下降	xiàjiàng	（动）	落下来 descend; drop; fall	5.7
656. 嫌犯 嫌犯	xiánfàn	（名）	可能犯罪的人 suspect	9.5

657.	相对 相對	xiāngduì	（副）	比较的 relatively; comparatively 1.1
658.	相对来说 相對來説	xiāng duì lái shuō	（副短）	比较来看 comparatively talk; relatively speak 5.7
659.	详尽 詳盡	xiángjìn	（形）	清楚全面 at large 7.2
660.	相声 相聲	xiàngsheng	（名）	一种说笑的表演形式 cross talk; comic dialogue 3.2
661.	翔实 翔實	xiángshí	（形）	详细实在的 full and accurate 7.2
662.	象征 象徵	xiàngzhēng	（名）	隐喻的符号 symbolize; emblematize; indicate 8.1
663.	陷入 陷入	xiànrù	（动）	掉进 get into; immersion; plunge 6.1
664.	限制 限制	xiànzhì	（动/名）	规定范围,不许超过 limit 3.2
665.	效 效	xiào	（动）	学习、模仿 learn; copy 5.1
666.	消费品 消費品	xiāofèipǐn	（名）	商品 consumer goods 2.2
667.	小康社会 小康社會	xiǎokāng shèhuì	（习语）	比较富裕的生活 middle-class society 5.3
668.	小胖墩 小胖墩	xiǎopàngdūn(r)	（形）	对胖孩子的不客气的称呼 fatty 6.4
669.	效益 效益	xiàoyì	（名）	效果和好处 benefit 5.3
670.	吸毒 吸毒	xī dú	（动短）	吸食毒品 take drugs 11.5
671.	邪恶 邪惡	xié'è	（形）	不正而且凶恶 evil 3.2
672.	谐仿 諧仿	xiéfǎng	（动/名）	故意有趣地模仿 imitate with humor 3.2
673.	协调 協調	xiétiáo	（动/名）	合作顺利 assort with; correspond 5.3
674.	袭击 襲擊	xíjī	（动/名）	突然的攻击 attack on; raid 4.1
675.	系列 系列	xìliè	（名）	一组的 series; spectrum 7.2

676.	刑满 刑滿	xíngmǎn	（动短）	被处罚的日期完结 maturity of the prison time	5.7
677.	醒目 醒目	xǐngmù	（形）	（文字、图画等）形象鲜明，容易看清 (of written words or pictures) catch the eye; attract attention; be striking	1.1
678.	刑期 刑期	xíngqī	（名）	在监狱里服刑的时间 term of imprisonment	9.5
679.	行踪 行蹤	xíngzōng	（名）	行动的踪迹 trace	1.1
680.	新华社 新華社	xīnhuáshè	（名）	中国政府官方新闻社 Xinhua News Agency	5.5
681.	心急 心急	xīn jí	（形）	着急 impatient; short-tempered	7.1
682.	心态 心態	xīntài	（名）	心理状态 mood; attitude	5.7
683.	信息 信息	xìnxī	（名）	消息 information	5.2
684.	信息量 信息量	xìnxīliàng	（名）	包含消息的密度 information capacity	2.2
685.	心绪 心緒	xīnxù	（名）	心情 frame of mind; vein	8.4
686.	心弦 心弦	xīnxián	（名）	心 heartstring	8.1
687.	心绪烦乱 心緒煩亂	xīnxù fán luàn	（习语）	心情不好 worried; bad mood	5.7
688.	新颖 新穎	xīnyǐng	（形）	新而且别致 new and original; novel	1.2
689.	信誉 信譽	xìnyù	（名）	信用和名誉 credit standing	5.6
690.	吸收 吸收	xīshōu	（动）	吸取、得到 absorb; suck up	2.1
691.	休克 休克	xiūkè	（名）	失去呼吸和生命的情况 shock	6.6
692.	羞涩 羞澀	xiūsè	（形）	不好意思 be ashamed; shame; shy	5.7
693.	修饰语 修飾語	xiūshìyǔ	（名）	描写性的词语 modifier	7.2

694. 休闲 休閑	xiūxián	（名）	休息和消闲 relaxation and leisure 1.2
695. ……兮兮 ……兮兮	...xīxī	（词尾）	描写语气词 vivid description 8.5
696. 息息相关 息息相關	xī xī xiāng guān	（习语）	关系密切 be closely bound up; be closely linked 7.1
697. 细致 細緻	xìzhì	（形）	周到细心 particularity 5.7
698. 炫 炫	xuàn	（形）	晃眼 shine; brilliant 11.7
699. 选拔 選拔	xuǎnbá	（动短）	选择和提拔 select; choose 5.2
700. 宣传 宣傳	xuānchuán	（动）	告示人们知道 propagandize; disseminate; drumbeating 6.2
701. 旋风 旋風	xuànfēng	（名）	威力强大的旋转的风 cyclone; tornado; whirlwind 5.6
702. 悬念 懸念	xuánniàn	（名）	让人们关心结果的一种写作技 巧 suspense 3.2
703. 渲染 渲染	xuànrǎn	（动）	夸张描写的 give full play 7.2
704. 宣泄 宣泄	xuānxiè	（动）	发散，强烈地表达 catharsis 9.5
705. 削弱 削弱	xuēruò	（动）	使变弱、使无力 weaken; cripple; dent 6.1
706. 虚构 虛構	xūgòu	（动）	不真实的，创作的 fabricate; make up 7.2
707. 循环 循環	xúnhuán	（动/名）	事物的从头到尾的发展变化和 这种变化的重复 circulate; cycle 1.2
708. 续聘 續聘	xùpìn	（动短）	继续聘任 continue hiring 9.2

Y

| 709. 亚
亞 | yà | （形） | 第二的
second; sub- 8.4 |

710.	眼馋 眼饞	yǎnchán	(形)	看见自己喜爱的事物极想得到 be envious; covet	6.1
711.	扬眉吐气 揚眉吐氣	yáng méi tǔ qì	(习语)	形容被压抑的心情得到舒展而 快活如意 hold one's head high	8.1
712.	言简意赅 言簡意賅	yán jiǎn yì gāi	(习语)	简单明白 concise and comprehensive	7.2
713.	严峻 嚴峻	yánjùn	(形)	严重 austerity; grimness	5.4
714.	研判 研判	yánpàn	(动短)	研究和判断 research and judge	9.5
715.	延伸 延伸	yánshēn	(动)	伸展 extend; expand	5.2
716.	掩饰 掩飾	yǎnshì	(动/名)	遮盖起来 cover up; gloss over; conceal	5.7
717.	厌食症 厭食症	yànshízhèng	(名)	疾病名称 anorexia; off one's feed	8.2
718.	延误 延誤	yánwù	(动)	耽搁时间,使不能按时完成 dally over; morra	9.5
719.	沿袭 沿襲	yánxí	(动)	按照过去的方法 carry on as before; follow	3.2
720.	药监 藥監	yàojiān	(名)	药物监督和管理系统 medical monitoring system	6.5
721.	押韵 押韻	yā yùn	(动/名)	句子的最后一个字用声音相近 的字 rhyming; be in the rhyme	3.2
722.	亚运会 亞運會	Yàyùnhuì	(名)	亚洲体育运动比赛 Asian game	7.1
723.	业务性 業務性	yèwùxìng	(名)	指专业性比较强的内容 professional work; business	1.2
724.	……裔 ……裔	…yì	(名)	后代 descendents of...	11.6
725.	异常性 異常性	yìchángxìng	(名)	不平常的 unusualness; abnormality	4.2
726.	一筹莫展 一籌莫展	yì chóu mò zhǎn	(成)	着急,没有办法 can find no way out	2.2
727.	乙肝 乙肝	yǐgān	(名)	肝脏疾病 hepatitis B	6.6
728.	遗憾 遺憾	yíhàn	(动/名)	后悔 regret; pity	2.2

729.	议会 議會	yìhuì	（名）	国家机构 parliament; legislative assembly 11.4
730.	一家之言 一家之言	yì jiā zhī yán	（习语）	一种有名的、权威的言论 one doctrine or school of thought; authority in a certain field　5.4
731.	一举成名 一舉成名	yì jǔ chéng míng	（习语）	突然出名 become famous overnight　5.6
732.	依赖 依賴	yīlài	（动）	依靠和信赖； rely on; be dependent on　1.2
733.	一目了然 一目瞭然	yí mù liǎorán	（成）	一眼就看得明白 be clear at a glance　1.1
734.	引导 引導	yǐndǎo	（动）	带领 guide; lead　4.2
735.	应届 應屆	yìngjiè	（形）	当年的毕业生 graduates of the year　9.1
736.	英年早逝 英年早逝	yīngnián zǎo shì	（习语）	在年轻时去世 die in the brilliant year　8.4
737.	隐患 隱患	yǐnhuàn	（名）	潜藏的祸患 hidden trouble　6.6
738.	银牌 銀牌	yínpái	（名）	第二名奖励 silver medal　8.6
739.	迎刃而解 迎刃而解	yíng rèn ér jiě	（习语）	主要的问题解决了，其他有关 问题就可以很容易地得到解决 be readily solved　7.1
740.	隐喻 隱喻	yǐnyù	（名）	象征和表示 metaphor　4.1
741.	怡然自得 怡然自得	yí rán zì dé	（习语）	心情舒服地生活 mellowness and self satisfied 10.3
742.	伊始 伊始	yīshǐ	（形）	开始 beginning　8.1
743.	意识形态 意識形態	yìshí xíngtài	（名）	思想状况 ideology　5.3
744.	异样 異樣	yìyàng	（形）	奇怪的、不寻常的 difference　10.2
745.	一夜情 一夜情	yíyèqíng	（名）	不正当的肉体交易 one night's love　5.4

746. 依照 依照	yīzhào	（连/介）	按照 according to; in accordance with	7.1
747. 抑制 抑制	yìzhì	（动）	压抑控制 restrain; control; check	5.7
748. 咏诗 詠詩	yǒngshī	（动短）	吟唱诗词 chant a poem	9.1
749. 踊跃 踴躍	yǒngyuè	（形）	情绪热烈，争先恐后 eagerly; enthusiastically	10.1
750. 有案可稽 有案可稽	yǒu àn kě jī	（习语）	可以查找到线索 be a matter of record; be documented	3.2
751. 诱导 誘導	yòudǎo	（动）	引诱和引导 abduction; inducement	8.3
752. 幼儿园 幼兒園	yòu'éryuán	（名）	幼儿学校 kindergarten; nursery school	6.4
753. 诱发 誘發	yòufā	（动）	导致发生（疾病） place a premium on	8.4
754. 优化 優化	yōuhuà	（动）	加以改变使优秀 optimize	6.4
755. 优美 優美	yōuměi	（形）	好看、漂亮的 graceful and beautiful	2.2
756. 有魅力 有魅力	yǒu mèilì	（动短）	吸引人的力量 charming; enchanting	3.1
757. 优势 優勢	yōushì	（名）	能压倒对方的有利形势 superiority; preponderance; dominantposition	3.1
758. 优雅 優雅	yōuyǎ	（形）	优美和高雅的 graceful; elegant	2.2
759. 有益 有益	yǒuyì	（形）	有好处 beneficial; profitable; useful	2.2
760. 逾 踰	yú	（动）	超过 exceed; even more	5.2
761. 源源不断 源源不斷	yuányuán bú duàn	（习语）	有丰富资源，不停地来 in a steady stream; continuously	6.5

762. 预报 預報	yùbào	(动)	预先告诉 forecast; predict	7.1
763. 约 約	yuē	(动)	差不多、大约 almost; about	5.2
764. 约定俗成 約定俗成	yuē dìng sú chéng	(习语)	习惯的规定 established by usage	7.1
765. 预防 預防	yùfáng	(动/名)	在事情发生以前防止 take precautions against; prevent	5.2
766. 娱乐 娛樂	yúlè	(名)	快乐而有趣的活动 entertainment	1.2
767. 酝酿 醞釀	yùnniàng	(动)	做准备工作 brew; ferment, make preparations	11.3
768. 运转 運轉	yùnzhuǎn	(动)	操作,使转动 operate; go; movement	6.3
769. 预热 預熱	yùrè	(动)	先行的导入 warm up	3.2
770. 预赛 預賽	yùsài	(名)	决赛之前进行的比赛 preliminary contest; tryout	8.1
771. 欲望 慾望	yùwàng	(名)	强烈的愿望 desire; appetite; lust	8.1
772. 愉悦 愉悅	yúyuè	(形)	愉快和欢乐 happy; joyful; delighted	1.2

Z

773. 在册 在冊	zàicè	(动短)	在名单上的 on the list	6.2
774. 灾害 災害	zāihài	(形)	不幸的事件 calamity; disaster	7.1
775. 暂行 暫行	zànxíng	(动短)	暂时执行的 temporary used	5.2
776. 造访 造訪	zàofǎng	(动)	拜访 pay a visit, call on	6.1
777. 遭受 遭受	zāoshòu	(动)	受到不幸或损害 suffer; be exposed to; lie under; meet with	6.1
778. 灶台 竈臺	zàotái	(名)	炉子旁边 hearth; stove	8.5

797.	政治局 政治局	zhèngzhìjú	（名）	中国共产党的中央领导机关 the Political Bureau	5.3
798.	症状 症狀	zhèngzhuàng	（名）	疾病的情况 symptom	8.4
799.	阵容 陣容	zhènróng	（名）	作战队伍的外貌 lineup	8.6
800.	珍惜 珍惜	zhēnxī	（动/形）	珍重和爱惜 treasure; value; cherish	1.1
801.	侦讯 偵訊	zhēn xùn	（动短）	侦察和审问 investigate and interrogate	9.5
802.	振作 振作	zhènzuò	（动）	使精神旺盛，情绪高涨，奋发 perk; pluck up; recollect	8.6
803.	折中 折中	zhézhōng	（动）	调和的 compromise; tradeoff	7.1
804.	指标 指標	zhǐbiāo	（名）	计划中规定达到的目标 guideline; index; target	6.2
805.	支撑 支撐	zhīchēng	（动）	支持 support; sustain; underlay	5.7
806.	脂肪 脂肪	zhīfáng	（名）	肥肉，油质 fat; fattiness	8.3
807.	制伏 制伏	zhìfú	（动）	用强力使服从 subdue	9.5
808.	直观 直觀	zhíguān	（形）	直接能看见 directly perceived through the senses; audio-visual	3.2
809.	制剂 製劑	zhìjì	（名）	药品形式 preparation	8.2
810.	制冷 制冷	zhì lěng	（动短）	用人工方法变冷 refrigeration	6.1
811.	治理 治理	zhìlǐ	（动）	统治和管理 administer; govern; bring under control; put in order	5.2
812.	致命 致命	zhìmìng	（形）	要命的，可使丧失生命的 deadliness; fatal	5.7
813.	知名度 知名度	zhīmíngdù	（名）	被公众知道或了解的程度 capacity or degree of being known	1.2
814.	知情权 知情權	zhīqíngquán	（名）	知道事情内容的权利 rights of have access to know the truth	5.2

831.	转载 轉載	zhuǎnzǎi	（动）	再次发表 reprint; reship 7.1
832.	专注 專注	zhuānzhù	（形）	专心和集中精力 be absorbed in; devote one's mind to 9.3
833.	追捧 追捧	zhuīpěng	（动短）	追逐、捧场 pursue and praise 6.5
834.	追踪 追蹤	zhuīzōng	（动）	按踪迹或线索追寻 trace; follow the track of 1.2
835.	逐级 逐級	zhújí	（副）	一级接着一级 chase; drive out; pursue 5.7
836.	瞩目 矚目	zhǔmù	（形）	注目 fix eyes on; focus attention upon 8.7
837.	着眼于 着眼於	zhuóyǎnyú	（动短）	观察,考虑 have one's eyes on; see from the angle of 1.2
838.	卓有成效 卓有成效	zhuó yǒu chéng xiào	（习语）	很有成绩 fruitful; highly effective 5.2
839.	卓著 卓著	zhuózhù	（形）	非常出色 eminent; outstanding 6.3
840.	注射剂 注射劑	zhùshèjì	（名）	打针的药品 injection 6.6
841.	主体 主體	zhǔtǐ	（名）	主要的部分 main body; main part 1.2
842.	资力 資力	zīlì	（名）	天资和能力 quality; qualification 11.6
843.	自杀 自殺	zìshā	（动短）	自己结束自己的生命 suicide; self-destruction; lay hands on oneself 11.2
844.	自缢 自縊	zìyì	（动短）	上吊自杀 hang oneself 9.1
845.	自由体操 自由體操	zìyóu tǐcāo	（名）	体育项目名称 free exercise 8.6
846.	自助餐 自助餐	zìzhùcān	（名）	自己服务的用餐方式 buffet dinner 8.1
847.	宗 宗	zōng	（量）	量词 measure word 9.1
848.	纵深 縱深	zòngshēn	（形）	往深处发展 in length and depth 3.2

849.	宗旨 宗旨	zōngzhǐ	（名）	主要目的和意图 aim; purpose	5.1
850.	走马观花 走馬觀花	zǒu mǎ guān huā	（成）	随便浏览，不仔细看 look at flowers while riding on horseback; gain a superficial understanding through cursory observation	2.1
851.	组合 組合	zǔhé	（动）	放到一起，结合 make up; compose; constitute	2.1
852.	最佳 最佳	zuìjiā	（形）	最好的 the best	9.1
853.	遵循 遵循	zūnxún	（动）	按照 follow; keep to	7.1
854.	作祟 作祟	zuòsuì	（动）	坏人或坏的思想意识捣乱，妨碍事情顺利进行 haunt	10.5
855.	座无虚席 座無虛席	zuò wú xū xí	（习语）	没有空着的座位 no empty seat; full house	9.3

（为方便检索，本索引按字母音序制作）